Стефани Майер

Стефани Майер

СУМЕРКИ

ИЗДАТЕЛЬСТВО

МОСКВА

УДК 821.111(73)-312.9
ББК 84(7Сое)-44
М14

Stephenie Meyer

Twilight

Перевод с английского А. Ахмеровой

Печатается с разрешения издательства
Little, Brown and Company, New York, New York, USA
и литературного агентства Andrew Nurnberg

Майер, С.

М14   Сумерки / Стефани Майер; пер. с англ. А. Ахмеровой. — М.: АСТ: АСТ МОСКВА, 2010. — 447, [1] с.

ISBN 978-5-17-035043-8 (ООО «Изд-во АСТ») (С.: Мистика (У))
ISBN 978-5-9713-6325-5 (ООО Издательство «АСТ МОСКВА»)
Серийное оформление О. Качаевой

ISBN 978-5-17-054607-7 (ООО «Изд-во АСТ») (С.: Кинороман)
ISBN 978-5-9713-8957-6 (ООО Издательство «АСТ МОСКВА»)

Вампирский роман, первое издание которого только в США разошлось рекордным тиражом в 100 000 экземпляров!

Книга, которая стала культовой для молодежи не только англоязычных стран, но и Франции, Испании, Скандинавии, Японии и Китая. Литературный дебют, который критики сравнивают с «Интервью с вампиром» Энн Райс и «Теми, кто охотится в ночи» Барбары Хэмбли.

Влюбиться в вампира...

Это страшно?

Это романтично...

Это прекрасно и мучительно...

Но это не может кончиться добром — особенно в вечном противостоянии вампирских кланов, где малейшее отличие от окружающих уже превращает вас во врага...

УДК 821.111(73)-312.9
ББК 84(7Сое)-44

Подписано в печать с готовых диапозитивов заказчика 25.09.2009.
Формат 84x108/32. Бумага газетная. Печать офсетная.
Усл.печ.л. 23,52. С.: Мистика (У). Тираж 5100 экз. Заказ 2263.
С.: Кинороман. Тираж 25 000 экз. Заказ 2264.

*Он знает, что во мраке,
но свет обитает с Ним.*

Пророк Даниил 2:22

ПРОЛОГ

Раньше я не думала всерьез о смерти, хотя за последние месяцы поводов было предостаточно. Даже когда подобные мысли приходили в голову, я и представить не могла, что все случится именно так.

Затаив дыхание, я смотрела через большой зал прямо в счастливые глаза ищейки.

Отдать свою жизнь за другого человека, а тем более любимого, вне всякого сомнения, стоит. Это даже благородно!

Я понимала, что именно приездом в Форкс подвергла свою жизнь опасности, но не жалела об этом, несмотря на леденящий душу страх.

Когда сбываются самые заветные мечты, следует ожидать, что рано или поздно судьба предъявит тебе счет.

Ищейка ласково улыбнулся и медленно подошел ко мне.

Глава первая

ПЕРВЫЕ ВПЕЧАТЛЕНИЯ

В аэропорт мы с мамой приехали на машине с открытыми окнами. В Финиксе было плюс двадцать пять, в бескрайнем голубом небе — ни облачка. Прощаясь с Аризоной, я надела свою любимую блузку, белую с шитьем, но в руках несла теплую парку.

На северо-востоке штата Вашингтон притаился маленький городок Форкс, где погода почти всегда пасмурная. Осадков там выпадает больше, чем на всей территории Соединенных Штатов. Из этого унылого, наводящего тоску города мама сбежала, прихватив меня, когда мне было всего несколько месяцев. До четырнадцати лет я каждое лето ездила в этот жуткий город, а потом взбунтовалась, и три последних лета мой отец Чарли брал меня на две недели в Калифорнию.

И вот я переезжаю в Форкс, причем по собственной воле. Решение далось мне нелегко, потому что этот городок я люто ненавидела.

Мне нравился Финикс с его ослепительно ярким солнцем, зноем, шумом и вечной неугомонностью.

— Белла, — позвала мама, и я догадалась, что она сейчас скажет. — Еще не поздно передумать, — в тысячу первый раз предложила она.

Мы с мамой очень похожи, только у нее короткие волосы, а у глаз морщинки — она часто улыбается. Я заглянула в ее большие, по-детски чистые глаза, и сердце болезненно сжалось. Неужели я бросаю свою милую, любящую, недалекую маму? Конечно, теперь у нее есть Фил, который позаботится, чтобы счета были оплачены вовремя, холодильник не пустовал и в машине хватало бензина, но все же...

— Хочу уехать, — твердо сказала я. Врать я всегда умела, а в последнее время так часто повторяла эти слова, что почти поверила в них сама.

— Передавай привет Чарли, — сдалась мама.

— Обязательно, — вздохнула я.

— Мы расстаемся ненадолго. Пожалуйста, не забывай, что можешь вернуться в любую минуту... Если что-то случится, позвони, и я за тобой приеду.

— Ни о чем не беспокойся, — уверенно отозвалась я. — Все будет в порядке. Мама, я тебя люблю!

Рене храбрилась, но я чувствовала, что она не до конца откровенна. Потом она прижала меня к себе, мы поцеловались, и я пошла сдавать багаж.

Итак, впереди четырехчасовой перелет до Сиэтла, затем пересадка, еще час до Порт-Анжелеса и, наконец, час езды на машине до Форкса. Летать мне нравилось, а вот целый час в машине с Чарли — это меня не радовало.

Нет, папа вел себя отлично и, казалось, искренне обрадовался, что я решила перебраться к нему. Он уже записал меня в школу и обещал подыскать машину. Проблема заключалась в том, что ни меня, ни Чарли разговорчивыми не назовешь, да и обсуждать нам почти нечего. Вне всякого сомнения, мое решение уехать из Финикса немало его удивило: как и мама, я не делала секрета из того, что ненавижу Форкс.

Порт-Анжелес встретил меня проливным дождем. Впрочем, я восприняла ливень не как дурной знак, а скорее как что-то неизбежное. С солнцем я уже попрощалась.

Папа приехал за мной на патрульной машине. Это я тоже предвидела, ведь для всех жителей Форкса Чарли — шеф полиции Свон. Вот почему, несмотря на стесненность в средствах, я решила купить собственный автомобиль — не хотела разъезжать по городу на машине с мигалками. Мне кажется, именно патрульные машины создают пробки на улицах.

Спускаясь по трапу самолета, я поскользнулась и упала прямо в объятия отца.

— Рад видеть тебя, Беллз, — промолвил он, осторожно опуская меня на землю. — Ты почти не изменилась. Как Рене?

— С мамой все в порядке. Я тоже рада встрече, папа. — Чарли я звала его только за глаза.

О чем же с ним разговаривать?

Багажа у меня было совсем немного. Аризонский гардероб для Вашингтона не подходил. Мы с мамой постарались купить побольше теплых вещей и потратили кучу денег, но того, что купили, явно не хватит.

— Я нашел тебе классную машину, и цена подходящая! — объявил отец, когда я устроилась на переднем сиденье и пристегнулась.

— Что за машина? — решила уточнить я. Почему-то мне не понравился тон, которым он сказал «классную».

— Ну, вообще-то это пикап, «шевроле».

— Где ты ее нашел?

— Помнишь Билли Блэка из Ла-Пуш? — Ла-Пуш — небольшая индейская резервация на побережье.

— Нет.

— Прошлым летом мы вместе ездили рыбачить, — подсказал Чарли. — А теперь он в инвалидном кресле и за руль уже не сядет, так что пикап отдает дешево.

Именно поэтому я не помнила Блэка. Мне всегда удавалось блокировать болезненные и ненужные воспоминания.

— И сколько пикапу лет?

По выражению лица Чарли я поняла, что этого вопроса он опасался.

— Ну, Билли вложил в мотор кучу денег, и работает он теперь как часы.

— Сколько лет пикапу? — Пусть Чарли не надеется, что я сдамся без боя!

— Билли купил его году эдак в 1984.

— Он купил его новым?

— Вообще-то, нет. А год сборки... ну, конец пятидесятых — начало шестидесятых, — нехотя признал Чарли.

— Чар... Папа, я же не разбираюсь в машинах и, если что-то сломается, починить не смогу. А на механика денег нет...

— Ради бога, Белла, тачка — просто зверь, таких больше не делают!

Что же, «зверь» звучит неплохо.

— И сколько Билли хочет за «зверя»? — В финансовых вопросах придется быть бескомпромиссной.

— Вообще-то я его уже купил и собирался тебе подарить. Добро пожаловать в Форкс, Белла!

Вот так! Бесплатно!

— Ну, зачем же, папа! Я вполне могу позволить себе купить машину.

— Да ладно! Хочу, чтобы тебе здесь понравилось! — заявил Чарли, внимательно наблюдая за дорогой. Особой чувствительностью отец не отличался. Наверное, это передалось и мне — отвечая, я старалась не встречаться с ним взглядом.

— Огромное спасибо, папа! Я очень рада! — Зачем напоминать, что в Форксе мне в принципе не могло понравиться. Совершенно необязательно портить настроение Чарли, тем более что дареному пикапу в зубы не смотрят.

— Ну что ты, Белла! Всегда пожалуйста! — смущенно пробормотал он.

Немного поговорив о погоде, для которой существовало только одно определение — «паршивая», мы стали молча смотреть в окна.

Справедливости ради стоит заметить, что за окном было очень красиво. Море зелени: листва, мшистые стволы деревьев, на земле — толстый ковер из папоротника. Даже просачивающийся сквозь листья свет казался зеленым. Похоже, я попала на зеленую планету!

Наконец мы приехали к Чарли. Он по-прежнему жил в небольшом двухэтажном коттедже, который много лет назад купил для мамы. У дома — похоже, над ним не властно время — стоял мой «новый» пикап, блекло-красный, с большими закругленными крыльями и просторной кабиной. Как ни странно, «зверь» мне понравился. Неизвестно, как он ездит, но я могла легко представить себя за рулем. Такие пикапы я много раз видела в кино — без единой царапинки они гордо стоят в самом центре аварии, окруженные разбитыми всмятку легковушками.

— Папа, машина отличная, спасибо!

Теперь завтрашний день казался не таким страшным — не придется идти две мили до школы под проливным дождем или ехать на патрульной машине с Чарли.

— Рад, что тебе понравилось, — пробурчал отец, снова смущаясь.

Все мои вещи мы перенесли наверх за один заход. Чарли отдал мне западную спальню с окнами во двор. Эту комнату я хорошо знала, потому что, приезжая к отцу на лето, жила именно в ней. Деревянный пол, бледно-голубые стены, высокий потолок, пожелтевшие кружевные занавески на окнах — все это было частью моего детства. Чарли только купил большую кровать и письменный стол. На столе стоял старенький компьютер, а от модема тянулся провод к телефону. На модеме настояла мама, чтобы мы постоянно были на связи. В потертом кресле-качалке сидели мои старые куклы.

Ванная одна на два этажа, так что придется делить ее с Чарли. Да, перспектива не самая радужная.

Одно из лучших качеств Чарли — ненавязчивость. Подняв по лестнице мои сумки, он ушел, чтобы я могла спокойно распаковаться и устроиться. Мама на такие подвиги не способна!.. Как здорово, что можно побыть наедине с собой, бездумно смотреть на дождевые капли и немного поплакать. Хотя нет, реветь я сейчас не буду, оставлю это удовольствие на ночь. Тем более что завтра в школу.

В средней школе Форкса было триста пятьдесят семь, а со мной триста пятьдесят восемь учащихся. В Финиксе только на моей параллели училось больше! Местные жители мобильностью не отличаются, так что мои одноклассники знают друг о друге всю подноготную. Меня же и через пять лет будут считать новенькой.

Жаль, что я не выгляжу, как типичная жительница Аризоны: высокая, световолосая, загорелая, страстная поклонница пляжного волейбола. Все это не обо мне, хотя большинство моих подруг попадают под это определение. Кожа у меня оливковая и никакого намека на голубые глаза и светлые или хотя бы рыжеватые волосы. Фигура стройная, однако не атлетичная: полное отсутствие координации и плохая реакция исключили меня из всех видов спорта.

Выложив одежду на низкий сосновый столик, я достала туалетные принадлежности и пошла мыться. Посмотрев на себя в зеркало, аккуратно расчесала влажные спутанные волосы. Надеюсь, все дело в освещении, — цвет лица казался желтоватым и каким-то болезненным. Моя кожа бывает сияющей и полупрозрачной, особенно если наложить макияж, но сегодня я не красилась.

Даже наплакавшись вдоволь, я долго не могла заснуть. Мешали постоянный шум дождя и шелест ветра. Я накрылась одеялом с головой, а потом положила сверху подушку, но сон пришел только после полуночи, когда дождь превратился в морось.

Выглянув утром в окно, я увидела лишь густой туман. Сквозь грязно-серые тучи не проникало ни

одного солнечного луча, и я почувствовала себя словно в клетке.

Завтрак прошел спокойно, и Чарли пожелал мне
удачи в школе. Я старалась отвечать как можно
вежливее, прекрасно понимая, что он надеется
зря — мы не особенно дружны с удачей. Чарли ушел
первым — похоже, его настоящим домом был по-
лицейский участок. Оставшись одна, я осмотрела
небольшую кухню: квадратный дубовый стол, три
совершенно разных стула, темная обшивка стен,
ярко-желтые ящики шкафа и белый линолеум.
В желтый цвет ящики выкрасила мама восемнадцать лет назад, надеясь заманить на кухню солнце.
К кухне примыкала крошечная гостиная, где над
каминной полкой стояли фотографии в рамках.
Первой шла свадебная фотография мамы и Чарли
в Лас-Вегасе. На второй они, молодые и счастливые, забирали меня из роддома. Затем — серия моих
школьных снимков, включая последний. Смотреть
на них мне было неловко. Надо попросить Чарли,
чтобы он их убрал.

Легко догадаться, что после мамы здесь не жила
ни одна женщина. Почему-то мне стало не по себе.

Появляться в школе первой не хотелось, но и оставаться в этом доме я больше не могла. Надев куртку, толстую и неудобную, я вышла на улицу, достала
спрятанный под карнизом ключ и закрыла дверь.
Тяжелые сапоги неприятно хлюпали по грязи. Как
же мне не хватало привычного хруста гравия!..

Я остановилась, чтобы в очередной раз восхититься своим пикапом. Нужно было скорее спрятаться
от холодной мглы, липшей к волосам, и я надела капюшон.

В кабине было очень чисто. Наверняка в ней убрался Чарли или Билли, кожаная обивка сидений пахла табаком, бензином и мятной жвачкой. На мое счастье мотор завелся быстро, правда с оглушительным ревом. Что же, у такого старого пикапа должны быть недостатки. Заработало даже древнее радио. Мелочь, а приятно.

Найти школу оказалось несложно, хотя я никогда раньше ее не видела. Как и во многих других городах, она находилась прямо за автострадой. Большинство улиц Форкса пересекали город с востока на запад и обозначались одной из букв алфавита. Итак, школа была на пересечении Восточной улицы В и Спартан-авеню. Почему-то название «Восточная улица В» показалось мне смешным, и я захихикала. Да, нервы сдают.

Сама школа была совершенно непримечательной — несколько зданий из темно-красного камня, и только вывеска «Средняя школа Форкса» говорила о его назначении. К тому же вокруг корпусов росло столько деревьев и кустарников, что я не сразу смогла определить истинный размер каждого. «А где же дух школы? — с тоской подумала я. — Где высокая ограда и металлоискатели на входе?»

Я припарковалась у первого из корпусов, дверь которого украшала маленькая табличка с надписью «Администрация». На стоянке не было ни одной машины, так что день, скорее всего, неприемный. Тем не менее лучше войти и узнать расписание, чем блуждать под дождем. Нехотя выбравшись из теплой кабины, я зашагала по каменной дорожке, постучалась и, сделав глубокий вдох, вошла.

В административном корпусе было очень светло и теплее, чем я ожидала. Маленький кабинет канцелярии оказался довольно уютным: складные кресла для посетителей, яркая ковровая дорожка, множество плакатов и объявлений на стенах, громко тикающие часы. Я насчитала больше десяти растений в пластиковых горшках, будто на улице недостаточно зелени! Невысокая стойка, заваленная папками с яркими ярлыками, делила кабинет пополам. За стойкой — три стола, за одним из которых сидела крупная рыжеволосая женщина в очках. Незнакомка была в джинсах и бордовой футболке, и я тут же почувствовала себя непривыкшей к холодам южанкой.

Женщина подняла на меня глаза. Так, судя по цвету бровей и волос на затылке, она шатенка, причем довольно темная.

— Чем я могу вам помочь? — спросила администратор. Видимо, она привыкла видеть в канцелярии знакомые лица.

— Изабелла Свон, — представилась я, и женщина понимающе кивнула. Меня здесь ждали с явным любопытством: дочь шефа Свона и его ветреной жены возвращается в родной город!

— Ну, конечно! — воскликнула администратор и лихорадочно стала что-то искать в большой стопке документов. — Вот ваше расписание и карта школы, — наконец объявила она, положив на стойку несколько листов.

Администратор рассказала о предметах, которые мне предстояло изучать, и объяснила, где находятся нужные классы и лаборатории. Затем вручила формуляр, его, с подписями преподавателей, я должна была вернуть в конце дня.

— Надеюсь, в Форксе тебе понравится! — с чувством проговорила женщина.

Я постаралась, чтобы улыбка получилась искренней и благодарной.

Когда я вышла на стоянку, там уже почти не было свободных мест. До начала первого урока времени оставалось немного, и я решила объехать территорию школы. Хорошо, что у большинства студентов машины подержанные, как и у меня. В Финиксе мы жили в бедном районе, по иронии судьбы примыкавшем к новому престижному кварталу, так что увидеть на школьной стоянке новенький «мерседес» или «порше» было обычным делом. Здесь же самой лучшей машиной был сияющий «вольво», сильно выделяющийся на общем фоне. Я припарковалась в самом неприметном месте, чтобы рев двигателя не привлек лишнего внимания. Сидя в машине, я изучала карту, стараясь разобраться и запомнить как можно больше. Ходить по кампусу, уткнувшись носом в карту, совершенно не хотелось. Ну все, похоже, готова. Я сложила сумку, повесила ее на плечо и снова глубоко вдохнула. «Все будет в порядке, — повторяла я и сама себе не верила, — никто меня не съест». Шумно выдохнув, я вышла из пикапа.

Подняв воротник и опустив капюшон до самых бровей, я постаралась смешаться с шумной толпой подростков. Моя черная куртка в глаза не бросалась, и это радовало.

Я быстро нашла кафетерий, а за ним и нужный мне корпус № 3. Огромная черная тройка красовалась на квадратном белом наличнике. Дверей оказалось всего четыре, так что найти нужную будет несложно. Между тем колени дрожали все сильнее, и на ватных ногах я прошла за двумя фигурами в джинсовых плащах-унисекс.

Какие маленькие классы в этой школе! Вошедшие передо мной сняли плащи и повесили на крючки, и я последовала их примеру. Джинсовые фигуры оказались девушками — пепельная блондинка и смуглая шатенка. Ну что же, цвет моей кожи здесь никого не удивит.

Я подала формуляр на подпись преподавателю, которого, судя по табличке на столе, звали мистер Мейсон. Прочитав мое имя, Мейсон окинул меня оценивающим взглядом, и я тут же покраснела до кончиков ушей. Хорошо хоть на заднюю парту посадил! Таращиться на меня будет значительно труднее. Впрочем, моих новых одноклассников это не смутило. Я сделала вид, что изучаю список литературы. Обычный набор авторов: Бронте, Шекспир, Чосер, Фолкнер. Почти все книги из списка я уже прочла и почувствовала облегчение с примесью разочарования. Интересно, согласится мама прислать мне файл со старыми сочинениями или станет поучать, что жульничать нехорошо? Вполуха слушая монотонный рассказ учителя, я перебирала в уме аргументы, которые могли бы убедить маму.

Наконец прозвенел звонок, звук которого показался каким-то гнусавым, и долговязый прыщавый парень подошел ко мне, явно желая пообщаться.

— Ты ведь Изабелла Свон? — широко улыбаясь, спросил он.

— Белла, — уточнила я. Все, кто находился в радиусе трех метров, так и застыли с тетрадями в руках.

— Какой предмет у тебя дальше? — поинтересовался парень, и мне пришлось лезть в сумку за расписанием.

— Политология у мистера Джефферсона в шестом корпусе. — Я не знала, куда смотреть — повсюду блестящие от любопытства глаза.

— Я иду в четвертый корпус, так что могу проводить! — Боже, от него просто так не отделаешься... — Кстати, меня зовут Эрик.

— Спасибо, — неопределенно ответила я.

Мы надели куртки и вышли под дождь, который только усилился. Почему-то мне показалось, что кто-то идет за нами по пятам и подслушивает. Надеюсь, у меня не прогрессирующая паранойя!

— Что, не очень похоже на Финикс? — спросил Эрик.

— Да уж.

— Наверное, дождей там почти не бывает?

— Почему, бывает, несколько раз в год.

— Не представляю, как же без дождя?! — изумленно воскликнул парень.

— Ну, солнце светит, — объяснила я.

— Что-то ты не очень загорелая, — заметил Эрик.

— У меня мама — альбинос.

Парень внимательно на меня посмотрел, и я вздохнула. Видимо, дождь и чувство юмора несовместимы. Пара месяцев — и я забуду, что такое сарказм.

Мы обогнули столовую и подошли к южным корпусам, соседствующим со спортивной площадкой. Эрик довел меня прямо до двери, наверное, опасаясь, что я могу заблудиться.

— Ну ладно, пока, — попрощался он, когда я толкнула дверь, — надеюсь, мы будем часто видеться. — В голосе парня было столько надежды!

Я ободряюще улыбнулась и вошла.

Утро прошло в том же духе. Учитель тригонометрии, мистер Варнер, который не понравился мне с первого взгляда, выставил меня перед классом и велел рассказать о себе. Я густо покраснела, говорила тихо, путаясь в словах, а когда шла к своему месту, споткнулась и чуть не упала.

После двух уроков я стала потихоньку запоминать имена. В каждом классе находилась пара ребят посмелее, которые подходили знакомиться и спрашивали, нравится ли мне Форкс. Я старалась быть вежливой и врала напропалую. Зато мне ни разу не понадобилась карта!

С одной девушкой я сидела на тригонометрии и испанском, а потом мы вместе пошли на ленч. Моя новая знакомая была миниатюрной, сантиметров на десять ниже меня, но шапка темных кудрей скрадывала разницу в росте. Ее имени я не запомнила и рассеянно улыбалась и кивала, в то время как она без остановки болтала об учителях и уроках.

Мы сели за столик к ее подругам, и она нас познакомила. Признаюсь, я тут же забыла, как кого зовут, тем более что девушки оказались куда более робкими, чем их кудрявая знакомая.

Парень с английского, Эрик, помахал мне с другого конца зала.

Именно тогда, во время ленча, болтая с новыми знакомыми, я впервые увидела их.

Их было пятеро, они сидели в самом дальнем углу, не разговаривали и не ели, хотя перед каждым стояло по подносу с едой. Меня они не замечали, так что я могла тайком их разглядывать, не боясь нарваться на любопытный взгляд. Однако мое внимание привлекло вовсе не отсутствие интереса с их стороны.

Уж больно разными они были! Из трех парней один — крупный, мускулистый, как штангист, с темными вьющимися волосами. Другой — медовый блондин, выше, стройнее, но такой же мускулистый. Третий — высокий, неопрятный, со спутанными бронзовыми кудрями. Он выглядел моложе своих друзей, которые могли быть студентами университета или даже преподавателями.

Девушки тоже принадлежали к разным типам. Одна — высокая, стройная, с длинными золотистыми волосами и фигурой фотомодели. Именно такие часто появляются на обложках глянцевых журналов. По сравнению с ней остальные девушки в столовой казались гадкими утятами. Вторая, миниатюрная брюнетка с задорным ежиком, больше всего напоминала эльфа.

И все же было у них что-то общее: они казались мертвенно бледными, бледнее любого студента, живущего в этом лишенном солнечного света городе. Даже бледнее меня, альбиноски во втором поколении. Несмотря на разный цвет волос, глаза у всех пятерых были почти черные, а под ними — темные круги, похожие на огромные багровые синяки. Словно они не спали несколько ночей или сводили синяки после драки, где им переломали носы. Однако носы, как и остальные черты лиц, были благородными, словно профили королей на старых монетах.

Но даже не по этой причине я не могла отвести глаз от странной пятерки.

Я смотрела на них, потому что никогда в жизни не видела ничего прекраснее, чем их лица, разные и одновременно похожие. В школе заштатного городка таких не увидишь — только на обложках журналов и полотнах голландских мастеров. Трудно сказать, кто был самым красивым: статная блондинка или парень с бронзовыми волосами.

Они смотрели куда-то вдаль и не видели ни друг друга, ни остальных студентов. Вот похожая на эльфа девушка встала и, захватив поднос с нетронутым десертом и целым стаканом колы, направилась к выходу изящной походкой манекенщицы. Я зачарованно наблюдала, как брюнетка выбросила ленч, к которому даже не прикоснулась, и, грациозно покачивая бедрами, выпорхнула из столовой. Нехотя я стала прислушиваться к тому, о чем говорили за моим столом.

— Кто сидит там? — спросила я кудрявую девушку, лихорадочно вспоминая ее имя. Она обернулась, чтобы увидеть, какой именно стол я имею в виду, хотя по моему восторженному голосу могла обо всем догадаться. В тот самый момент парень с бронзовыми кудрями поднял голову и посмотрел сначала на мою знакомую, а потом на меня.

Красавец тут же отвел глаза, даже быстрее, чем я. В его мимолетном взгляде не было ни капли интереса — будто моя соседка назвала его по имени, и он инстинктивно отреагировал, хотя разговаривать с ней не собирался.

Девушки за моим столом глупо захихикали.

— Это Эдвард и Эмметт Каллен, а также Розали и Кэри Хейл. Миниатюрная брюнетка, которая ушла, — Элис Каллен. Они живут все вместе в семье доктора Каллена, — чуть слышно сказала девушка с темными кудрями.

Я украдкой взглянула на самого молодого в этой странной компании — он рассеянно смотрел на поднос с едой, тонкие длинные пальцы отщипывали маленькие кусочки от рогалика. Четко очерченные губы чуть заметно двигались, значит, парень что-то им говорит, хотя его родственники безучастно смотрят вдаль. Странные у них имена, таких уже давно не дают! Хотя, кто знает, может, в Форксе старые имена на пике моды!.. Я наконец вспомнила имя моей кудрявой соседки. Джессика! Вот это — самое подходящее имя для моей сверстницы. В Финиксе у нас в каждом классе было по две-три Джессики.

— Они выглядят... необычно, — промямлила я. С каких пор я перестала говорить то, что думаю?

— Да уж, — нервно усмехнулась Джессика. — Они всегда держатся вместе, я имею в виду Эмметта и Розали, Кэри и Элис, и живут вместе! — Сказано это было с осуждением. Наверняка их осуждают все жители маленького городка. Хотя, должна признать, в Финиксе о такой красивой семье тоже ходили бы сплетни.

— Которые из них Каллены? — спросила я. — Что-то особого сходства не видно.

— Естественно! Они же все приемные! Доктор Каллен еще молод, ему слегка за тридцать. Хейлы (они оба блондины) — близнецы, Каллены взяли их на воспитание.

— Они слишком взрослые, чтобы брать их на воспитание.

— Сейчас — да. Кэри и Розали восемнадцать, они живут у миссис Каллен уже десять лет. Она их тетя или какая-то дальняя родственница.

— Молодец миссис Каллен! Заботится о приемных детях, хотя сама еще совсем молода!

— Да, наверное, — нехотя согласилась Джессика, и мне показалось, что она почему-то недолюбливает доктора и его жену. Судя по тому, как она смотрит на их приемных детей, дело в элементарной зависти. — По-моему, миссис Каллен бесплодна...

Слушая девушку, я продолжала смотреть на странную четверку, апатично разглядывавшую стены.

— Давно они в Форксе? — спросила я, удивляясь, что не видела эту семью, когда приезжала летом.

— Нет, — проговорила моя соседка таким тоном, будто ответ был очевиден. — Переехали два года назад с Аляски.

Я почувствовала прилив жалости и какое-то облегчение. Жалость — потому что, несмотря на красоту, они всегда будут здесь чужими. Значит, я не единственная новенькая в этой школе и, к счастью, не самая заметная.

Заинтригованная, я продолжала рассматривать их. Самый младший из парней, очевидно Каллен, снова на меня взглянул. На этот раз он смотрел с интересом, и, отводя взгляд, я успела заметить в его карих миндалевидных глазах что-то вроде разочарования.

— Как зовут парня с рыжеватыми волосами? — спросила я, украдкой наблюдая за красавцем. Он все еще смотрел на меня, но не с любопытством, в отличие от большинства студентов. Интересно, что его так разочаровало?

— Эдвард. Он, конечно, душка, но можешь не тратить на него время. Этот гордец ни с кем не встречается. Очевидно, наши девушки для него недостаточно хороши, — с явной обидой проговорила Джессика. Неужели Каллен успел ее отшить?

Стараясь спрятать улыбку, я закусила губу и снова посмотрела на Эдварда. Он отвернулся, но на щеках появились ямочки, будто он тоже улыбался.

Через несколько минут все четверо поднялись из-за стола. Как изящно они двигаются! Даже высокий «штангист» обладал грацией танцора. Жаль, что они уходят... Эдвард Каллен даже не обернулся.

Я засиделась с Джессикой и ее подругами и чуть не опоздала на следующий урок. Неприятности мне ни к чему, особенно в первый день. Одна из моих новых знакомых, которую звали Анжела, тоже шла на биологию. По дороге мы почти не разговаривали — девушка очень стеснялась.

Мы вошли в класс, и Анжела села за заднюю парту. К сожалению, сосед у нее уже был. Оставалось только одно свободное место в среднем ряду. Спутанные бронзовые волосы, карие глаза — мне предстояло сидеть с Эдвардом Калленом.

Тайком наблюдая за Эдвардом, я подала формуляр учителю. Когда я проходила мимо, парень окинул меня ледяным взглядом. Откуда столько злобы? От неожиданности я споткнулась и чуть не упала. Сидящая рядом девица захихикала.

Миндалевидные глаза оказались не карими, а черными как уголь.

Мистер Баннер подписал мой формуляр и выдал учебник, не задавая глупых вопросов. Похоже, с ним мы поладим. Естественно, он предложил мне сесть с Калленом. Вперив глаза в пол, я подошла к парте, за которой мне предстояло сидеть рядом с *ним*.

Глядя прямо перед собой, я положила учебник на парту и села, краем глаза заметив, что Каллен заерзал. Он двигал стул к самому краю парты, подальше от меня... морщась, будто от дурного запаха! В полном замешательстве я понюхала свои волосы; они пахли зеленым яблоком — аромат моего любимого шампуня. По-моему, со мной все в порядке. Я опустила прядь на самые глаза, словно темный занавес между мной и Калленом. Что же, буду слушать мистера Баннера.

К сожалению, лекция была посвящена молекулярной анатомии, которую я уже изучала. Пришлось слушать и записывать во второй раз.

Удержаться я не смогла и через занавес темных волос нет-нет да посматривала на своего странного соседа. Он целый урок просидел на краешке стула, стараясь держаться как можно дальше от меня. Я заметила, что его левая рука сжалась в кулак, а под бледной кожей проступили жилы. Да, похоже, парень не из спокойных. Длинные рукава темной рубашки завернуты до локтей, и я увидела, как играют мускулы. Субтильным Эдвард казался только рядом с дородным братцем.

Казалось, урок тянется бесконечно. Интересно, это потому что он предпоследний, или потому что я ждала, пока разожмется страшный кулак? Так и не дождалась. Каллен словно прирос к краешку стула. В чем дело? Неужели он всегда так себя ведет? Похоже, Джессика не так уж и не права, что не любит эту семью. Наверное, дело тут не только в зависти.

Проблема не может быть во мне, ведь Эдвард совсем меня не знает!

Я еще раз взглянула на Каллена и горько об этом пожалела. Черные глаза полыхнули такой ненавистью, что я невольно сжалась. В тот момент до меня дошел смысл выражения «убить взглядом».

Как только прозвенел звонок, Эдвард вскочил и бросился вон из класса. Оказывается, он на целую голову выше меня!

Я будто приросла к стулу и тупо смотрела вслед Каллену. Ну почему он так со мной, за что? Словно во сне, я собирала вещи, пытаясь побороть переполнявший меня гнев. Когда я злюсь, дело всегда кончается слезами, а рыдать в самый первый день не хотелось.

— Ты Изабелла Свон? — раздался мужской голос.

Оглянувшись, я увидела симпатичного парня, светлые волосы которого с помощью геля были разделены на мелкие пряди. Судя по дружелюбной улыбке, его мой запах не смущал.

— Белла, — мягко поправила я.

— Меня зовут Майк.

— Рада познакомиться, Майк.

— Хочешь, помогу найти следующий класс?

— Вообще-то у меня физкультура. Думаю, спортзал я найду.

— Я тоже иду в спортзал! — радостно воскликнул Майк. Наверное, в такой маленькой школе подобные совпадения случаются довольно часто.

Мы вместе вышли во двор. Парень трещал без умолку, но назойливым не казался. Он приехал в Форкс из Калифорнии десять лет назад и тоже скучал по солнцу. Как хорошо, что у нас общий английский, мы сядем вместе! Похоже, Майк — самый приятный из моих сегодняшних знакомых.

— Слушай, что ты сделала с Эдвардом Калленом? — смеясь, спросил Майк, когда мы входили в спортзал. — Парень был явно не в себе!

Я вздрогнула. Значит, мне не показалось, и Каллен не со всеми ведет себя так по-свински. Что же, придется притвориться идиоткой.

— Каллен — это тот парень, с которым я сидела на биологии? — простодушно спросила я.

— Угу, — кивнул Майк. — Как только ты к нему села, у него будто живот заболел.

— Не знаю, — покачала головой я, — мне он не жаловался.

— Да он точно больной! — Новый знакомый топтался возле меня, вместо того чтобы идти в мужскую раздевалку. — Если бы случилось чудо, и тебя посадили со мной, я бы времени зря не терял!

От его искреннего восхищения мне стало немного легче.

Мистер Клапп, преподаватель физкультуры, подобрал мне форму, но переодеваться не заставлял — в первый день я могла наблюдать за занятиями с трибуны. В Финиксе физкультуру в старших классах посещали только по желанию, а здесь она была обязательной. Да, хуже не придумаешь!

Наблюдая за четырьмя волейбольными партиями одновременно, я вспомнила, сколько травм получила и сколько подруг потеряла, играя в волейбол, и меня замутило.

Наконец прозвенел звонок. Облегченно вздохнув, я понесла формуляр в канцелярию. Дождь кончился, зато подул холодный сильный ветер. Я брела, опустив капюшон на глаза и втянув руки в рукава.

А войдя в теплый административный корпус, тут же испуганно попятилась к двери — у стойки администратора стоял Эдвард Каллен. Спутанные бронзовые волосы я узнала мгновенно. Кажется, он не

слышал, как хлопнула дверь. Я прижалась к стене
и вся обратилась в слух.

Низким, очень приятным голосом Каллен спорил
с администратором. Понять чего он добивается, не
составило никакого труда — ему хотелось перенес-
ти шестой урок биологии на любой другой день.

Не может быть, что все дело во мне. Наверняка
что-то случилось еще до того, как я вошла в кабинет
биологии. Мало ли какие неприятности могут быть
у парня! С чего ему меня ненавидеть?

Входная дверь открылась, и порыв ветра разме-
тал лежащие на стойке бумаги и мои волосы. Маленькая девочка молча передала администратору
какую-то папку и ушла. Эдвард Каллен медленно
повернулся, и черные глаза снова окатили меня холодной волной ненависти. Даже искаженное гри-
масой злобы, его лицо казалось прекрасным. На
долю секунды я почувствовала какой-то животный
страх — в этом парне есть что-то дьявольское! Всепоглощающий ужас отступил, но мне еще долго
было не по себе.

— Что же, ничего не поделаешь! — произнес Каллен низким бархатным голосом. — Пусть все останется, как есть! Простите, что отнял у вас столько
времени. — Повернувшись на каблуках, он быстро
вышел на улицу.

На трясущихся ногах я подошла к стойке и протянула формуляр.

— Как прошел первый день? — спросила сидящая за стойкой женщина.

— Все отлично. — Мой голос дрожал, поэтому ответ прозвучал неубедительно.

Когда я подошла к пикапу, стоянка уже почти опустела. Как же уютно в кабине! Похоже, в этой промозглой дыре именно пикап станет мне настоящим домом. Думая о том, что случилось сегодня, я молча смотрела на лобовое стекло и довольно скоро замерзла. Все, пора ехать! Мотор взревел, и я поехала к Чарли, на ходу вытирая слезы.

Глава вторая

ОТКРЫТАЯ КНИГА

На следующий день все было гораздо лучше, проще... и одновременно сложнее.

День был лучше, потому что не шел дождь, хотя небо затянули густые облака. Он оказался проще, потому что я знала, чего ждать. Майк сидел со мной на английском и проводил меня на следующий урок под гневным взглядом Эрика. Мне было очень лестно! На меня обращали куда меньше внимания, чем вчера, а на ленч я пришла с большой компанией, в которой были Майк, Эрик, Джессика и еще несколько студентов, которых я знала по именам. Отношения потихоньку налаживались.

Второй день оказался сложнее, потому что я чувствовала себя разбитой — заснуть под жуткие завывания ветра мне удалось с трудом. Хуже, потому что на тригонометрии мистер Варнер задал мне вопрос, и я ответила неверно. Пришлось играть в волейбол, и после моей подачи мяч угодил в голову девушке из другой команды. День был ужасным, потому что Эдвард Каллен не пришел в школу.

Все утро я с тревогой ждала ленча и полных ледяной ненависти взглядов. Иногда мне даже хотелось подойти к этому красавцу и спросить, в чем дело. Ночью, лежа без сна, я придумала целую речь. Однако обманывать себя ни к чему, у меня не хватит смелости заговорить с Калленом первой!

Мы с Джессикой вошли в столовую. Оглядев зал, я увидела странных родственников, однако Эдварда среди них не было.

Тут нас нагнал Майк и повел к столику, за которым сидели его друзья. Джессике льстило мужское внимание. Я старательно прислушивалась к общему разговору, а сама с замиранием сердца ждала появления Эдварда. Может, я все придумала, и он обычный самовлюбленный павлин? Однако Каллен так и не пришел, и я нервничала все сильнее.

С тяжелым сердцем я пошла на биологию. Меня провожал Майк, расписывающий достоинства ретриверов. Затаив дыхание, я открыла дверь — Каллена в классе не оказалось, и я пошла к своему месту. Майк не отставал ни на шаг и делился планами на летние каникулы, пока не прозвенел звонок. Грустно улыбнувшись, парень направился к своей парте, за которой сидел вместе с темнокожей девушкой. Печально, с Майком придется что-то делать. В маленьком городке нужно вести себя очень осторожно, а я чрезмерным тактом не отличалась, да и друзей у меня почти не было.

Сидеть за партой в одиночестве очень даже удобно. По крайней мере, я старалась себя в этом убедить. Однако избавиться от навязчивой мысли, что

Каллен пропустил школу из-за меня, оказалось непросто. Наивно предполагать, что я произвела на незнакомого парня такое сильное впечатление. Бред какой-то!

Наконец прозвенел последний звонок; едва оправившись от того, что случилось на физкультуре, я бросилась в раздевалку и переоделась в джинсы и темно-синий свитер. К счастью, мне удалось ускользнуть от Майка и лекции о ретриверах. Я припустила на стоянку, чтобы уехать раньше моих новых знакомых. Не желая ни с кем общаться, укрылась в кабине и стала рыться в сумке, проверяя, все ли на месте.

Вчера вечером выяснилось, что из еды Чарли способен приготовить только яичницу. Я вызвалась ежедневно готовить завтрак и ужин, и отец с радостью передал мне ключи от кладовки. В доме почти не было продуктов. Я составила список, взяла деньги из жестяной банки с надписью «На еду» и после школы решила заехать в супермаркет.

Я повернула ключ зажигания, и мотор тут же огласил стоянку душераздирающим грохотом. Не обращая внимания на затыкающих уши студентов, я стала дожидаться своей очереди выехать за школьные ворота. Делая вид, что ужасный звук издает другая машина, я заметила Калленов и близнецов Хейлов, которые усаживались в новенький «вольво». Ну, конечно же! Завороженная дивной красотой лиц, я не обращала внимания на одежду и только сейчас отметила, что вещи на них очень простые, но явно дорогие, скорее всего из авторских коллекций. С такой внешностью и грацией они и в лохмотьях привлекали бы всеобщее внимание. Деньги и красота — это уже слишком! Хотя такое встречается сплошь и рядом. Но Калленам и Хейлам это скорее всего лишь навредило бы.

Нет, проблема здесь не только в Форксе и его нравах. Похоже, Калленам нравится находиться в изоляции. Трудно представить, что местные жители не пытались до них достучаться.

Как и все остальные, Каллены покосились на мой пикап. Я смотрела прямо перед собой и, когда выехала за пределы школы, вздохнула с облегчением.

Супермаркет находился неподалеку, всего через несколько улиц к югу от школы. Для Форкса он был довольно большим, и здесь я почувствовала себя в своей тарелке. Есть на что посмотреть, и не слышно набившего оскомину дождя. В Финиксе именно я покупала продукты, поэтому и тут быстро нашла то, что нужно.

Приехав к Чарли, я разложила продукты по своему усмотрению. Надеюсь, папа не будет возражать. Обернув крупные картофелины фольгой, я поставила их в духовку и замариновала отбивные.

Кажется, все. Я поднялась на второй этаж, переоделась в сухие брюки и толстовку и собрала влажные волосы в хвост. Пожалуй, проверю электронную почту, прежде чем приступать к урокам.

В моем ящике было три новых сообщения.

«*Белла*, — писала мама, — *пожалуйста, ответь как можно скорее! Как долетела? Надеюсь, дождь тебе еще не надоел. Я очень скучаю! Вещи для Флориды почти собрала, но не могу найти розовую кофточку. Куда она запропастилась? Фил передает привет. Целую, мама*».

Вздохнув, я открыла второе письмо, мать послала его через восемь часов после первого.

«Белла! Почему ты мне не отвечаешь? Мама».

Последнее было отправлено сегодня утром.

«Изабелла! Если до половины шестого не получу ответа, позвоню Чарли».

Я посмотрела на часы. Половина пятого. Зная мою мать, лучше поспешить.

«Мама, успокойся, сейчас напишу обо всем подробно. Прошу, не делай глупостей! Белла».

Отправив первое письмо, я тут же принялась за второе.

«Мама! У меня все отлично. Дождь льет как из ведра. Школа ничего, только программа немного отстает от Финикса, и мне придется кое-что повторить. У меня уже есть друзья, мы вместе ходим на ленч.

Розовая кофточка в химчистке, ее нужно было забрать в пятницу.

Представляешь, Чарли купил мне пикап! Довольно старый, но вполне надежный, а для меня это главное.

Я тоже соскучилась. Как появятся новости, напишу. Не волнуйся, со мной все в порядке! Целую, Белла».

По литературе мы проходили «Грозовой перевал», я решила его перечитать и так увлеклась, что едва услышала, как пришел Чарли. Я опрометью бросилась на кухню, достала картофель и положила мясо на противень.

— Белла? — позвал отец, услышав мои шаги на лестнице.

Интересно, а кого еще он ожидал увидеть?

— Привет, папа! С возвращением!

— Спасибо. — Он разулся и отстегнул кобуру, наблюдая, как я ношусь по кухне. Насколько я знала, на работе ему ни разу не приходилось применять оружие, но пистолет он постоянно держал наготове. В детстве, когда я приезжала в гости, отец всегда вынимал патроны, а пистолет прятал. Очевидно, теперь он считает меня достаточно взрослой, чтобы случайно прострелить себе голову, и достаточно разумной, чтобы не сделать это нарочно.

— Что на ужин? — осторожно спросил Чарли. Мама любила экспериментировать, хотя ее шедевры далеко не всегда оказывались съедобными. Похоже, он не забыл их даже за семнадцать лет!

— Печеный картофель и отбивные, — ответила я, и отец вздохнул с облегчением.

Наверное, ему было неловко стоять без дела, он прошел в гостиную и включил телевизор. Пока отбивные подрумянивались, я приготовила салат и накрыла на стол. Все, можно звать Чарли!

— Пахнет очень вкусно, — с одобрением сказал он.

— Спасибо!

Несколько минут мы ели молча. Тишина не тяготила ни Чарли, ни меня. Думаю, мы с ним уживемся.

— Как тебе школа? Успела завести друзей? — спросил отец, расправившись с салатом.

— Ну, на тригонометрии и испанском я сижу с девушкой по имени Джессика, мы вместе ходим на ленч. А еще мне понравился Майк, такой высокий и светловолосый. С ним не заскучаешь! Да и остальные студенты тоже ничего, за одним-единственным исключением.

— Высокий и светловолосый — это, наверное, Майк Ньютон. Славный парень, и семья хорошая. Его отцу принадлежит магазин спорттоваров в предместьях Форкса. Дела у него идут неплохо.

— А Калленов ты знаешь? — нерешительно спросила я.

— Доктора Каллена и его семью? Конечно. Доктор — замечательный человек.

— Боюсь, его дети... э-э... не так популярны. В школе их не любят.

К моему удивлению, Чарли разозлился.

— Чего и следовало ожидать! — пробормотал он. — Доктор Каллен — великолепный хирург и мог бы работать в любой клинике мира, зарабатывая в сто раз больше, чем у нас. Нам очень повезло, что он живет здесь, что его жена захотела поселиться в нашем городе. Для Форкса он настоящая находка, а его дети прекрасно воспитаны. Когда Каллены приехали, я боялся, что у них будут проблемы — столько подростков, причем доктор не скрывал, что все они усыновленные. Однако Каллены оказались порядочнее, чем многие молодые люди, чьи семьи живут здесь из поколения в поколение. Естественно, они держатся вместе — они ведь семья. Но в городе Каллены недавно, а надо же обывателям кого-то обсуждать!

Признаюсь, такой длинной тирады я от Чарли не ожидала. Кажется, его волнует все, что говорят в городе.

— Каллены довольно милые, — пошла я на попятную, — просто держатся особняком, вот и все. Странно, они ведь такие симпатичные!

— Ты еще доктора не видела! — рассмеялся отец. — Хорошо, что он женат. Хотя половина медсестер и так сходит по нему с ума...

Остаток ужина прошел в тишине, а потом Чарли помог мне убрать со стола и снова сел перед телевизором, а мне пришлось мыть посуду. Вручную! Посудомоечных машин отец не признавал.

Я нехотя поднялась в свою комнату, где меня ждала домашняя работа по математике. Кажется, папа тоже не любит точные науки.

Ночь оказалась на удивление тихой, и я быстро уснула.

Остаток недели прошел спокойно. Я привыкла к школе, а к пятнице знала в лицо почти всех студентов. Девушки из волейбольной команды научились меня страховать и делали мне пас только в присутствии физрука.

Эдвард Каллен на занятия не приходил.

Каждый день я видела, как его родственники появляются в столовой без него. Только тогда я могла расслабиться и участвовать в общей беседе. В основном, обсуждали поездку к океану в Ла-Пуш, которую Майк с друзьями собирались совершить через две недели. Меня тоже позвали, и я согласилась, скорее из вежливости, чем из желания куда-то ехать. Надеюсь, на побережье посуше и потеплее.

В пятницу я шла на биологию, ничего не опасаясь. Похоже, Эдвард окончательно забросил школу. Думать о нем не хотелось — я до сих пор не могла избавиться от мысли, что как-то связана с его странным отсутствием.

Первые выходные в Форксе не были богаты событиями. Чарли дежурил, я убиралась, делала домашнюю работу и написала маме ободряющее письмо. В субботу съездила в местную библиотеку; она оказалась такой бедной, что я решила не записываться. За книгами буду ездить в Олимпию или Сиэтл. Прикинув, сколько уйдет на бензин, я ужаснулась.

Все выходные шел дождь, но несильный, так что я отлично выспалась.

В понедельник утром на стоянке я встретила много знакомых. Все приветливо улыбались и желали удачной недели. Утро выдалось особенно холодным, зато без дождя. На английском я как обычно сидела с Майком, писали тест по «Грозовому перевалу».

Можно сказать, что пока я привыкала гораздо быстрее, чем надеялась, и чувствовала себя вполне комфортно.

Когда мы вышли из класса, в воздухе летали белые хлопья. В школьном дворе царило радостное возбуждение. Чему они радуются? Я чувствовала, как от холода краснеют уши и нос.

— Вау! — закричал Майк. — Снег идет!

Я растерянно смотрела на танцующие в воздухе хлопья, из которых медленно росли сугробы.

— Да уж, снег... — Куда пропало хорошее настроение?

— Ты не любишь снег?

— Нет. Снег всегда означает холод. К тому же мне казалось, что сначала падают снежинки, такие красивые шестилучные, похожие на звезды.

— Ты что, никогда раньше не видела снегопад? — недоверчиво спросил Майк.

— Почему же, видела, — ответила я. — По телевизору.

Ньютон засмеялся и покачал головой. В тот самый момент большой снежок ударил его по затылку. Мы оба стали лихорадочно оглядываться по сторонам, пытаясь определить, кто его швырнул. Я подозревала Эрика, который быстрым шагом шел прочь, к спортзалу, хотя по расписанию у него тригонометрия. Очевидно, Майк думал то же самое, потому что, нагнувшись, зачерпнул снега.

— Увидимся за ленчем, хорошо? — спросила я, переминаясь с ноги на ногу. — Игра в снежки не для меня.

Парень кивнул, не сводя глаз с удаляющейся спины Эрика.

В то утро все только и говорили, что о снеге. Как же, первый снегопад в этом году... Я сидела, кисло поджав губы. Снег — это конечно здорово, а вот мокрые ноги — не очень.

После испанского мы с Джессикой бегом бросились в столовую. Воздух бороздили снежки, и я держала перед собой большую папку, готовая отбиваться. Джессика не понимала, как можно ненавидеть снег, но кинуть снежок в меня не решалась.

У самого входа нас нагнал Майк. Гель в его волосах замерз, и он стал похож на ежа. Пока мы стояли за едой, они с Джессикой шумно радовались снегу. Заскучав, я машинально взглянула в дальний конец зала и буквально приросла к месту. За столом сидели пятеро.

Джессика дернула меня за рукав.

— Белла, чего ты копаешься?

Неожиданно на глаза навернулись слезы. «Я тут ни при чем, — повторяла я про себя, — меня это не касается».

— Что с ней? — спросил у Джессики Майк.

— Ничего особенного, — ответила я. — Пропал аппетит. Пожалуй, я выпью содовой и все.

— Как ты себя чувствуешь? — испуганно спросила Джессика.

— Просто голова кружится, — промямлила я, рассматривая носки ботинок.

Я подождала, пока Джессика и Майк выберут еду, и, не поднимая глаз, прошла за ними к столику. Глотнула содовой... по закону подлости немедленно заурчало в желудке. Майк дважды спросил, все ли со мной в порядке. Я отнекивалась невпопад, лихорадочно соображая, не пойти ли мне в медпункт, чтобы отпроситься с биологии.

Абсурд какой-то, зачем мне бежать?

Я решила взглянуть на Калленов один-единственный раз. Если Эдвард буравит меня взглядом, я пропущу биологию, как последняя трусиха.

Не поднимая головы, я украдкой посмотрела на пятерку из-под опущенных ресниц. Никаких буравящих взглядов. Немного ободренная, я расправила плечи.

Каллены смеялись. Волосы Эдварда, Эмметта и Кэри были мокры от тающего снега. Элис и Розали визжали, отворачиваясь от холодных капель. Парни трясли волосами прямо на них!

Однако дело было не в смехе и игривом настроении; изменилось что-то еще, а что именно, я понять не могла. Я внимательно посмотрела на Эдварда. Сегодня он был гораздо румянее, возможно, от игры в снежки. Темные круги под глазами исчезли почти полностью. Нет, суть перемен не только в цвете лица. Тогда в чем же дело?

— Белла, на кого ты смотришь? — неожиданно перебила мои мысли Джессика.

В этот самый момент я встретилась глазами с младшим из Калленов и тут же опустила голову, прячась за темной завесой волос. Наши взгляды пересеклись лишь на секунду, но я была готова поклясться, что в этот раз в его глазах не было ни лютой ненависти, ни всепоглощающей злобы.

— На тебя смотрит Эдвард Каллен, — прошептала Джессика.

— Надеюсь, он не злится? — не удержавшись, спросила я.

— Нет, — удивленно ответила Джессика. — С чего ему злиться?

— По-моему, я ему не нравлюсь. — Меня замутило, и я закрыла лицо руками.

— Калленам никто не нравится. Вернее, они всех презирают. А Эдвард по-прежнему на тебя смотрит!

— Перестань на него пялиться! — прошипела я.

Джессика хихикнула, но взгляд отвела, а я подняла глаза, в случае чего готовая к решительным действиям.

Тут нас перебил Майк, собиравшийся после уроков устроить массовую игру в снежки. Естественно, мы должны были биться на его стороне!

Джессика с радостью согласилась. Судя по тому, как она смотрит на парня, она поддержит любое его предложение. Я молчала, с тоской думая, что придется прятаться в библиотеке.

Остаток ленча я просидела, вперив глаза в пластиковый стол. Уговор дороже денег, даже если сделка заключена с собственной совестью. Взор Каллена не был свирепым, значит, я иду на биологию. От перспективы сидеть рядом с ним мне стало плохо.

Идти по школьному двору с Майком не хотелось — чувствую, он любитель поиграть в снежки! Однако, подойдя к двери, я услышала, что мои спутники чуть не рыдают от отчаяния. Пошел дождь, превративший снег в островки серого льда. Тайно злорадствуя, я надела капюшон. Отлично, после физкультуры я смогу пойти прямо домой.

Всю дорогу к четвертому корпусу пришлось слушать сетования Ньютона.

Войдя в класс, я увидела, что за моей партой никто не сидит, и вздохнула с облегчением. Повесив мокрую куртку на крючок, я села на место, достав учебник и блокнот. Мистер Баннер кружил по классу, раздавая микроскопы и предметные стекла. До начала урока оставалось еще несколько минут, и студенты оживленно болтали. Огромным усилием воли я заставила себя не смотреть на дверь, лениво водя карандашом по обложке блокнота.

Вот скрипнул стул — за мою парту кто-то подсел. Я сделала вид, что увлечена рисованием.

— Привет, — произнес низкий грудной голос.

Неужели со мной заговорил Каллен?! Не в силах поверить в чудо, я подняла голову. Как и в прошлый раз, парень сидел на самом краешке парты, но его стул был повернут в мою сторону. С растрепанных бронзовых волос капала вода, однако выглядел он

так, будто минуту назад снялся в ролике, реклами-
рующем шампунь. На ослепительно красивом лице
сияла улыбка. Впрочем, глаза оставались насторо-
женными.

— Меня зовут Эдвард Каллен, — невозмутимо продолжал парень. — На прошлой неделе я не успел
представиться. А ты, наверное, Белла Свон?

У меня голова шла кругом. Может, мне все показалось? Ведь сейчас Эдвард безукоризненно веж-
лив. Очевидно, он ждал моего ответа, а я не могла
придумать ничего подходящего.

— Откуда ты знаешь мое имя? — запинаясь, пролепетала я.

Смех Каллена напоминал звон серебряного коло-
кольчика.

— Ну, здесь оно известно каждому. Весь город
с замиранием сердца ждал твоего приезда!

Я поморщилась. Эдвард, конечно, издевается, однако в его словах есть доля правды.

— Вообще-то, я имела в виду, почему ты назвал
меня Беллой? — продолжала допытываться я.

— Ты предпочитаешь «Изабеллу»? — удивился
Каллен.

— Нет, мне больше нравится «Белла». Просто
Чарли, то есть мой отец, за глаза зовет меня Изабел-
лой, и на первых порах все называют меня именно
так, — объясняла я, чувствуя себя полной идиоткой.

— Ясно, — только и ответил Каллен.

Крайне раздосадованная собственной глупостью,
я отвернулась.

К счастью, в тот момент мистер Баннер начал
урок. Я попыталась сосредоточиться, слушая зада-
ния на сегодняшнюю лабораторку. Лежащие в ко-

робках предметные стекла с клетками корня репча-
того лука были спутаны. Вместе с соседом по парте
нам предстояло разложить их по порядку, в соответ-
ствии с фазами митоза, причем без помощи учебни-
ка. Через двадцать минут Баннер проверит, как мы
справились.

— Можете приступать! — скомандовал он.

— Леди желает начать? — криво улыбнулся Эдвард.

Я смотрела на него, не в силах вымолвить ни слова.

— Если хочешь, начну я, — проговорил он уже
без тени улыбки, видимо, приняв меня за слабо-
умную.

— Нет-нет, все в порядке, — густо покраснев, сказала я.

Если честно, я блефовала. Я уже делала эту лабораторку и знала, что искать. Не должно возникнуть
никаких проблем. Я вставила первый препарат
и настроила микроскоп на сорокакратное увеличе-
ние.

— Профаза! — объявила я, мельком взглянув
в окуляр.

— Можно посмотреть? — попросил Эдвард, увидев, что я вынимаю препарат. Пытаясь меня остановить, он легонько коснулся моей руки. Его пальцы
были ледяными, будто всю перемену он держал их
в сугробе. Но вовсе не поэтому я отдернула руку так
поспешно. От ледяного прикосновения кожа вспыхнула, а по всему телу разнеслись электрические
импульсы.

— Прости, — пробормотал Эдвард, поспешно
убирая руку подальше от моей. Однако от мысли заглянуть в окуляр микроскопа он так и не отказался.

В полном недоумении я наблюдала, как парень изучает препарат.

— Профаза, — согласился Каллен, аккуратно вписывая это слово в первую колонку таблицы. Затем вставил второй препарат и рассмотрел его. — Анафаза, — провозгласил он, тут же заполняя вторую колонку.

— Можно мне? — надменно поинтересовалась я.

Ухмыльнувшись, он придвинул микроскоп ко мне.

Заглянув в окуляр, я почувствовала досаду. Черт побери, он прав!

— Препарат номер три? — попросила я, протягивая руку.

Эдвард осторожно передал мне приборное стекло, стараясь не касаться моей ладони.

На этот раз я не смотрела в окуляр и секунды.

— Интерфаза!

Каллен еще не успел попросить, а я уже двигала микроскоп к нему. Парень мельком взглянул на препарат и занес результат в таблицу. Я и сама могла сделать запись, но почерк у Эдварда оказался настолько изящным, что мне не хотелось портить страницу своими каракулями.

Мы закончили раньше всех. Я видела, как Майк с соседкой в немом отчаянии смотрят на коробку с препаратами. Еще одна пара тайком листала учебник.

Всеми силами я старалась не глазеть на Каллена. Тщетно. Он сам смотрел на меня, причем с тем же необъяснимым разочарованием. Тут я и поняла, что изменилось в лице парня по сравнению с прошлой неделей.

— У тебя линзы?

— Линзы? Нет! — Мой вопрос явно застал его врасплох.

— В прошлый раз мне показалось, что у тебя глаза другого цвета.

Эдвард только плечами пожал.

И все же цвет изменился! Я отлично запомнила бездонную черноту его глаз, выливших на меня столько ненависти. Я еще подумала, что такой оттенок совершенно не сочетается с бледной кожей и рыжеватыми волосами. Сегодня же радужка была цвета охры с теплыми золотыми крапинками. Разве такое возможно, если, конечно, он не врет про линзы? Или Форкс с бесконечными дождями сводит меня с ума?

Опустив взгляд, я увидела, что Каллен снова сжал кулаки.

К нашей парте подошел мистер Баннер, очевидно, обеспокоенный тем, что мы не работаем. Увидев заполненную таблицу, он удивился и стал проверять ответы.

— Эдвард, кажется, ты не подумал, что Изабелле тоже неплохо бы поработать с микроскопом? — саркастически спросил учитель.

— Она любит, чтобы ее называли «Белла», — рассеянно поправил Каллен. — Я определил только две фазы из пяти.

Мистер Баннер скептически посмотрел на меня.

— Ты уже делала эту лабораторку? — догадался он.

— Да, но не на луковом корне, — робко улыбнулась я. Каллен кивнул, будто ожидал такого ответа.

— На сиговой бластуле?

— Да.

— Ну, — задумчиво протянул мистер Баннер, — очень удачно, что вы сели вместе. — Пробормотав что-то еще, он ушел к своему столу.

— Ты ведь не любишь снег, верно? — спросил Эдвард. Мне показалось, что он с трудом заставляет себя со мной общаться. Неужели в столовой он подслушал наш разговор с Джессикой, а теперь прикидывается дурачком?

— Не очень, — честно ответила я.

— И холод тебе не нравится, — это прозвучало как утверждение, а не как вопрос.

— И сырость тоже, — добавила я.

— Наверное, Форкс не самое лучшее место для тебя, — задумчиво проговорил Эдвард.

— Очень может быть.

Мои слова удивили Каллена.

— Зачем ты тогда приехала? — не спросил, а скорее потребовал ответа он.

— Ну, это сложно...

— Попробую понять, — настаивал Эдвард.

Я долго молчала, но потом не выдержала и посмотрела на него. Роковая ошибка — попав в плен теплых золотых глаз, я начала рассказывать, как на исповеди.

— Мама снова вышла замуж...

— Ну вот, а ты говоришь, что сложно, — мягко и сочувственно проговорил Эдвард. — Когда это случилось?

— В сентябре, — грустно сказала я.

— И ты не поладила с новым отчимом? — предположил Каллен.

— Да нет, Фил очень славный. Пожалуй, для мамы слишком молодой, но славный.

— Почему же ты не осталась с ними?

Я понятия не имела, чем вызвана его настойчивость. Парень смотрел на меня так, будто его действительно интересовала моя довольно заурядная история.

— Фил много путешествует, он профессиональный бейсболист, — невесело улыбнулась я.

— Твой отчим — знаменитый бейсболист?

— Да нет, вряд ли ты о нем слышал. Его команда играет во второй лиге.

— И твоя мать послала тебя сюда, чтобы самой путешествовать с молодым мужем?

— Я сама себя послала, — с вызовом проговорила я.

Каллен нахмурился.

— Не понимаю, — признался он. Казалось, этот факт немало его раздражал.

Я вздохнула. Зачем, спрашивается, я все это ему рассказываю?

— После свадьбы мама осталась со мной, но она так скучала по Филу... Вот я и решила перебраться к Чарли.

— А теперь ты несчастна, — сделал вывод Каллен.

— И что с того?

— Это несправедливо, — пожал плечами Эдвард, буравя меня волшебным золотым взглядом.

Я невесело рассмеялась.

— Жизнь вообще несправедлива, разве ты не знаешь?

— Вроде бы слышал что-то подобное, — сухо проговорил Каллен.

— Вот и вся история, — подвела итог я, недоумевая, почему он не отводит взгляда.

Теплые глаза с золотыми крапинками смотрели оценивающе.

— Ты здорово держишься, — похвалил он, — но, готов поспорить, что страдаешь больше, чем хочешь показать.

В ответ я скорчила гримасу и, с трудом поборов желание высунуть язык, как пятилетняя девчонка, отвернулась.

— Разве я не прав?

Я сделала вид, что не слышала вопроса.

— Уверен, что все именно так, — самодовольно продолжал Каллен.

— Ну а тебе-то что? — раздраженно спросила я, наблюдая, как мистер Баннер кругами ходит по классу.

— Хороший вопрос, — пробормотал Эдвард тихо, будто обращаясь к самому себе.

Я вздохнула, хмуро разглядывая доску.

— Не хочешь со мной разговаривать? — удивленно спросил он.

Словно в трансе я заглянула в его глаза... и снова сказала правду:

— Нет, дело не в тебе. Скорее, я злюсь на себя. Мама всегда говорила, что меня можно читать как открытую книгу. Выходит, она права.

— Наоборот, я тебя читаю с огромным трудом. — Почему-то мне показалось, что Каллен говорит искренне.

— По-моему, ты весьма проницателен, — заметила я.

— Обычно так и есть, — Эдвард улыбнулся, обнажив ровные, ослепительно белые зубы.

Тут мистер Баннер попросил внимания, и я с облегчением вздохнула. Невероятно, я рассказала историю своей отчаянно скучной жизни странному красавцу, который неизвестно как ко мне относится! Эдвард вроде бы расспрашивал меня с интересом, но сейчас я заметила, что он снова отодвинулся, а тонкие пальцы судорожно вцепились в край стола.

Я старалась внимательно слушать мистера Баннера; тот с помощью проекционного аппарата показывал фазы митоза, которые мы только что видели в микроскопе. Однако мои мысли витали далеко от деления клеток.

Едва прозвенел звонок, Эдвард, как и в прошлый понедельник, сорвался с места и изящным галопом унесся из класса. Как и в прошлый понедельник, я завороженно смотрела ему вслед.

Ко мне тут же подскочил Майк и стал собирать мои учебники. Да он сам как ретривер, виляющий хвостом!

— Ну и лабораторка! Эти препараты ничем не отличаются! Везет, тебя посадили с Калленом.

— Я сама справилась, — возразила я, немало уязвленная словами Майка, и тут же пожалела о своем выпаде. — В Финиксе мы уже делали эту лабораторку.

— Похоже, Каллен сегодня в отличном настроении, — отметил Майк, когда мы надевали куртки.

— Не понимаю, что с ним было в прошлый понедельник? — с деланным равнодушием спросила я.

На физкультуре мне стало легче. Сегодня я играла в одной команде с Майком, который вел себя, как настоящий рыцарь, и играл за двоих. Естественно, подавать мне приходилось самой, и едва я брала мяч, моя команда бросалась врассыпную.

Когда я вышла во двор, моросил холодный дождь. Я побежала к пикапу, не обращая внимания на душераздирающий рев мотора, тут же включила печку и распустила волосы, чтобы по дороге домой они подсохли.

Приготовившись выезжать, я внимательно огляделась по сторонам и заметила темную фигуру Эдварда Каллена, склонившуюся над «вольво». Парень пристально смотрел на меня, и я тут же отвернулась, но отвлеклась и чуть не задела ржавую «короллу». К счастью для «тойоты», я вовремя нажала на тормоза, иначе мой пикап превратил бы ее в металлолом. Глубоко вздохнув, я аккуратно выехала со своего места и, проезжая мимо «вольво», боковым зрением увидела, что Каллен улыбается.

Глава третья

ФЕНОМЕН

На следующее утро, едва открыв глаза, я поняла: что-то не так.

Изменился свет. Он по-прежнему был серо-зеленым, как пасмурным утром в лесу, однако чище и прозрачнее, чем обычно. Значит, тумана нет.

Вскочив, я выглянула в окно и застонала.

Тонкий слой снега покрыл двор и выбелил дорогу. Но это еще не самое страшное. Вчерашний дождь застыл на еловых лапах, а подъездная дорожка превратилась в каток.

Чарли уехал на работу раньше, чем я спустилась к завтраку. Отец не докучал мне своим присутствием, но одиночеством я не тяготилась, а, наоборот, наслаждалась.

Готовить не хотелось, и я залила хлопья апельсиновым соком. Странно, я с нетерпением ждала начала занятий. Причем вовсе не потому, что жаждала получить знания или завести новых друзей. Если быть до конца честной, я понимала, что рвусь в школу только ради встречи с Эдвардом Калленом. Глупо, очень глупо.

После вчерашнего разговора мне с ним лучше не встречаться. Полностью я Каллену не верила; зачем, например, он наврал про линзы? Еще пугала враждебность, которую он излучал холодными волнами, и ступор, охватывавший меня, когда я видела его прекрасное лицо. Я отлично понимала, что у нас нет ничего общего. Значит, нечего о нем и думать!

Никто не знает, сколько сил я потратила, чтобы пройти по подъездной дорожке к пикапу. Я поскользнулась и разбила бы лицо, если бы не схватилась за боковое зеркало. Ну и денек!

По дороге в школу я думала о Майке, Эрике и своей «популярности». Наверное, все дело в том, что в Форксе я новенькая, а моя застенчивость и неловкость кажутся не жалкими, а трогательными. Этакая дева в беде!.. Так или иначе, мне было не по себе от щенячьей преданности Майка и его соперничества с Эриком. Возможно, удобнее, когда тебя вообще не замечают?

Как ни странно, по льду пикап двигался без особых проблем. Ехала я медленно, не желая становиться причиной аварии на Главной улице.

Лишь подъехав к школе, я поняла, почему все прошло так гладко. На шинах мелькнуло что-то серебристое, и, держась за багажник, чтобы не упасть, я нагнулась над ними. Тонкие защитные цепи пересекали шины крест-накрест. Чтобы установить их, Чарли поднялся в неизвестно какую рань. Горло судорожно сжалось.

Я так и стояла, сдерживая непрошеные слезы, когда услышала странный звук.

Визгливый скрип тормозов становился громче с каждой секундой.

События разворачивались быстро, совсем не как в кино. Тем не менее, испытав прилив адреналина, я воспринимала все до последней детали.

Эдвард Каллен, стоявший за четыре машины от моей, смотрел на меня с нескрываемым ужасом. Его лицо выделялось из целого моря лиц, искаженных страхом и отчаянием. Но гораздо важнее в тот момент был темно-синий фургон, потерявший управление и беспорядочными зигзагами скользивший по парковке. С угрожающей скоростью он приближался к моему пикапу, у него на пути стояла я! Я даже глаза закрыть не успею!

Что-то сбило меня с ног раньше, чем я услышала скрежет, с которым фургон сминал кузов пикапа. Ударившись головой об асфальт, я почувствовала, как кто-то сильный прижимает меня к земле. Я лежала на асфальте за старой «хондой», рядом с которой стоял мой пикап. Больше я ничего не успела заметить, потому что фургон снова приближался. Смяв кузов пикапа, он сделал огромную петлю и теперь двигался в мою сторону.

Услышав сдавленное ругательство, я поняла, что не одна под «хондой» и тут же узнала низкий бархатный голос. Взметнулись сильные руки, защища меня от фургона, который, сильно дернувшись, остановился сантиметрах в тридцати от моего лица. Руки уперлись в боковую поверхность фургона, а потом заработали быстро, как лопасти пропеллера. Секундой позже меня, словно тряпичную куклу, перекинули через плечо и поволокли прочь. Раздался удар, затем звон битого стекла, и я увидела, что фургон застыл там, где совсем недавно были мои ноги.

Целую минуту стояла гробовая тишина, а потом донеслись истерические крики и плач. Несколько человек звали меня по имени, но среди всеобщей паники я расслышала тихий испуганный голос Эдварда.

— Белла, ты в порядке?

— Да, — только и пролепетала я и попыталась сесть. Не тут-то было — Каллен вцепился в меня железной хваткой.

— Осторожно! — предупредил парень, когда я начала вырываться. — Кажется, у тебя разбит висок.

Только тут я почувствовала пульсирующую боль над левым ухом.

— Ой! — удивленно воскликнула я.

— Так я и думал! — Как ни странно, в его голосе слышался сдавленный смех.

— Черт возьми... — начала я, пытаясь собраться с мыслями. — Каким образом ты так быстро оказался возле меня?

— Я стоял рядом, Белла.

Я снова попыталась сесть, и на этот раз он разжал свои объятия, отодвигаясь подальше. Заглянув в его лицо, такое испуганное и невинное, я снова поразилась его красоте. Зачем я задаю все эти вопросы?

Тут подоспела помощь — студенты и учителя с перепуганными заплаканными лицами кричали что-то друг другу и нам с Эдвардом.

— Не шевелитесь! — велел какой-то мужчина.

— Вытащите Тайлера из машины, — командовал второй.

Заразившись царившей вокруг суматохой, я попыталась подняться, но холодная рука Эдварда сжала мое плечо.

— Тебе лучше пока не двигаться, — мягко произнес он.

— Холодно, — пожаловалась я. Каллен захихикал, и мне стало легче.

— Ты стоял там, возле своей машины, — неожиданно вспомнила я, и смех резко оборвался.

— Это не так! — твердо сказал он.

— Я все видела!

Вокруг нас царил хаос. Мужчины пытались освободить Тайлера. Я продолжала спорить — откуда только взялась настойчивость? Уверенная в своей правоте, я хотела заставить Каллена признаться.

— Белла, я стоял рядом с тобой, а потом сбил с ног, — медленно и серьезно проговорил Эдвард. Странные глаза так и буравили меня, будто стараясь внушить что-то важное.

— Нет! — упрямилась я.

— Белла, пожалуйста!

— Как все произошло? — не желала уступать я.

— Доверься мне, — умолял Эдвард, и я понимала, что больше не могу сопротивляться.

— Обещаешь потом все объяснить?

— Конечно! — неожиданно резко и раздраженно сказал он.

— Конечно, — с бессильной злобой повторила я.

Шесть санитаров и два учителя — мистер Варнер и мистер Клапп — с трудом отодвинули фургон и принесли носилки. Эдвард заявил, что в состоянии идти сам, и я пыталась последовать его примеру. Однако кто-то донес, что я ударилась головой и, возможно, получила сотрясение мозга. Я была готова провалиться сквозь землю, когда на меня надели фиксирующий «воротник». Казалось, вся школа собралась посмотреть, как меня грузят в машину «скорой помощи». А Эдварда просто посадили на переднее сиденье. Разве справедливо?

Машина еще не успела отъехать, и тут, как назло, появилась полиция с шефом Своном во главе.

— Белла! — испуганно закричал Чарли, увидев меня на носилках.

— Все в порядке, Чар... папа, — вздохнула я. — Ничего страшного.

Чарли стал расспрашивать санитаров и врачей, а я, воспользовавшись случаем, попробовала найти объяснение смутным образам, которые кружились в голове, словно цветные стекла калейдоскопа.

Вот санитары поднимают меня на носилки, и на бампере «хонды» я вижу вмятину, по очертаниям напоминающую плечи Эдварда. Будто он прижался к машине с такой силой, что на металлической раме остался след...

А вот его семья... Они наблюдают за происходящим издалека. Лица перекосились от ярости и осуждения, в них нет ни капли тревоги за брата!

Наверняка всему этому есть логическое объяснение. Естественно, за исключением того, что я сошла с ума!

«Скорая помощь» с полицейским эскортом примчалась в центральную городскую больницу. Было страшно неловко, когда меня, как последнюю идиотку, на носилках выгружали из машины. Тем более что Эдвард грациозно выпорхнул из кабины и по-хозяйски вошел в здание больницы, словно бывал здесь ежедневно.

Меня привезли в процедурную — длинную комнату с несколькими койками, окруженными полупрозрачными занавесками-ширмами. Медсестра измерила мне давление и поставила градусник. Задернуть пластиковый занавес никто не потрудился, и, разозлившись, я решила, что не стану больше носить идиотский «ошейник». Медсестра отлучилась, и я тут же расстегнула липучку и бросила «ошейник» под койку.

Медсестры засуетились, и через минуту к соседней койке принесли еще одни носилки. На них лежал Тайлер Кроули, с окровавленной повязкой на голове. Выглядел он ужасно, но с беспокойством смотрел на меня.

— Белла, я так виноват!..
— Я-то в порядке, Тайлер, а ты?

Пока мы разговаривали, медсестры снимали повязку, обнажая мириады ссадин на лбу и левой щеке.

— Я думал, что убью тебя! — причитал Кроули. — Ехал слишком быстро, а фургон занесло... — Он поморщился, когда сестра начала промывать ссадины.

— Не беспокойся, меня ты не задел!
— Как ты смогла так быстро уйти с дороги? Ты стояла у пикапа, а через секунду исчезла.
— Ну, мне помог Эдвард.
— Кто? — Тайлер не верил своим ушам.
— Эдвард Каллен, он стоял рядом. — Я никогда не умела лгать, и на этот раз все прозвучало не слишком убедительно.

— Каллен? Его я не заметил. Вау, ну и скорость! Как он?

— По-моему, в порядке, хотя тоже в больнице.

Я ведь не сумасшедшая, галлюцинациями не страдаю. Как же все произошло? Похоже, ответа не найти.

Мне сделали рентген головного мозга. Говорила же я медсестрам, что со мной все в порядке, так оно и оказалось. Никакого сотрясения. Однако без осмотра доктора уйти мне не разрешали. Итак, я застряла в процедурной. Если бы еще Тайлер перестал извиняться!.. Я ему раз сто повторила, что со мной все в порядке, а он продолжал изводить и себя, и меня. Наконец, я перестала его слушать и закрыла глаза. Покаяния Тайлера доносились словно издалека.

— Она спит? — произнес низкий бархатный голос, и я тут же открыла глаза.

У моей койки, самодовольно улыбаясь, стоял Эдвард. Хотелось показать, как сильно я злюсь, но ничего не вышло, сердиться на Каллена было невозможно.

— Послушай, Эдвард, мне очень жаль... — начал Тайлер.

Каллен жестом попросил его замолчать.

— А где же кровь? — с притворным сожалением спросил он и рассмеялся, обнажив белоснежные зубы.

Эдвард присел на койку Тайлера, однако повернулся ко мне.

— Каков диагноз? — спросил он.

— Со мной все в порядке, но уйти не разрешают! — пожаловалась я. — Слушай, а почему у тебя не берут анализы?

— Все дело в связях и личном обаянии! — засмеялся Каллен.

Тут в процедурную вошел доктор, и у меня просто отвисла челюсть. Он был молод, светловолос и красивее любого манекенщика из всех, кого я видела. И это несмотря на мертвенную бледность и темные круги под глазами.

— Итак, мисс Свон, как вы себя чувствуете? — спросил доктор Каллен.

Боже, его голос даже красивее, чем у Эдварда.

— Все в порядке, — кажется, в тысячный раз ответила я.

Он включил световой щит у изголовья моей койки.

— Рентген показывает, что все в норме, — одобрительно проговорил доктор. — А голова не болит? Эдвард сказал, что вы сильно ударились.

— Все в порядке, — вздохнула я, бросив свирепый взгляд на Каллена-младшего.

Холодные пальцы доктора осторожно ощупывали мою голову. Вот он коснулся левого виска, и я поморщилась.

— Больно?

— Да нет, — ответила я. Разве это боль?

Я подняла глаза и, увидев покровительственную улыбку Эдварда, разозлилась.

— Ваш отец ждет в приемном покое. Пусть забирает вас домой. Но если закружится голова или внезапно ухудшится зрение, сразу приезжайте ко мне.

— Могу я вернуться на занятия? — спросила я. Не хватало еще, чтобы Чарли за мной ухаживал!

— Сегодня лучше отдохнуть, — посоветовал доктор.

— А он вернется в школу? — поинтересовалась я, имея в виду Эдварда.

— Должен же кто-то сообщить добрую весть! — самодовольно изрек Каллен-младший.

— Вообще-то, — вмешался доктор, — почти вся школа собралась в приемном покое.

— О нет! — застонала я, закрывая лицо руками.

— Может, останетесь здесь? — с сомнением предложил доктор Каллен.

— Нет-нет! — испуганно вскрикнула я и тут же вскочила на ноги. Очевидно, я поспешила, потому что, потеряв равновесие, упала в объятия доктора. Он только головой покачал.

— Ничего страшного, — пролепетала я. Не рассказывать же ему, что с равновесием у меня вообще проблемы!

— Выпейте тайленол, — посоветовал он, осторожно ставя меня на ноги.

— Голова почти не болит! — упрямилась я.

— Вам очень повезло, — улыбнулся доктор, ставя подпись на моей выписке.

— Повезло, что Эдвард стоял рядом со мной, — поправила я, многозначительно глядя на своего спасителя.

— Ах, да, конечно! — согласился доктор, делая вид, что разбирает какие-то бумаги. Затем он подошел к Тайлеру. Интуиция не подвела, доктор Каллен был польщен.

— А вам, молодой человек, придется здесь задержаться, — объявил он Тайлеру, осматривая его ссадины.

Как только доктор отвернулся, я подошла к Эдварду.

— Можно тебя на минутку? — чуть слышно прошептала я.

Парень отступил, упрямо стиснув зубы.

— Тебя ждет отец, — процедил он.

Я посмотрела на доктора Каллена и Тайлера.

— Хочу поговорить с тобой наедине, если не возражаешь, — настаивала я.

Эдвард поморщился, а затем вышел из процедурной и быстро зашагал по длинному коридору. Мне пришлось бежать, чтобы не отстать. Завернув за угол, мы оказались в небольшом тупичке, и Каллен резко повернулся ко мне.

— Чего ты хочешь? — раздраженно спросил он.

— Ты обещал объяснить, как все случилось, — напомнила я, но не так уверенно, как собиралась. Его внезапная враждебность пугала.

— Я спас тебе жизнь, а ты еще претензии предъявляешь!

Я едва сдерживала негодование.

— Ты же обещал!

— Белла, ты ударилась головой и не понимаешь, что говоришь! — съязвил парень.

— С головой у меня все в порядке!

— Что ты от меня хочешь? — В голосе Эдварда появилась злоба.

— Узнать правду! — решительно сказала я. — Хочу знать, ради чего я лгала твоему отцу.

— А по-твоему, что случилось?

Чтобы выложить свою версию, мне хватило минуты.

— Я прекрасно помню, что тебя рядом со мной не было, Тайлер тоже тебя не видел, поэтому не надо говорить, что у меня амнезия! Фургон должен был раздавить нас обоих, но ты его удержал, причем с такой силой, что на двери фургона остались вмятины от твоих ладоней, а на бампере «хонды» — контуры плеч. У тебя нет ни одной царапины... И еще: фургон мог переехать мне ноги, но ты его не просто оттолкнул, а приподнял...

Я замолчала, понимая, что рассказ кажется бредом сумасшедшей. От досады на глаза навернулись слезы, и я сжала зубы, чтобы не разрыдаться.

Эдвард недоверчиво смотрел на меня.

— Думаешь, я приподнял фургон? — спросил он таким тоном, будто сомневался в моем душевном здравии.

Разве ему можно верить? Похоже, Каллен — прекрасный актер.

Стиснув зубы, я кивнула.

— Твоей истории никто не поверит, — насмешливо проговорил он.

— Я не собираюсь никому рассказывать, — очень четко произнесла я, сдерживая гнев.

— Тогда какая разница? — удивленно спросил он.

— Для меня есть разница, — твердо сказала я. — Не люблю врать и хочу знать, ради чего я это делаю.

— Неужели трудно просто сказать мне спасибо и обо всем забыть? — устало спросил он.

— Спасибо! — зло бросила я.

— Но ты ведь не успокоишься?

— Конечно, нет!

— Боюсь, тебя ждет горькое разочарование.

Мы зло смотрели друг на друга. Чтобы не сбиться, я решила заговорить первой, иначе перед утонченной красотой бледного лица мне не устоять.

— А тебе какая разница? — холодно спросила я.

На секунду Каллен показался мне таким ранимым!

— Не знаю, — тихо сказал он и, не добавив ни слова, ушел.

Я злилась так сильно, что несколько секунд не могла сойти с места, а придя в себя, медленно прошла обратно по коридору.

Судя по всему, за нас с Тайлером переживала вся школа. В приемном покое я увидела сотни взволнованных лиц. Чарли бросился было ко мне, но буквально в двух шагах остановился, испуганный выражением моего лица.

— Со мной все в порядке, — мрачно объявила я. Меня до сих пор трясло от гнева, разговаривать не хотелось.

— Что сказал доктор?

— Что все в порядке, и я могу идти домой, — вздохнула я и увидела, как, расталкивая толпу, к нам приближаются Майк, Джессика и Эрик. — Поедем скорее!

Чарли обнял меня за плечи и повел к выходу. Я робко помахала друзьям, показывая, что волноваться больше не стоит. Мне стало легче, лишь когда мы сели в патрульную машину.

Ехали молча. Я была настолько поглощена своими мыслями, что едва замечала Чарли. Что ж, странное, явно оборонительное поведение Эдварда лишь подтверждает мои подозрения.

Чарли заговорил, только когда мы приехали домой.

— Э-э... тебе нужно позвонить Рене, — виновато проговорил он.

— Ты звонил маме! — в ужасе закричала я.

— Прости.

Выходя из машины, я громко хлопнула дверцей.

Естественно, мама была в истерике. Я раз тридцать повторила ей, что со мной все в порядке, прежде чем она поверила. Рене умоляла меня вернуться в Финикс, совершенно не думая о том, что в данный момент дома никого нет. Как ни странно, ее причитания меня почти не трогали. Все мысли занимал Эдвард и его тайна. Дура, какая же я дура! Даже из Форкса уезжать расхотела, кто бы подумал!

В такой ситуации разумнее всего было лечь в постель и притвориться спящей. Чарли краем глаза следил за мной из гостиной, и это страшно действовало на нервы.

Заглянув в ванную, я выпила три тайленола.

Глава четвертая

ПРИГЛАШЕНИЯ

Той ночью мне впервые приснился Эдвард Каллен. В кромешной тьме; единственным источником света была его кожа. Лица Эдварда я не видела, только спину — он шел прочь, оставляя меня в темноте. Догнать его я не могла, как быстро бы ни бежала, а он не останавливался, хотя я громко его звала. Испуганная и расстроенная, я проснулась среди ночи и потом долго не могла заснуть. С тех пор Каллен снился мне каждую ночь и всегда убегал.

Месяц после катастрофы был очень непростым, напряженным и полным переживаний.

К моему отчаянию и ужасу, на целую неделю я стала самым популярным человеком в школе. Тайлер Кроули ходил за мной по пятам, вымаливая прощение и предлагая помощь. Я пыталась убедить его, что больше всего мне хочется забыть тот день, тем более что ничего страшного со мной не случилось. Но от Тайлера так просто не отделаешься! Он преследовал меня на переменах, а во время ленча сидел за нашим столом. Можно не объяснять, что Майк с Эриком приняли его в штыки, а на мою голову свалился еще один ненужный поклонник.

Почему-то про Эдварда никому говорить не хотелось, хотя я и рассказывала, что он вел себя как герой, заслонив от приближающегося фургона. Джессика, Майк и Эрик в один голос твердили, что увидели Каллена, лишь когда отодвинули «хонду».

За ним не ходили толпами и не просили рассказать, как все случилось; как обычно, студенты старательно его избегали. Каллены и Хейлы сидели за тем же столиком, не ели и разговаривали только между собой. В мою сторону Эдвард больше не смотрел.

На биологии он сидел за самым краем стола, будто боялся испачкаться, и совершенно меня не замечал. Лишь когда его руки вдруг сжимались в кулаки, причем так, что белели костяшки пальцев, у меня возникали сомнения в его невозмутимости и равнодушии.

Наверное, он жалеет, что вытащил меня из-под колес фургона, другого объяснения происходящему я подобрать не могла.

Очень хотелось с ним поговорить, и уже на следующий день после аварии я попробовала. Последний наш разговор состоялся в тупичке у перевязочной, и мы практически поругались. Я злилась, что он не желает рассказать мне правду, несмотря на то, что свою часть уговора я выполняла безупречно. Но ведь, в конце концов, он спас мне жизнь, а как именно — неважно. Уже к следующему утру гнев сменился бесконечной благодарностью.

Когда я пришла на биологию, Эдвард сидел за партой, рассеянно глядя перед собой. Я присела, ожидая, что он ко мне повернется. Однако Каллен притворился, что не заметил моего появления.

— Здравствуй, Эдвард! — вежливо поздоровалась я, показывая, что настроена дружелюбно.

Каллен кивнул и стал с повышенным интересом разглядывать доску.

Вот и весь разговор, а с тех пор — ни слова, хотя мы каждый день сидели за одной партой. Не в силах бороться со своими чувствами, я продолжала смотреть на него, пусть издалека. В столовой и на автостоянке мне никто помешать не мог, и я ухитрилась разглядеть, что его глаза с каждым днем становятся все темнее, а золотые крапинки постепенно исчезают. На биологии же я старалась уделять ему не больше внимания, чем он мне, хотя от этого чувствовала себя совсем несчастной и одинокой. А тут еще сны...

Несмотря на бодрые сообщения, Рене почувствовала, что со мной что-то не так, и несколько раз звонила, явно обеспокоенная. Я, как могла, убеждала ее, что в плохом настроении из-за пасмурной погоды.

Зато Майк радовался. Он очень боялся, что после аварии я начну восторгаться Эдвардом, и вздохнул с облегчением, поняв, что все совсем не так. Теперь перед биологией Ньютон запросто подсаживался ко мне, и мы подолгу болтали, совершенно игнорируя Каллена.

Со дня аварии снега больше не выпало, и Майк убивался, что поиграть в снежки так и не удалось. Лишь предстоящая поездка на пляж грела его душу. Немного потеплело, и проливные дожди несколько недель заливали Форкс.

В первый понедельник марта мне позвонила Джессика. Оказывается, весной по традиции девушки приглашают парней на танцы, и подруга интересовалась, может ли она пойти с Майком.

— Ты не возражаешь? Неужели ты сама не собиралась его пригласить? — недоумевала она, когда я заверила, что с моей стороны никаких проблем не будет.

— Нет, Джесс, я не иду, — успокаивала я. Танцы не по моей части.

— Там весело, — довольно вяло убеждала Джессика. Похоже, моя неожиданная популярность нравится ей гораздо больше, чем я сама!

— Желаю отлично провести время с Майком! — бодро сказала я и повесила трубку.

На следующий день на тригонометрии и испанском Джессика вела себя подозрительно тихо. На переменах она подчеркнуто меня сторонилась, а спрашивать, что произошло, мне не хотелось. Если Ньютон ее отверг, она все равно не признается.

Мои страхи подтвердились во время ленча, когда Джессика села за противоположный от Майка конец стола и оживленно болтала с Эриком.

Майк молча проводил меня на биологию, и его несчастный вид показался мне плохим знаком. Заговорил он, только когда присел на краешек моей парты. Как обычно, мне было не по себе от присутствия Эдварда.

— Представляешь, — начал Майк, разглядывая носки ботинок, — Джессика пригласила меня на танцы.

— Замечательно! — радостно воскликнула я. — Вы отлично проведете время.

— Ну, — протянул Ньютон, обескураженный моей улыбкой, — я сказал ей, что подумаю.

— Почему? — строго спросила я, тихо радуясь, что он не ответил Джессике категоричным отказом.

Не поднимая глаз, Майк густо покраснел, и мне стало его жаль.

— Вообще-то я надеялся, что меня пригласишь ты, — чуть слышно сказал он.

Я выдержала долгую паузу, ненавидя себя за чувство вины, которым многие умело пользовались. И тут почувствовала, как голова Эдварда на какой-то миллиметр повернулась в мою сторону.

— Майк, ты должен сказать Джессике «да», — жестко сказала я.

— Ты уже кого-то пригласила?

Интересно, заметил ли Эдвард, как Ньютон стрельнул глазами в его сторону?

— Нет, я вообще не иду на танцы, — поспешно заверила я.

— Но почему? — потребовал объяснений Майк.

О том, что я танцую как неуклюжая бегемотица, говорить не хотелось, так что я быстро придумала себе новые планы.

— Я собираюсь в Сиэтл.

Мгновенная блестящая ложь. Давно пора куда-нибудь съездить, так почему не в Сиэтл и не в субботу?

— Неужели нельзя выбрать другой день? — попытался уговорить меня Ньютон.

— Прости, нет, — решительно сказала я, лишая его последней надежды. — И, пожалуйста, не заставляй Джесс ждать слишком долго, это невежливо.

— Пожалуй, ты права, — отозвался Ньютон и понуро побрел на свое место.

Закрыв глаза, я нажала на виски, пытаясь выдавить из себя чувство вины и жалость. Мистер Баннер начал урок, и глаза пришлось открыть.

Эдвард смотрел на меня, как раньше, с любопытством и каким-то непонятным разочарованием. Я подняла на него глаза, уверенная, что он тут же отвернется. Ничего подобного, он продолжал испытующе на меня смотреть. Боже, как он красив! У меня затряслись руки.

— Мистер Каллен? — спросил учитель, очевидно, ожидая ответа на вопрос, которого я не слышала.

— Цикл Кребса, — ответил Эдвард, неохотно переводя взгляд на мистера Баннера.

Вырвавшись из плена прекрасных глаз, я уткнулась в учебник. Больше я себе не доверяла и закрыла пылающее лицо темной прядью. Нельзя, нельзя уступать и поддаваться чувствам, даже если Эдвард Каллен впервые за много недель осчастливил своим взглядом. Я не должна позволять ему делать со мной все, что угодно. Это смешно, жалко и... опасно.

Оставшуюся часть урока я пыталась не обращать внимания на Эдварда, а поскольку это было выше моих сил, старалась, чтобы он не замечал моих брошенных украдкой взглядов. Как только прозвенел звонок, я отвернулась от него и стала собирать вещи, надеясь, что Каллен, как и раньше, быстро уйдет на следующий урок.

— Белла? — Ну почему этот голос так много для меня значит, ведь я знаю Эдварда совсем недавно!

Медленно, будто нехотя, я повернулась. Стыдно признаться, но прекрасное лицо притягивало меня, как магнит. Думаю, вид у меня был настороженный, а вот что чувствовал Каллен, сказать трудно. Что же он молчит?

— Ты снова со мной разговариваешь? Неужели? — нервно спросила я, хотя решила держать себя в руках.

Четко очерченные губы задрожали, Каллен пытался сдержать улыбку.

— Ну, не совсем...

Чтобы немного успокоиться, я зажмурилась и сделала глубокий вдох.

— Тогда чего же ты хочешь? — не открывая глаз, спросила я. Удивительно, но так оказалось проще контролировать свои мысли.

— Прости, — сокрушенно проговорил он. — Знаю, что веду себя грубо, однако так лучше.

Наконец я решилась посмотреть на Эдварда. Его лицо было очень серьезным.

— Не понимаю, о чем ты.

— Нам лучше не быть друзьями, — пояснил он. — Поверь мне.

Мои глаза презрительно сузились — однажды я ему уже поверила.

— Жаль, что это не пришло тебе в голову раньше, — съязвила я. — Тогда не пришлось бы ни о чем жалеть.

— Жалеть? — Похоже, это слово и мой резкий тон застали его врасплох. — О чем жалеть?

— Что меня не переехал тот дурацкий фургон.

Эдвард застыл в недоумении, а когда заговорил, мне казалось, что язык едва его слушается.

— Думаешь, я жалею, что спас тебе жизнь?

— Не думаю, а знаю!

— Ничего ты не знаешь! — разозлился Каллен.

Я резко отвернулась, чтобы сдержаться и не высказать ему все, что накипело. Собрав учебники, я бросилась вон из класса. Хотелось громко хлопнуть дверью, но ничего не вышло: я налетела на косяк и выронила книги. Целую секунду я решала, бросить их на полу или собрать, и, в конце концов, прислушалась к здравому смыслу. Вздохнув, я нагнулась над учебниками, однако Каллен меня опередил, ловко составил книги в стопку и с непроницаемым выражением лица передал мне.

— Благодарю, — холодно сказала я.

Черные глаза стали страшными.

— Не стоит, — отозвался Эдвард.

Я быстро выпрямилась и, гордо расправив плечи, зашагала к спортзалу.

Физкультура прошла отвратительно. В марте мы начали играть в баскетбол, и мои товарищи по команде мяч мне почти не доверяли. Зато я много падала и нередко валила кого-то еще. Сегодня я превзошла саму себя и, думая об Эдварде, падала чуть ли не каждую минуту.

Звонок, как и обычно, принес огромное облегчение. К стоянке я бежала — разговаривать ни с кем не хотелось. В аварии пикап почти не пострадал. Естественно, пришлось заменить габаритные огни и подкрасить кузов. А вот фургон Тайлера его родители продали на запчасти.

Меня чуть удар не хватил, когда, завернув за угол, я увидела темную фигуру, застывшую у моего пикапа. В следующую же секунду я узнала Эрика. Его мне только не хватало!

— Привет, Эрик!

— Привет, Белла!

— Что случилось? — На дрожание его голоса я сначала внимания не обратила, поэтому следующий вопрос застал меня врасплох.

— Я тут подумал... Может, пойдешь со мной на танцы? — робко спросил он.

— Разве не девушки приглашают парней? — Я изо всех сил старалась быть вежливой.

— Да, кажется, — чуть слышно пролепетал он. К счастью, я смогла взять себя в руки.

— Спасибо за приглашение, — поблагодарила я, улыбаясь, — но в ту субботу я еду в Сиэтл.

— Ладно, — вздохнул Эрик, — как-нибудь в другой раз.

— Конечно! — радостно согласилась я. И тут же прикусила язык. Надеюсь, Эрик не воспримет мое обещание буквально.

Он побрел к школе, а я услышала сдавленный смешок. Мимо прошел Эдвард Каллен. Он смотрел прямо перед собой, делая вид, что никого вокруг не замечает. Я села в машину, захлопнула за собой дверцу, повернула ключ зажигания и стала осторожно выезжать со своего места. Эдвард, виртуозно выехав со стоянки, обогнал меня на два корпуса и неожиданно остановился, очевидно поджидая свою семью, — великолепная четверка как раз выходила из столовой. Страшно хотелось боднуть его сияющий «вольво», но вокруг было слишком много свидетелей. Я посмотрела в зеркало заднего обзора — за нами начала собираться очередь. Следом за мной встал Тайлер Кроули на новеньком «ниссане» и приветственно помахал мне рукой. В таком состоянии общаться с Тайлером не хотелось.

Итак, я сидела, уставившись на «вольво», и вдруг услышала стук в окно. Подняв глаза, я увидела Тайлера и машинально взглянула в зеркало заднего обзора. Мотор «ниссана» по-прежнему работал. Пришлось открывать окно у пассажирского сиденья, которое оказалось неисправным и на полпути заклинило.

— Прости, Тайлер, — раздраженно прокричала я. — Не могу объехать Каллена.

В самом деле, разве я виновата, что образовалась пробка?

— Вижу, просто хотел кое о чем тебя попросить, раз уж мы тут застряли, — усмехнулся Кроули.

Нет, только не это!..

— Может, пригласишь меня на танцы? — невозмутимо продолжал он.

— Тайлер, меня не будет в городе, — резковато сказала я. Разве он виноват, что Майк с Эриком уже исчерпали мое терпение?

— Да, Майк говорил, — признался парень.

— Тогда зачем...

— Думал, ты просто его продинамила, — пожал плечами Кроули.

Боже, он ведь ни в чем не виноват!

— Прости, Тайлер, — я изо всех сил пыталась скрыть раздражение. — Я правда уезжаю из города.

— Ничего страшного, впереди еще выпускной вечер.

Прежде чем я успела ответить, Тайлер пошел обратно к машине. Похоже, вид у меня был очень глупый. Посмотрев в окно, я заметила, как Элис, Розали, Эмметт и Кэри усаживаются в «вольво», а в зеркале заднего обзора четко видела смеющиеся глаза Эдварда Каллена. Наверное, он слышал наш разговор с Тайлером и теперь веселился. Меня так и подмывало нажать на газ... Один-единственный удар пассажирам не повредит, а вот машинку подпортит и настроение красавчику тоже. Я решительно повернула ключ зажигания.

Но Каллены и Хейлы уже заняли свои места, и Эдвард умчал их прочь. Тихо чертыхаясь, я поехала домой.

Побалую-ка я себя цыпленком по-мексикански: готовится он небыстро, зато немного отвлекусь. Овощи со специями уже почти поджарились, когда зазвонил телефон. Отвечать не хотелось. Наверняка это мама или Чарли.

Звонила ликующая Джессика. Майк остановил ее после уроков и сказал, что принимает приглашение. Я поздравила ее от всей души. Подруга спешила, она хотела позвонить Анжеле и Лорен, чтобы поделиться радостью. Как бы между прочим, я предложила, чтобы Анжела, скромная девушка из моего класса по биологии, пригласила Эрика, а надменная Лорен, которая подчеркнуто не замечала меня в столовой, пригласила Тайлера. Джесс была в полном восторге. Теперь, когда Майк у нее в кармане, она искренне жалела, что я не иду на танцы. Пришлось рассказать ей про Сиэтл.

Повесив трубку, я с головой ушла в готовку. Цыпленка следовало порезать кубиками, при этом не поранившись. Голова шла кругом от того, что Эдвард сказал мне сегодня. Почему нам лучше не быть друзьями?

Желудок сжался — я поняла, что имел в виду Каллен. Он наверняка знал, как сильно я им увлечена, и предпочитал держаться подальше. Эдвард даже дружить не хотел, потому что я совершенно его не интересую.

Я совершенно его не интересую... На глаза навернулись слезы — запоздалая реакция на лук. Я ведь серятина и посредственность, а он... Такой красивый, умный, проницательный и может одной рукой остановить фургон!

Ну и ладно! Оставлю его в покое! Перетерплю год в этой глуши, а потом какой-нибудь колледж на юго-западе или даже на Гавайях предложит мне стипендию. Закладывая цыпленка в духовку, я мечтала о ярком солнце, пальмах и золотых пляжах.

Чарли с порога почувствовал аромат цыпленка и нахмурился. Неудивительно, мексиканская еда в местных ресторанчиках наверняка опасна для жизни. Но папа оказался смельчаком и храбро взял вилку. Судя по всему, ему понравилось.

— Папа? — позвала я, когда он доел.

— Да, Белла?

— Через две недели я хотела бы поехать на целый день в Сиэтл. Ладно?

Не то, чтобы я нуждалась в его разрешении, просто пыталась быть элементарно вежливой.

— Зачем? — В его голосе звучало искреннее удивление. Разве есть на свете город лучше Форкса?

— Хочу зайти в книжный, в здешней библиотеке почти ничего нет. Ну и присмотреть кое-что из одежды.

Благодаря Чарли, машину покупать не пришлось. С финансами у меня было все в порядке, хотя денег на бензин уходила прорва.

— Пикап ест очень много бензина, — будто прочитав мои мысли, сказал отец.

— Знаю, придется заправляться в Монтессано, Олимпии и Такоме.

— Одна едешь? — спросил он, и я не поняла, намекает он на бойфренда или просто беспокоится, чтобы со мной чего не случилось.

— Одна.

— Сиэтл — большой город, ты можешь потеряться, — беспокоился Чарли.

— Пап, Финикс в пять раз больше, и я отлично разбираюсь в картах, — вздохнула я.

— Хочешь, поеду с тобой?

Я постаралась скрыть охвативший меня ужас.

— Пап, я же пойду по магазинам, тебе будет скучно!

— Ну, ладно, езжай, — нехотя разрешил он. Перспектива таскаться по магазинам, видимо, не особо его вдохновляла.

— Спасибо! — улыбнулась я.

— Успеешь на танцы?

Брр! Только в таких городках, как Форкс, отцы знают, когда в школах танцы.

— Папа, я не танцую! — Он должен меня понять, в конце концов, я не в маму такая неуклюжая.

— Хорошо-хорошо, — быстро проговорил Чарли.

На следующее утро я припарковалась как можно дальше от серебристого «вольво». Не хотелось подвергать себя соблазну, а потом покупать Калленам новую машину. Повесив сумку на плечо, я отважно шагнула под дождь. Как назло ключи упали в лужу, и я нагнулась, чтобы их поднять, но меня опередил кто-то проворный и ловкий. Я выпрямилась и увидела Каллена, небрежно облокотившегося о кузов пикапа.

— Как у тебя это получается? — раздраженно спросила я.

— Что получается? — переспросил он, протягивая мне ключи.

— Появляться откуда ни возьмись.

— Белла, разве я виноват, что ты так ненаблюдательна! — Его бархатный голос напоминал рычание тигра.

Я хмуро смотрела в безупречно красивое лицо. Глаза Эдварда сегодня казались светлыми, золотисто-медовыми.

— Зачем ты вчера устроил пробку? — строго спросила я. — Ты вроде решил меня игнорировать, а не выводить из себя.

— Ради Тайлера! Нужно же было дать ему шанс, — усмехнулся Каллен.

— Ты... — задыхалась от гнева я, подбирая ругательство похуже. Внутри все так и кипело от ярости.

— И я вовсе тебя не игнорирую, — продолжал он.

— Значит, пытаешься извести, раз у Тайлера не вышло с фургоном?

Медовые глаза потемнели, губы сжались в тонкую линию.

— Белла, извини, ты говоришь ерунду! — глухо прорычал он.

У меня зачесались руки — страшно хотелось вмазать ему! Что со мной творится? Я никогда не прибегала к насилию, по крайней мере, до сегодняшнего дня. Демонстративно развернувшись, я пошла прочь.

— Подожди! — негромко позвал Эдвард, но я упрямо шагала к школе, раздраженно шлепая по лужам. Каллен нагнал меня без особого труда.

— Прости, я был очень груб, — на ходу извинялся он. — С Тайлером все так, как я сказал, но, пожалуйста, не обижайся!

— Почему бы тебе не оставить меня в покое? — ледяным тоном спросила я.

— Хочу у тебя кое-что спросить, но ты и рта мне не даешь открыть, — усмехнулся Каллен. К нему снова вернулось хорошее настроение.

— Слушай, у тебя что, раздвоение личности?

— Давай не будем оскорблять друг друга!

— Ладно, выкладывай, — вздохнула я.

— В следующую субботу, ну, когда будут танцы...

— Ты что, издеваешься? — не дала договорить я, поворачивая к нему мокрое от дождя лицо. В золотисто-медовых глазах плясали бесенята.

— Позволишь договорить? — вежливо попросил Каллен, но мне по-прежнему казалось, что он надо мной издевается.

Закусив губу, я нервно переплела пальцы, чтобы не совершить опрометчивых поступков.

— Слышал, в тот день ты собираешься в Сиэтл. Можно тебя отвезти?

Ничего подобного я не ожидала!

— Что? — по-идиотски спросила я, не понимая, к чему он ведет.

— Можно отвезти тебя в Сиэтл?

— Кто меня повезет? — не понимала я.

— Я, конечно, — ответил Эдвард, очень четко проговаривая каждый слог, будто я была ненормальной.

— Зачем?

— Я давно собираюсь в Сиэтл, к тому же вряд ли твой пикап выдержит такую поездку.

— Большое спасибо за беспокойство, но своей машиной я довольна!

— Хорошо, что так, но сколько раз тебе придется заправляться? — не унимался Каллен, шагая рядом со мной.

— А ты-то что волнуешься? — с иронией спросила я, желая поддеть богатенького мальчика на серебристом «вольво».

— Разумное использование полезных ископаемых должно волновать каждого, — с наигранной серьезностью проговорил он.

— Да ладно, Эдвард! — Во мне все встрепенулось, когда я назвала его по имени. Как же я себя за это ненавидела! — Я тебе неинтересна, и дружить со мной ты не желаешь.

— Я сказал, что нам лучше не быть друзьями; я не говорил, что не хочу с тобой общаться.

— Ну, вот, теперь все ясно, спасибо! — с сарказмом поблагодарила я.

Тем временем мы оказались под навесом столовой, и теперь я могла смотреть ему прямо в глаза, что никак не способствовало четкой работе мысли.

— Тебе гораздо... гораздо разумнее не быть моей подругой... Но я устал прикидываться бесчувственным чурбаном, Белла! — воскликнул он с такой обжигающей страстью, что мое сердце едва не остановилось.

— Так поедешь со мной в Сиэтл? — после секунды звенящего молчания спросил Эдвард, будто от этого зависела его жизнь.

Дар речи ко мне еще не вернулся, и я просто кивнула.

На мгновение его прекрасное лицо озарила улыбка.

— И все же тебе следует держаться от меня подальше, — тут же посерьезнев, предупредил он. — Увидимся на биологии!

Резко повернувшись, Каллен зашагал обратно к стоянке.

Глава пятая

ГРУППА КРОВИ

На английский я пришла в полубессознательном состоянии, не понимая, что урок уже начался.

— Спасибо, что все-таки почтили нас своим присутствием, мисс Свон, — укоризненно проговорил мистер Мейсон.

Я вспыхнула и прошла на свое место.

Только к концу занятия до меня дошло, что Майк не сидит рядом со мной. Я чувствовала себя виноватой, но после английского они с Эриком ждали у двери, значит, все не так уж плохо. Ньютон с воодушевлением говорил о погоде на выходные. Дожди, скорее всего, перестанут, и он сможет поехать на пляж. Я вторила ему, как могла, чтобы хоть немного искупить свое вчерашнее поведение. Какая разница, пойдет дождь или нет, тепла-то все равно не будет.

День превратился в расплывчатое пятно. Утренний разговор с Эдвардом казался волшебным сном, который я спутала с реальностью. Не может быть, что я все-таки ему нравлюсь!

В столовую я шла в полном смятении чувств. Не терпелось увидеть Эдварда, чтобы проверить, превратился он в холодного безразличного робота или то, что случилось утром, правда. Шедшая рядом Джессика без умолку болтала о танцах, не замечая моей рассеянности и отрешенности. Анжела и Лорен пригласили Эрика и Тайлера соответственно, так что теплая компания с нетерпением ждала субботы.

Взглянув на заветный столик, я едва не расплакалась — там сидели четверо, Эдварда не было. Неужели он ушел домой?

Совершенно раздавленная, я встала в очередь следом за Джессикой. Аппетит пропал, и я взяла только лимонад. Хотелось забиться в угол подальше от чужих глаз и поддаться черному отчаянию.

— На тебя смотрит Эдвард Каллен, — голос Джессики донесся словно издалека. — Интересно, почему он сегодня сел один?

Страдать сразу расхотелось, я подняла голову и увидела Эдварда за столиком в противоположном конце столовой. Встретившись со мной глазами, он помахал рукой, словно приглашая присоединиться. Затаив дыхание, я смотрела на это чудо.

— Неужели он тебя зовет? — недоверчиво спросила Джессика.

— Наверное, не сделал домашнюю работу по биологии, — постаралась я успокоить подругу. — Пойду, спрошу, чего он хочет.

Я пошла к Эдварду, спиной ощущая удивленный взгляд Джессики, и неуверенно остановилась у его столика.

— Почему бы тебе не сесть со мной? — улыбаясь, предложил он.

Будто нехотя, я присела, исподлобья наблюдая за Калленом. Его лицо было таким совершенным... мне даже почудилось, что я сплю. Сейчас открою глаза, и Эдвард растает, словно дым.

Каллен смотрел на меня, будто ожидал какой-то реакции.

— Все это так странно, — наконец проговорила я.

— Ну... — замялся он. — Чему быть, того не миновать!

Я терпеливо ждала, пока он скажет что-нибудь вразумительное. Время будто остановилось.

— Если честно, не понимаю, что происходит, — призналась я.

— Понимаю, — улыбнулся Каллен, но объяснять ничего не стал. — По-моему, твоим друзьям не нравится, что я тебя похитил, — сменил он тему.

— Переживут. — Недовольные взгляды Майка, Эрика и Джессики так и буравили мне спину.

— Пусть не надеются, что я отдам тебя обратно, — мрачно предупредил Эдвард.

Я тяжело вздохнула.

— Вид у тебя испуганный, — засмеялся Каллен.

— Нет, — начала я, и голос предательски задрожал, — наверное, не испуганный, а удивленный. Чем все это вызвано?

— Говорю же, я устал притворяться, что мне все равно. Я сдаюсь. — Эдвард улыбнулся, но одними губами, золотисто-медовые глаза остались серьезными.

— Сдаешься? — непонимающе переспросила я.

— Да, больше не буду держать себя в ежовых рукавицах. С сегодняшнего дня делаю, что хочу, и будь что будет. — Улыбка погасла, а в голосе зазвучала грусть.

— Извини, я по-прежнему ничего не понимаю.

Губы снова растянулись в кривоватой улыбке.

— Когда я с тобой, всегда слишком много говорю, отсюда все проблемы.

— Не беспокойся, ведь мы, можно сказать, говорим на разных языках.

— На это я и рассчитываю!

— Короче говоря, мы друзья? — осторожно спросила я.

— Друзья?.. — с сомнением повторил Каллен.

— Да или нет?

Эдвард усмехнулся.

— Думаю, можно попробовать. Но, предупреждаю, я не самый подходящий друг. — Несмотря на улыбку, его голос звучал вполне серьезно.

— Ты что-то подобное уже говорил.

— Да, и это правда! Разумная девушка и близко ко мне не подошла бы...

— Кажется, у тебя уже сложилось мнение относительно моих интеллектуальных способностей.

Каллен сконфуженно улыбнулся.

— Итак, если разумной девушкой меня не назовешь, мы решили стать друзьями? — подытожила я странный (по крайней мере, для меня) диалог.

— Пожалуй, да.

Я растерянно смотрела на свои руки, лихорадочно сжимающие лимонадную бутылку.

— О чем ты думаешь? — с любопытством спросил Эдвард.

Заглянув в волшебные с золотыми крапинками глаза, я, словно на исповеди, выложила правду:

— Пытаюсь понять, кто ты такой.

Прекрасное лицо напряглось, но через секунду его осветила улыбка.

— И что у тебя вышло?

— Ничего вразумительного, — призналась я.

— Есть же какие-то догадки?

Я залилась краской.

За прошлый месяц я по нескольку раз смотрела «Супермена» и «Человека-Паука» с Брюсом Уэйном и Питером Паркером, но не признаваться же в этом Каллену!

— Может, поделишься? — предложил Эдвард, подбадривая меня обворожительной улыбкой.

— Нет, мне слишком неловко, — покачала головой я.

— Вот это очень досадно!

— Вовсе нет, — подначила я парня. — Разве можно назвать досадным нежелание некоторых говорить то, что они на самом деле думают? Даже если кое-кто постоянно делает еле заметные намеки, роняет таинственные замечания, от которых потом не спится по ночам, разве это можно назвать досадным?

Эдвард криво улыбнулся.

— Или еще лучше, — продолжала я, давая выход накопившемуся раздражению, — когда человек совершает необъяснимые поступки: в один день спасает тебе жизнь при чрезвычайно странных обстоятельствах, а в другой вроде как и знать тебя не знает и не желает ничего объяснять, хотя обещал, — все это абсолютно нормально!

— А тебе палец в рот не клади!

— Просто не уважаю двуличных людей!

Мы холодно смотрели друг на друга.

Ни с того ни с сего Каллен захихикал.

— Ты что?

— Твой бойфренд решил, что я тебе докучаю, и теперь раздумывает — выбить мне зубы прямо сейчас или подождать конца перемены! — Эдвард снова захихикал.

— Не знаю, кого ты имеешь в виду, — ледяным тоном произнесла я, — но, уверяю тебя, ты ошибаешься.

— Вовсе нет. Помнишь, я говорил, что большинство людей как раскрытая книга?

— Насколько помню, я в их число не вхожу.

— Так и есть! — Эдвард задумчиво смотрел на меня. — Вот я и думаю, почему?

Не в силах выдержать его испытующий взгляд, я открыла бутылку с лимонадом и сделала большой глоток.

— Хочешь есть? — заботливо спросил Эдвард.

— Нет! — Не рассказывать же ему, что меня мутит от страха и неопределенности. — А ты? — Я многозначительно смотрела на пустой стол.

— Я не голоден, — ответил он и усмехнулся, будто я сморозила глупость.

— Можно попросить тебя об одолжении?

— Смотря о каком, — настороженно проговорил Каллен.

— Ничего особенного я не попрошу, — заверила я.

Эдвард с явным интересом ждал моей просьбы.

— Пожалуйста, не мог бы ты предупреждать перед тем, как снова решишь меня не замечать? Это очень облегчит мне жизнь. — Я волновалась и чертила круги на поверхности лимонадной бутылки.

— Вполне разумно, — отозвался Эдвард, плотно сжав губы, будто с трудом сдерживал смех.

— Спасибо!

— У меня тоже есть одна просьба.

— Хорошо, но только одна!

— Скажи, кто, по-твоему, я такой?

Упс!

— Нет, только не это!

— Ты обещала выполнить одну просьбу без ограничений, — напомнил он.

— А ты сам никогда не нарушал обещаний?

— Пожалуйста, хотя бы одно из твоих предположений, я не буду смеяться, честно!

— Нет, точно будешь! — В этом я нисколько не сомневалась.

Эдвард потупился и умоляюще взглянул на меня из-под опущенных ресниц.

— Ну пожалуйста...

Я молчала, почти поддавшись его воле. Боже, что он со мной творит?!

— Чего ты хочешь?

— Хоть одну из догадок! — Золотистые глаза прожигали меня насквозь.

— Тебя укусил радиоактивный паук?

Неужто он меня гипнотизирует? Или я просто слабовольная тряпка?

— Маловероятно.

— Прости, это все, что я могу предположить, — обиженно сказала я.

— Пока что не тепло, — распалял меня Эдвард. Хорошо хоть смеяться перестал!

— Значит, пауки тут ни при чем?

— К сожалению.

— И радиация тоже?

— Увы!

— Вот черт!

— Представляешь, дело даже не в криптоните! — усмехнулся он.

— Ты же обещал не смеяться! — напомнила я. — Со временем я во всем разберусь.

— Это совершенно необязательно, — неожиданно серьезно проговорил Каллен.

— Почему?

— А что если я вовсе не супермен, и тебя ждет разочарование? — Эдвард улыбнулся, однако его глаза остались мрачными.

— Да, понимаю, — задумчиво протянула я.

— Правда? — Его лицо вдруг стало напряженным, будто он пожалел, что сболтнул лишнее.

— Наверное, ты человек опасный? — предположила я, задумчиво поднимая одну бровь.

По лицу Каллена было ясно, что он испытывает противоречивые чувства.

— Опасный, но не плохой, — шептала я, качая головой. — Не верю, что ты можешь быть плохим.

— Ошибаешься, — чуть слышно произнес Эдвард, опустил глаза и, взяв со стола крышку от лимонада, стал задумчиво вертеть ее в руках.

Мы молчали, пока я не заметила, что в столовой никого нет.

— Опоздаем! — закричала я, неловко вскочив на ноги.

— Я не иду на биологию! — заявил Каллен, быстро крутя крышку между пальцами.

— Почему? — удивилась я.

— Прогуливать иногда полезно, — невесело усмехнулся Эдвард.

— Ну, а я пошла, — проговорила я. Получать нагоняй за прогулы совсем не хотелось.

— Ладно, пока, — сказал он, не сводя глаз с крышки.

Развернуться и уйти от него было совсем непросто, но тут зазвенел звонок, а Эдвард даже не шелохнулся.

Я понеслась в класс. Мысли кружились еще быстрее, чем крышка в длинных белых пальцах. На некоторые вопросы у меня появились ответы, но они мало проясняли ситуацию. Хорошо хоть дождь перестал.

Мне повезло, в класс я попала чуть раньше мистера Баннера. Пробираясь к своей парте, я ловила на себе взгляды Майка и Анжелы. Ньютон выглядел обиженным, а Анжела — сильно удивленной.

Через секунду в класс вошел мистер Баннер с маленькими картонными коробками в руках. Положив коробки на парту Майка, он велел ему их раздать.

— Итак, рассмотрим содержимое коробок, — начал учитель, усаживаясь за свой стол. — Первой лежит карта-индикатор, — объявил он, показывая белую карточку с четырьмя квадратами. — Вторым — аппликатор с четырьмя зубцами. — Баннер извлек нечто, весьма похожее на старый гребень. — И, наконец, стерильный микроланцет. — Он достал пластиковый пакет и вскрыл.

Тонкий металлический шип не был виден на расстоянии, но мой желудок предательски сжался.

— Сейчас я пройду по классу и смочу ваши карты водой из пипетки, так что пока прошу не начинать.

Баннер подошел к парте Майка и аккуратно капнул на каждый из четырех квадратов сигнальной карты.

— Когда смочу карту, нужно аккуратно уколоть палец ланцетом... — Схватив руку Майка, мистер Баннер быстро кольнул его указательный палец. О нет! Мой лоб стал липким от пота.

— Нанесите по капельке на каждый зубец аппликатора... — Учитель сжимал палец Ньютона, пока не потекла кровь. Я судорожно глотнула, чувствуя, как по пищеводу поднимается завтрак.

— Затем приложите аппликатор к карте...

В ушах звенело, голос учителя доносился будто сквозь толстый слой ваты.

— На следующей неделе Красный Крест приедет собирать донорскую кровь. Тем, кто захочет участвовать, будет полезно узнать свою группу крови, — бодро продолжал мистер Баннер. — Всем, кому еще нет восемнадцати, понадобится разрешение родителей. Формуляры у меня в столе.

Баннер медленно двигался по классу с пипеткой в руках. Борясь с дурнотой, я опустила голову на черный пластик стола. Казалось, весело галдящие одноклассники находятся в другом мире! Я старалась дышать медленно и ровно.

— Белла, как ты себя чувствуешь? — испуганно спросил учитель, подойдя к моей парте.

— Мистер Баннер, я знаю свою группу крови, — чуть слышно ответила я, боясь поднять голову.

— Тебе плохо?

— Да, сэр, — прошептала я. Зачем только я пошла на биологию!

— Может кто-нибудь проводить Беллу в медпункт? — громко спросил мистер Баннер.

Естественно, помочь мне вызвался не кто иной, как Майк.

— Дойдешь? — с сомнением спросил мистер Баннер.

— Да, сэр! — прошелестела я. Только выпустите меня отсюда, и я доползу!

Майк бережно обнял меня за плечи и повел в медпункт. Мы вышли во двор, и, убедившись, что за нами не следит мистер Баннер, я остановилась.

— Посижу здесь немного, ладно?

Ньютон помог мне присесть на поребрик.

— Только палец мне свой не показывай! — попросила я. Чтобы хоть как-то унять головную боль, я прилегла на поребрик и коснулась щекой прохладного бетона. Немного полегчало.

— Боже, ты совсем зеленая, — испуганно прошептал Майк.

— Белла? — откуда-то издалека позвал знакомый голос. О нет, только не он, мне послышалось!

— Что случилось? Ей плохо? — Не послышалось!.. Я крепко зажмурилась, мечтая умереть. Или хотя бы чтобы меня не вырвало!

— Она чуть не потеряла сознание, — дрожащим голосом рассказывал Майк. — Не знаю, почему так вышло, ведь она даже палец не уколола!

— Белла! — уже спокойнее позвал Каллен. — Ты меня слышишь?

— Нет, — застонала я, — убирайся!

Эдвард усмехнулся.

— Я вел ее в медпункт... Но она не может идти!

— Я сам отведу ее, — объявил Эдвард. — Возвращайся в класс.

— Нет, — заупрямился Майк, — это мне велели ее отвести!

Внезапно меня оторвало от поребрика, и в немом ужасе я раскрыла глаза. Эдвард поднял меня на руки, словно я весила пять килограммов, а не пятьдесят пять.

— Отпусти меня! Отпусти! — закричала я. Господи, пожалуйста, пусть меня на него не вырвет!

Каллен будто не слышал моих воплей.

— Эй! — окликнул его Майк, отставший уже на целых десять шагов, но Эдвард не обратил на него внимания.

— Ты ужасно выглядишь, — усмехнулся он.

— Пожалуйста, отпусти меня, — чуть не плакала я. Меня так сильно мутило!..

Будто прочитав мои мысли, Каллен понес меня на вытянутых руках, не прижимая к груди, и все это без видимых усилий!

— Значит, не выносишь вида крови? — спросил он. Похоже, происходящее искренне его забавляло.

Крепко зажмурившись, я из последних сил боролась с тошнотой.

— Причем вида чужой крови! — не унимался Эдвард, смакуя каждое слово.

Неизвестно, как он открыл дверь, ведь руки у него были заняты. Стало очень тепло, и я поняла, что мы в медпункте.

— О боже! — воскликнул женский голос.

— Она упала в обморок на уроке биологии, — объяснил Эдвард.

Я нерешительно открыла глаза. Мы были в медпункте. Каллен, как ни в чем не бывало, расхаживал перед стойкой, и это со мной на руках!.. Миссис Коуп, молодая рыжеволосая медсестра, раскрыла дверь в процедурную, а седая санитарка восторженно смотрела на юношу, который легко пронес меня через весь коридор и бережно положил на кушетку, покрытую хрустящей крахмальной простыней. С чувством выполненного долга он отошел за перегородку и присел на стульчик.

— Ее просто мутит, — успокаивал испуганную санитарку Эдвард. — Они определяли группу крови...

— Ну, девушки часто боятся крови, — глубокомысленно вздохнула санитарка. — Просто полежи минутку, милая, и все пройдет!

— Знаю, — вздохнула я. Тошнота уже отступала.

— И часто с тобой такое? — допытывалась санитарка.

— Бывает, — призналась я.

Каллен снова захихикал.

— Можешь возвращаться на урок, — сказала ему женщина.

— Мне велели остаться с ней! — Слова Каллена прозвучали столь убедительно, что санитарка не стала спорить, только недовольно поджала губы.

— Принесу тебе грелку со льдом, — пообещала мне она и вышла из процедурной.

— Ты был прав, — простонала я.

— Я часто оказываюсь прав. В чем на этот раз?

— Прогуливать иногда полезно, — размеренно дыша, напомнила я.

— Я так перепугался, увидев вас во дворе, — нехотя сообщил Эдвард, будто признаваясь в постыдной слабости. — Думал, Ньютон тащит твой хладный труп, чтобы закопать в лесу!

— Очень смешно, — не открывая глаз, отозвалась я. Силы возвращались ко мне с каждой минутой.

— Я серьезно! Даже у покойников цвет лица обычно лучше. Я подумал, что Ньютон тебя извел, и решил отомстить!

— Бедный Майк! Он так перепугался.

— Он ненавидит меня всем сердцем! — радостно сообщил Каллен.

— Откуда ты знаешь? — начала спорить я, а потом испугалась, что он прав.

— Раскрытая книга, забыла?

— Как ты нас увидел? Ты же прогуливал! — Наверное, слабость проходила бы быстрее, если бы я что-нибудь съела за ленчем. Впрочем, мне очень повезло, что желудок оказался пустым.

— Я сидел в машине и слушал диск, — с готовностью ответил Каллен.

Дверь открылась — санитарка принесла холодный компресс, который положила мне на лоб.

— Ну вот, — протянула она, — тебе уже лучше!

— Со мной все в порядке! — заявила я и попыталась сесть. Голова не болела, мятно-зеленые стены не кружились перед глазами, лишь немного звенело в ушах.

Сиделка собиралась снова уложить меня на кушетку, но в этот момент в процедурную заглянула миссис Коуп.

— Еще один гость! — предупредила она.

Я поспешила освободить место.

— Спасибо, мне больше не нужно, — поблагодарила я, сдирая со лба компресс и протягивая санитарке.

Тяжело дыша, Майк ввел мертвенно-бледного Ли Стивенса, на биологии сидевшего за соседней партой.

Мы с Эдвардом попятились, освобождая место.

— О нет, — пробормотал Эдвард. — Белла, тебе лучше выйти в приемную.

Я смотрела на него, крайне обескураженная.

— Выйди, прошу тебя.

Ничего не ответив, я вышла из процедурной. Каллен вышел следом.

— Неужели ты меня послушалась? — с наигранным удивлением спросил он.

— Просто почувствовала запах крови, — поморщила нос я. Наверняка Стивенс успел проколоть себе палец.

— Люди не чувствуют запаха крови, — не поверил мне Каллен.

— Я чувствую, меня от него тошнит. Кровь пахнет ржавчиной... и солью.

В глазах Эдварда застыло престранное выражение.

— Что такое? — поинтересовалась я.

— Так, ничего.

В приемную вышел Майк и встал неподалеку, глядя то на Эдварда, то на меня. Судя по всему, Каллен прав: когда Ньютон на него смотрел, голубые глаза темнели от ненависти. Похоже, мое поведение Майка тоже не радовало.

— По-моему, тебе лучше, — мрачно заметил он.

— Только палец свой не показывай, ладно? — попыталась пошутить я.

— Кровь давно остановилась, — без тени улыбки отозвался Майк. — Идешь на биологию? — с сомнением спросил он.

— Ты шутишь? Поспорим, что через пять минут я снова отключусь?

— Да уж, не стоит. А в Ла-Пуш поедешь? — спросил Майк, окидывая свирепым взглядом Эдварда, античной статуей в задумчивости застывшего у заваленной бумагами стойки.

— Конечно, поеду! — В эти два слова я постаралась вложить как можно больше уверенности.

— Встречаемся в десять в магазине моего отца. — Майк бросил на Каллена подозрительный взгляд, словно опасаясь, что тот подслушал секретную информацию. Приглашать Эдварда он вовсе не собирался.

— Договорились!

— Увидимся на физкультуре.

— До скорого, — отозвалась я.

Майк еще раз посмотрел на меня с явной обидой, а выйдя на крыльцо, сгорбился, словно старик. Меня тут же захлестнули волны жалости. Еще один урок в его обществе.

— Физкультура! — чуть слышно застонала я.

— Сейчас что-нибудь придумаем, — пообещал Эдвард. — Сядь на стул и сделай вид, что тебе плохо.

Ну, это несложно. Бледной я была всегда, а сейчас еще и лоб блестел от пота. Очень кстати. Я опустилась на скрипучий стул, прислонила голову к стене и закрыла глаза.

Вдруг послышался негромкий голос медсестры.

— Да, мистер Каллен? — Оказывается, миссис Коуп уже вернулась в приемную.

— У Беллы сейчас физкультура, но мне кажется, для баскетбола она слишком слаба. Думаю, ей лучше поехать домой. Не могли бы вы написать освобождение? — Голос Каллена был подобен тающему меду. Представляю, как он смотрит медсестре в глаза!

— Полагаю, тебе освобождение тоже понадобится, да, Эдвард? — любезно предложила миссис Коуп.

— Нет, спасибо! У меня философия с миссис Гофф.

— Значит, все в порядке, — подытожила медсестра. — Белла, тебе лучше?

Я слабо кивнула, стараясь не переиграть.

— Сможешь дойти до стоянки или взять тебя на руки? — Эдвард повернулся к медсестре спиной, в золотистых глазах плясали бесенята.

— Дойду.

Я медленно встала, голова больше не кружилась. Приторно улыбаясь, Каллен раскрыл передо мной дверь. На улице моросило. В первый раз в жизни я радовалась дождю — свежие прохладные капли смывали с лица липкий пот.

— Спасибо! — поблагодарила я Эдварда. — Стоило попасть в медпункт ради того, чтобы пропустить физкультуру!

— Не за что! — Каллен быстро шел к стоянке.

— Поедешь со мной в субботу? — с надеждой спросила я. Конечно, он вряд ли согласится. Не представляю, что Каллен поедет в одной машине с Майком и компанией, он ведь совсем другой!.. Но можно же помечтать. Первый раз я подумала о поездке к океану с радостью.

— Куда именно вы едете? — поинтересовался Эдвард, безучастно глядя перед собой.

— В Ла-Пуш, на дикий пляж!

Золотисто-медовые глаза чуть сузились.

— Меня не приглашали.

А он, оказывается, зануда!

— Я только что тебя пригласила.

— Думаю, на этой неделе нам с тобой больше не стоит мучить старину Ньютона, а то вдруг кусаться начнет. — В глазах Эдварда загорелись огоньки.

— Бедный Майк, — пробормотала я, а в голове засели слова «нам с тобой». Мне они понравились куда больше, чем хотелось бы.

Вот уже и стоянка! Я повернула налево, к своему пикапу, но кто-то сильно дернул меня за рукав.

— Куда направилась? — возмущенно спросил Эдвард, крепко держа меня за руку.

— Домой, — в полном замешательстве ответила я.

— Ты что, не слышала: я обещал лично тебя отвезти! Думаешь, я позволю тебе сесть за руль в таком состоянии?

— В каком еще состоянии? А что будет с моим пикапом? — продолжала недоумевать я.

— Элис пригонит после уроков. — Он поволок меня к своей машине, словно беглую корову! Попробуй убежать, притащит за шиворот!

— Отпусти! — тщетно потребовала я.

Вот, наконец, и «вольво». Эдвард отпустил мою руку и подтолкнул к передней дверце.

— Ты такой бесцеремонный!

— Дверь открыта, — прозвучало в ответ.

— Я прекрасно могла доехать сама! — продолжала ворчать я. Дождь пошел сильнее, капюшон я не надела, так что с волос ручьем текла вода.

— Садись в машину, Белла. — Эдвард опустил стекло и тянулся ко мне через сиденье.

Я не шелохнулась. Интересно, успею я добежать до пикапа, прежде чем он меня поймает? Боюсь, что нет...

— Я притащу тебя обратно! — пообещал Эдвард, словно читая мои мысли.

Изображая поруганное достоинство, я села в машину. По-моему, я больше напоминала мокрую кошку в скрипучих сапогах.

— Вот это уже слишком, — чопорно проговорила я.

Каллен не ответил. Он завел мотор, включил печку и негромкую музыку. Я решила, что не стану с ним разговаривать, и обиженно надулась. Но тут я узнала музыку, и мои планы изменились.

— «Лунный свет»?

— Ты знаешь Дебюсси? — Эдвард искренне удивился.

— Не очень хорошо. Моя мама любит классику, а я знаю только те вещи, которые мне нравятся.

— Я тоже люблю Дебюсси, — отозвался Каллен, задумчиво глядя на дождь.

Расслабившись на мягком кожаном сиденье, я вслушивалась в знакомые, умиротворяющие аккорды. Дождь окрасил пейзаж за окном в серо-зеленые тона. Машина двигалась так ровно, что скорость чувствовалась разве что по проносящимся мимо огням светофоров.

— Расскажи о своей маме! — неожиданно попросил Эдвард.

Оказывается, он уже перестал злиться и смотрел на меня с явным интересом.

— Внешне мы очень похожи, только она красивее. Во мне слишком много от Чарли. Она гораздо общительнее и безрассуднее. Довольно безответственна и эксцентрична, любит экспериментировать. Я считаю ее своей лучшей подругой.

— Сколько тебе лет, Белла? — Почему-то голос Эдварда звучал расстроенно. Машина остановилась — оказывается, мы уже приехали! Дождь был настолько сильным, что я едва разглядела дом. Такое впечатление, что мы не в машине, а в подводной лодке.

— Семнадцать, — удивленно ответила я.

— Тебе не дашь семнадцати!

— Правда? А сколько дашь? — рассмеялась я. — Мама часто говорит, что я родилась тридцатилетней, а теперь и до пенсии недалеко... Ну, кому-то же нужно быть взрослым! — Я помолчала и добавила: — Знаешь, ты и сам не слишком похож на школьника!

Он скорчил недовольную физиономию и поспешил сменить тему.

— Так почему твоя мать вышла за Фила?

Удивительно, что он запомнил имя, ведь я упоминала отчима лишь однажды, почти два месяца назад.

— В душе мама слишком молода для своего возраста. А с Филом она чувствует себя еще моложе. Так или иначе, она от него без ума. — Я пожала плечами. Если честно, не понимаю, как можно потерять голову из-за такого, как Фил.

— Ты одобряешь их брак?

— Одобряю или нет, какая разница? Мама заслуживает счастья, а ее счастье — это Фил.

— Надо же, какое благородство...

— Что?

— Как ты думаешь, повела бы она себя так же по отношению к тебе? Смогла бы принять твой выбор, каким бы он ни был? — Эдвард буквально впился в меня глазами.

— Думаю, да. Но она мать, с ней все немного иначе.

— Значит, она готова к любым кандидатам, даже самым жутким?

— Смотря кого считать жутким! — ухмыльнулась я. — Парня с пирсингом на лице и татуировками?

— Ну, можно и так определить.

— А какое определение дашь ты?

Мой вопрос Эдвард пропустил мимо ушей, зато тут же задал свой.

— А меня ты считаешь жутким? — Он игриво изогнул бровь.

Я замолчала, не зная, что расстроит его больше, правда или ложь. Лучше сказать правду!

— Хмм... Ты бываешь жутким, когда хочешь!

— Боишься меня? — Улыбка исчезла, прекрасное лицо стало серьезным.

— Нет, — поспешно ответила я, и он снова улыбнулся.

— Ну, теперь ты расскажешь мне о своей семье? — поспешно спросила я. — Уверена, твоя история гораздо интереснее моей.

— Что ты хочешь знать? — Эдвард тут же насторожился.

— Каллены тебя усыновили?

— Да.

— Что случилось с твоими родителями?

— Умерли много лет назад, — сухо сказал он.

— Прости, — прошептала я.

— Я их почти не помню и родителями считаю Карлайла и Эсми.

— Ты их любишь, — констатировала я. Все было ясно по тону, каким он о них говорил.

— Да, — улыбнулся Эдвард, — не могу представить родителей лучше.

— Тебе повезло.

— Знаю.

— А братья и сестры?

Эдвард взглянул на встроенные в приборный щиток часы.

— Брат с сестрой, и Кэри с Розали не обрадуются, если придется мокнуть под дождем.

— Да, конечно, тебе пора! — воскликнула я.

— А тебе, наверное, хочется, чтобы пикап пригнали прежде, чем шеф Свон вернется домой. Тогда можно не рассказывать о том, что случилось на биологии, — усмехнулся Эдвард.

— Думаю, он уже знает. В Форксе секретов не бывает, — вздохнула я.

— Ладно, желаю удачной поездки в Ла-Пуш! Надеюсь, с погодой вам повезет и вы загорите!

— Значит, ты к нам не присоединишься?

— Нет, мы с Эмметтом сегодня уезжаем.

— Куда, если не секрет? Мы ведь друзья, значит, я имею право спрашивать! — Надеюсь, в моем голосе не было слышно разочарования.

— В скалы к югу от горы Ренье.

Я вспомнила, как Чарли рассказывал, что Каллены часто ездят на природу.

— Ну, отдохни хорошенько, — бодро пожелала я. Хотя провести его не удалось — на ярких губах заиграла лукавая улыбка.

— Могу я кое о чем тебя попросить? — Медовые с золотыми крапинками глаза прожигали насквозь.

Я безвольно кивнула.

— Не обижайся, но ты, по-моему, просто магнит для несчастных случаев! Постарайся не свалиться в океан и не попасть под машину, ладно? — усмехнулся Эдвард.

Медленно приходя в себя, я окинула его разъяренным взглядом.

— Очень постараюсь, — надменно проговорила я и открыла дверцу. Косые струи дождя тут же намочили кожаные сиденья, и я побежала к дому.

Глава шестая

СТРАШНЫЕ ИСТОРИИ

Я сидела в своей комнате, пытаясь сосредоточиться на третьем акте «Макбета», но на самом деле вся обратилась в слух, надеясь услышать рев мотора своего пикапа. Совершенно напрасно, ведь на улице шел сильный дождь.

В пятницу мне страшно не хотелось идти в школу, и мои наихудшие ожидания оправдались. Все только и говорили о моем вчерашнем обмороке. Особое удовольствие в этой истории находила Джессика. К счастью, у Майка хватило деликатности умолчать об участии Эдварда. Вопросов у Джессики и без того хватало.

— Так зачем тебя позвал Каллен? — спросила она на тригонометрии.

— Не знаю, — искренне ответила я. — Он так и не объяснил.

— У тебя был такой вид!.. — подначила она.

— Какой? — спокойно уточнила я.

— Ну, я тебя понимаю! Он ведь никогда не сидел ни с кем, кроме своих родственников! Есть от чего потерять голову!

— Да, пожалуй! — согласилась я.

Джессика раздраженно теребила темные кудри, наверняка надеясь, что я подброшу ценный материал для сплетен.

Всю пятницу я страшно на себя злилась: ведь прекрасно знала, что Эдварда сегодня не будет, но продолжала ждать. Войдя в столовую вместе с Джессикой и Майком, я не смогла не взглянуть на заветный столик, а вспомнив, что увижу Эдварда только в понедельник, совсем скисла.

За нашим столиком обсуждалась предстоящая поездка. Майк пребывал в отличном настроении: местные метеорологи обещали завтра ясную погоду. Я была настроена менее оптимистично — сначала увижу, потом поверю. Хотя сегодня было уже потеплее, градусов пятнадцать. Кто знает, вдруг поездка пройдет неплохо?

Во время ленча я перехватила несколько недружелюбных взглядов Лорен, смысл которых до меня дошел, лишь когда мы вместе направились к выходу. Я шла следом за ней, почти касаясь ее гладких серебристых волос.

— Не понимаю, почему *Белла*, — насмешливо произнесла мое имя Лорен, — сидит с нами, а не с Калленами!

Никогда не замечала, какой неприятный у нее голос! За что она на меня злится? Делить-то нам нечего.

В тот вечер за ужином Чарли с неподдельным интересом расспрашивал меня о поездке в Ла-Пуш. Похоже, он чувствует себя виноватым, что все выходные я сижу одна. Однако его привычки сложились слишком давно, чтобы менять их сейчас. Естественно, он знал имена всех, кто поедет со мной, а также их родителей, бабушек и дедушек. Значит, счел моих попутчиков достойными. Интересно, одобрил бы он поездку в Сиэтл с Эдвардом Калленом? Конечно же, говорить о ней я не собиралась.

— Папа, ты знаешь скалы к югу от горы Ренье? — как бы между прочим спросила я.

— Да, а что?

— Ребята из нашей школы собрались туда в поход.

— Не лучшее место для походов, — отметил Чарли. — Много медведей. Туда чаще ездят охотиться.

— Ясно, — пробормотала я. — Значит, я что-то напутала.

В субботу мне хотелось поспать подольше, но мешал яркий свет, лившийся в окна. Не веря своим глазам я бросилась к окну. Да, действительно солнце!.. Горизонт облепили облака, но между ними голубело чистое небо.

Магазин «Олимпийская экипировка Ньютонов» находился к северу от города. Его я уже видела, хотя никогда не заходила, потому что активный отдых на свежем воздухе особо меня не привлекает. На стоянке я увидела «шевроле» Майка и «ниссан» Тайлера. Так, Эрик тоже на месте — с двумя другими парнями из класса, которых, насколько я помнила, звали Бен и Коннер. Пришла и Джесс, вместе с Анжелой и Лорен, а с ними еще три девчонки. Одна из них многозначительно на меня посмотрела и что-то прошептала Лорен. Та тряхнула серебряной гривой, а из васильковых глаз полилось презрение.

Да, меня ожидает чудесный денек!

Зато мне очень обрадовался Майк.

— Ты пришла! — радостно закричал он. — Я ведь говорил, что сегодня будет ясно!

— Я же обещала прийти!

— Значит, ждем только Ли и Саманту... если ты кого-нибудь не пригласила, — осторожно добавил Майк.

— Нет, — соврала я, не опасаясь, что меня уличат во лжи. А может, случится чудо, и Эдвард появится? Ради этого я была даже готова стать обманщицей в глазах Ньютона.

Майк вздохнул с облегчением.

— Поедешь на моей машине или в фургоне Ли?

— Конечно, на твоей.

Майк довольно улыбнулся, его нетрудно обрадовать.

— Будешь моим штурманом, — пообещал он.

Я попыталась скрыть досаду — непросто угодить Майку и Джессике одновременно. Девушка уже смотрела на нас с негодованием.

Однако все сложилось как нельзя лучше. Ли привел еще двоих парней, так что места в фургоне не хватило. Мне удалось вклинить Джесс в «шевроле» между собой и Майком, к вящему неудовольствию последнего. Зато Джессика обрадовалась!

От Форкса до Ла-Пуш всего пятнадцать миль по дороге, вьющейся среди леса вдоль неспешно текущей реки. Как хорошо, что я села у окна! В «шевроле» вдевятером было немного тесно, и, открыв окно, я подставила лицо робким лучам солнца.

Навещая Чарли, я часто бывала в Ла-Пуш, поэтому хорошо знала длинную, в форме полумесяца, косу Первого пляжа. Вид был потрясающий: темные даже в ярком солнечном свете волны с белыми шапками поднимались к каменистому пляжу. Седые воды бухты были усеяны скалистыми островками, поросшими высокими елями. Песка на пляже было совсем немного, только у самой воды, а дальше — камни, которые издалека казались однообразно серыми, хотя на самом деле поражали богатством оттенков: терракотовые, бирюзовые, лавандовые, цвета кобальта и тускло-золотые. На берегу валялись огромные прибитые волнами деревья, выбеленные морской солью.

Свежий ветер сильно пах йодом. Над волнами кружили пеликаны, а высоко в небе — одинокий орел. Туч прибавилось, они потемнели, грозя испортить погоду и наше настроение, но на нежно-голубом островке храбро светило солнце, зажигая в сердцах надежду.

Мы вышли из машины, и Майк, очевидно, бывавший здесь не раз, повел нас к кострищу, сложенному из сосновых стволов. Судя по всему, местные жители любят приезжать сюда на пикник. Эрик и парень, которого, кажется, звали Бен, собрали ветки посуше и уложили их над старыми углями в виде конуса.

— Ты когда-нибудь видела сплавной лес? — спросил Майк.

Я сидела на выбеленной до кремового цвета сосне, оживленно хихикающие девицы — рядом. Майк склонился над кострищем и поджег небольшую веточку чем-то похожим на зажигалку. Пламени было как от сварочной горелки!

— Нет, — ответила я, наблюдая, как он укладывает пылающую ветку в середину конуса из хвороста.

— Тогда тебе будет интересно — смотри на цвета! — Он поджег вторую ветку и уложил рядом с первой. Сухой хворост мгновенно занялся.

— Пламя синее! — изумилась я.

— Это из-за соли. Здорово, правда? — Майк поджег еще одну ветку, бросил в костер и сел рядом со мной. К счастью, по другую сторону от него тут же возникла Джесс и бойко о чем-то затараторила.

Я тихо сидела, наблюдая, как потрескивает синезеленое пламя, а искры взлетают к небу.

Поболтав часа полтора, парни решили исследовать местные заводи. Хочется ли мне с ними, я не знала. С одной стороны, в детстве я обожала играть на мелководье и, навещая Чарли, каждый раз с нетерпением ждала поездки на пляж. С другой стороны, пару раз я попадала в глубокие ямы, спотыкалась и падала, до смерти пугаясь. Помню, Чарли с трудом удавалось меня успокоить! Да еще и Эдвард просил не свалиться в океан.

Принять решение помогла Лорен. Идти пешком ей не хотелось — конечно, на таких каблуках в лесу не погуляешь! Анжела и еще несколько девочек решили остаться с ней у костра. Охранять их поручили Тайлеру и Эрику, а я, резво поднявшись, к бесконечной радости Майка присоединилась к тем, кто шел к заводям.

Идти оказалось недалеко, но, когда высокие деревья заслонили солнце, мне стало не по себе. Рассеянный зеленый свет плохо сочетался со смехом и скабрезными шутками моих спутников. Я шла не спеша, осторожно перебираясь через торчащие корни, и быстро отстала. Вскоре мы выбрались на опушку леса и снова увидели каменистый пляж. Начался отлив, и ручейки стремительно неслись к морю. В низинах образовались небольшие заливы, в которых кипела жизнь.

Памятуя о своих давних приключениях, я вела себя очень осторожно. А вот мои спутники веселились вовсю, перепрыгивая со скалы на скалу. Я присела на крупный, прочный на вид камень у самой большой заводи и стала наблюдать за тем, что творится в голубоватой воде. Невидимое течение колыхало блестящие полупрозрачные анемоны, по каменистому дну ползали крабы, у берега лепились морские звезды, среди ярко-зеленых водорослей сновал маленький черный угорь с белой полоской на спине... Жизнь естественного аквариума захватила меня, и все же я ни на секунду не забывала Эдварда, думая, где он и что бы сказал, окажись сейчас рядом.

Наконец мальчики проголодались, и, неохотно поднявшись, я пошла за ними. На этот раз я двигалась быстрее и несколько раз упала, исцарапав ладони и перепачкав джинсы. Что ж, могло быть и хуже.

Вернувшись на Первый пляж, мы обнаружили, что у нас гости. Судя по блестящим черным волосам и бронзовой коже, это подростки из резервации. Лорен с подругами уже начали раздавать еду, на которую парни набросились так жадно, будто не ели целую неделю. Тем временем Эрик представил гостям всех сидящих у костра. Мы с Анжелой пришли последними, и когда Эрик назвал наши имена, один из индейцев взглянул на меня с интересом. Майк принес нам сандвичи и колу, а старший из гостей сказал, как зовут его самого и семерых спутников. Я запомнила только, что одну из девушек зовут Джессика, а парня, которому я понравилась, — Джейкоб.

Как же приятно сидеть с Анжелой, которая, в отличие от Джессики, не страдает гиперобщительностью! Мы спокойно ели, думая каждая о своем. Я размышляла о том, как странно складывается моя жизнь в Форксе. Иногда время бежит быстро, и события сливаются в расплывчатое пятно, а порой стоит на месте, и каждое слово или поступок четко отпечатывается в памяти. С чем это связано — догадаться не так уж сложно, и это меня беспокоило.

К обеду облака все-таки заволокли небо. Волны сразу потемнели, а от деревьев поползли длинные зловещие тени. Доев сандвичи, компания разделилась на небольшие группы. Одни спустились к воде, на ходу перескакивая через острые скалы. Другие захотели еще раз сходить на заводи. Майк — естественно, вместе с Джессикой — отправился в какой-то магазин в резервации. Кто-то из индейцев пошел с ними, а кто-то — на заводи. Почти все разошлись, только я осталась сидеть у костра. Где-то неподалеку Лорен и Тайлер слушали диски вместе с тремя

парнями из резервации, включая самого старшего
и Джейкоба.

В последний момент Анжела решила сходить к заводям, и ее место тут же занял Джейкоб. На вид пар-
ню было лет четырнадцать-пятнадцать. С черными
блестящими волосами, гладкой красноватой кожей,
миндалевидными глазами и высокими скулами, он
со временем обещал стать очень красивым юношей.
Однако мое настроение испортилось, едва он открыл
рот.

— Ты ведь Изабелла Свон? — спросил он, воз-
вращая меня в тот ужасный первый день в школе.

— Белла, — со вздохом поправила я.

— Я Джейкоб Блэк, — парень протянул руку. —
Ты купила пикап моего отца.

— Ах, да, — я с облегчением пожала его руку. —
Ты сын Билли! Как же я сразу тебя не вспомнила!

— Я ведь самый младший в семье. Моих сестер
ты точно помнишь.

— Рейчел и Ребекка!

Чарли и Билли частенько уезжали рыбачить,
а нас оставляли вместе играть. Мы были слишком
застенчивыми, чтобы стать подругами, а в одиннад-
цать лет я уже корчила из себя городскую штучку.

— Они здесь? — спросила я, вглядываясь в спины удаляющихся девушек. Интересно, узнаю я старых знакомых?

— Нет, — покачал головой Джейкоб. — Рейчел
поступила в университет Вашингтона, а Ребекка
вышла замуж за серфера и теперь живет на Гавайях.

— Замуж? Ничего себе! — воскликнула я. Сестры были всего на год старше меня.

— Как тебе пикап? — поинтересовался Джейкоб.

— Отлично! Машина — зверь!

— Да уж, особенно мотор! — засмеялся Блэк. — Я так обрадовался, когда Чарли его купил! Папа не позволял мне собирать новую машину, пока у нас был этот пикап!

— Рычит, как зверь, — снова пошутила я. — Зато очень надежный!

— Этого монстра и танк не раздавит! — усмехнулся Джейкоб.

— Ты собираешь машины? — удивилась я.

— Да, в свободное время. Случайно не знаешь, где достать блок цилиндров для «фольксвагена» сборки 1986 года? — в шутку спросил он приятным низким голосом.

— Случайно не знаю! — засмеялась я. — Если узнаю, обязательно тебе сообщу.

Можно подумать, я разбираюсь в цилиндрах! Но парень очень приятный.

Джейкоб улыбнулся, обнажив ровные белые зубы. Он разглядывал меня с видимым интересом, и, кажется, это заметила не только я.

— Ты знаешь Беллу, Джейкоб? — язвительно поинтересовалась Лорен.

— Можно сказать, мы знакомы с рождения, — ответил Блэк, ослепительно улыбаясь.

— Как мило, — процедила Лорен, и ее светлые глаза презрительно сузились. — Белла, мы с Тайлером как раз жалели, что Каллены сегодня с нами не поехали. Почему их никто не пригласил? — На красивом лице отобразилось притворное удивление.

— Ты имеешь в виду семью доктора Карлайла Каллена? — вмешался старший парень к неудовольствию Лорен. Его скорее можно было назвать мужчиной, чем юношей, да и голос звучал совсем по-взрослому.

— Да, ты их знаешь? — снисходительно спросила Лорен.

— Калленов здесь не бывает, — отрезал парень, не обращая внимания на ее вопрос.

Тайлер попытался вернуть себе внимание девушки, спросив, какой диск она хочет послушать. Лорен выглядела сильно разочарованной.

Я изумленно посмотрела на старшего парня, но он отвернулся, уставившись на высокие сосны. «Калленов здесь не бывает»... сказано таким тоном, будто этой семье запрещено сюда приезжать.

— Что, Форкс сводит тебя с ума? — прервал мои размышления Джейкоб.

— Мягко сказано, — скривилась я, а парень понимающе улыбнулся.

Я все еще обдумывала странную фразу, когда меня внезапно осенило. Надеюсь, молодой Джейкоб еще не избалован женским вниманием и не поймет, что мой флирт шит белыми нитками.

— Хочешь прогуляться по пляжу? — предложила я, глядя на Джейкоба из-под опущенных ресниц. Парень с готовностью вскочил на ноги — эффект мог бы быть и посильнее.

Пока мы шли по разноцветным камням к устью лесной реки, облака превратились в темные тучи, а температура сильно упала.

— Сколько тебе лет, шестнадцать? — спросила я, по-идиотски хлопая ресницами, как девицы в телесериалах.

— Почти пятнадцать, — проговорил он, польщенный моим вниманием.

— Правда? — изобразила я удивление. — А выглядишь старше.

— Просто я очень высокий для своего возраста, — объяснил Джейкоб.

— Ты часто бываешь в Форксе? — хитро спросила я, надеясь на положительный ответ. Боже, я веду себя, как идиотка!

— Не очень, — грустно сказал Джейкоб. — Вот соберу «фольксваген», буду приезжать чаще — естественно, после того, как получу права.

— А кто тот парень, что говорил с Лорен? Он слишком взрослый для нашей компании. — Я специально сказала «нашей», чтобы Джейкоб понял: я предпочитаю молодых.

— Его зовут Сэм, ему девятнадцать.

— А что это он говорил про семью доктора? — невинно спросила я.

— Про Калленов? Ну, им запрещено приезжать к нам в резервацию, — неуверенно произнес Джейкоб, подтверждая мои худшие опасения.

— А почему?

— Вообще-то мне нельзя об этом рассказывать, — проговорил парень, кусая губы.

— Да ладно, я никому не разболтаю, — как можно соблазнительнее улыбнулась я.

Похоже, мои стрелы попали в цель, Джейкоб изогнул левую бровь, и его голос зазвучал еще глуше.

— Любишь страшные истории? — зловеще спросил он.

— Обожаю! — с жаром воскликнула я. Пока я вила из парня веревки.

Джейкоб подошел к лежащему у воды дереву, ветки которого напоминали лапы истощенного паука, и устроился среди веток, а я села на светло-бежевый ствол. На губах юного индейца играла улыбка; похоже, он думает, как лучше преподнести мне эту байку. Я изобразила живой интерес.

— Ты слышала истории про реку Квилет? Наше племя когда-то жило на ее берегах... — задумчиво начал он.

— Вообще-то нет, — призналась я.

— Легенд очень много, в некоторых рассказывается, как во время потопа древние квилеты, так называло себя племя, привязали свои каноэ к верхушкам самых высоких сосен, чтобы спасти себя и детей. Совсем как Ной! — криво улыбнулся Джейкоб. — В других говорится, что мы якобы произошли от волков. Наше племя до сих пор считает их братьями, и убить волка — преступление. Еще есть истории про «белых», — чуть слышно продолжил Джейкоб, и я поняла, что он имеет в виду не просто представителей европеоидной расы.

— Про белых? — переспросила я уже с искренним интересом.

— Ну да, их еще называют «холодными». Некоторые рассказы о них очень древние, а некоторые появились недавно. По одной из легенд, мой прапрадедушка был «белым». Он запретил себе подобным появляться на нашей территории.

— Твой прапрадедушка был белым? — переспросила я, рассчитывая на продолжение.

— Да, а еще вождем, как и мой отец. Видишь ли, «белые» — единственные враги волков. Ну, не настоящих волков, а тех, что превращаются в людей, как наши предки. Вы называете их оборотнями.

— У оборотней есть враги?

— Только один.

Я смотрела на Джейкоба во все глаза, надеясь, что его не удивляет мое нетерпение.

— Видишь ли, — продолжал он, — «белые» — наши исконные враги. Но те, что пришли сюда во времена моего прапрадедушки, были совсем другими. В отличие от своих предшественников, они не охотились и, на первый взгляд, никакой опасности не представляли. Тогда мой прапрадедушка заключил с ними мировую. Если они не будут вторгаться на нашу землю, мы не выдадим их бледнолицым.

— Раз они не были опасными, зачем заключать сделку? — недоуменно спросила я, давая понять, что внимательно слежу за рассказом Джейкоба.

— Жить среди «белых» очень опасно, даже если они кажутся цивилизованными. В любой момент можно ждать подвоха — они проголодаются и поднимут бунт.

— Что значит «кажутся цивилизованными»?

— Они утверждали, что на людей не охотятся. Якобы им достаточно животных.

— А причем здесь Каллены? Они что, похожи на «белых» времен твоего прапрадедушки?

— Да они и есть те «белые»!

Наверное, вид у меня был перепуганный, потому что Джейкоб довольно улыбнулся и принялся рассказывать дальше.

— Сейчас «белых» стало больше на две особи, а остальные живут здесь с незапамятных времен. Их главного, Карлайла, знал еще мой прапрадед. Он пришел в эти места задолго до бледнолицых. — Джейкоб подавил ухмылку.

— Но кто они? — недоуменно спросила я. — Кто такие эти «белые»?

Парень зловеще улыбнулся.

— Кровопийцы! — леденящим душу голосом проговорил он. — Твои люди называют их вампирами.

Чтобы хоть немного прийти в себя, я смотрела на белые шапки волн.

— У тебя гусиная кожа! — радостно объявил Джейкоб.

— Чудесная история, — рассеянно похвалила я, глядя на воду.

— По-моему, звучит дико! Неудивительно, что папа не велит об этом рассказывать.

— Не беспокойся, я тебя не выдам.

— Кажется, я только что нарушил обещание, — нервно рассмеялся парень.

— Клянусь унести эту историю с собой в могилу, — ляпнула я, и меня тут же передернуло.

— Главное, Чарли не говори! Он и так злился на отца, когда наши люди отказались лечиться у доктора Каллена.

— Не скажу, обещаю.

— Что, теперь ты считаешь нас суеверными дикарями? — якобы в шутку спросил Джейкоб, но его голос предательски дрогнул.

— Нет, скорее отличными рассказчиками. Гусиная кожа еще не исчезла, — проговорила я, показывая свою руку.

— Здорово! — улыбнулся парнишка.

Зашуршала галька, и, одновременно подняв головы, мы увидели Майка и Джессику, быстро идущих в нашу сторону.

— Вот ты где, Белла! — с облегчением воскликнул Майк, маша мне рукой.

— Это твой бойфренд? — спросил Джейкоб, испуганный ревностью, сквозившей в голосе Майка. Да, юный Блэк удивительно проницателен!

— Нет, конечно! — заговорщицки прошипела я. Страшно благодарная Блэку, я решила чем-то его порадовать и, отвернувшись от Майка, задорно ему подмигнула. Он улыбнулся, польщенный моим неумелым флиртом.

— Когда получу права... — начал он.

— Приезжай ко мне в Форкс. Сходим куда-нибудь вместе, — мерзко лгала я, прекрасно понимая, что уеду в Финикс раньше, чем Джейкобу исполнится шестнадцать.

Майк с Джессикой были совсем рядом. Голубые глаза Майка окинули Джейкоба оценивающим взглядом. Боже, он ревнует меня даже к телеграфному столбу!

— Где ты была? — сурово спросил он, хотя ответ был очевиден.

— Джейкоб рассказывал местные легенды, — ответила я. — Очень интересно.

— Ну, — Майк успокоился, поняв, что мы на самом деле друзья, — кажется, нам пора собираться. Начинается дождь.

— Готова ехать, — объявила я, поднимаясь на ноги.

— Рад был повидаться, — сказал Джейкоб, стараясь подколоть Майка.

— Взаимно, — отозвалась я. — В следующий раз, когда Чарли поедет навестить Билли, попрошу взять меня с собой.

— Здорово! — ухмыльнулся Блэк.

Натянув капюшон, я пошла к машине, осторожно переступая через древесные корни. Уже падали первые капли, и на скалах появились темные крапинки. Когда мы добрались до «шевроле», все уже уселись. Я плюхнулась на заднее сиденье между Анжелой и Тайлером. Анжела смотрела в окно на разбушевавшуюся непогоду, Тайлера увлекла разговором Лорен, так что, откинувшись на спинку сиденья, я закрыла глаза и попыталась ни о чем не думать.

Глава седьмая

КОШМАР

Сославшись на невыполненную домашнюю работу, я отказалась от ужина. По телевизору показывали баскетбольный матч, которого очень ждал Чарли. Ничего не понимая в баскетболе, я искренне радовалась, что отец не будет мне докучать.

Оказавшись в своей комнате, я тут же заперла дверь. Порывшись в столе, достала старые наушники и подключила к плейеру. На последнее Рождество Фил подарил мне отличный диск — сборник моей любимой группы, хотя в этом альбоме, на мой взгляд, многовато ударных. Я надела наушники, упала на кровать и включила максимальную громкость. Заболели уши, но я терпела, закрыв глаза и стиснув зубы. Сосредоточившись на музыке, я попыталась разобраться в довольно сложной музыкальной текстуре. Прослушав диск дважды, я выучила наизусть все песни. Как ни странно, с каждым прослушиванием диск нравился мне все больше. Нужно будет еще раз поблагодарить Фила.

В конце концов своего я добилась. Оглушительная музыка не давала думать, а ради этого я и терзала уши. Я слушала диск снова и снова, пела вместе с солистом, а обессилев, сдернула наушники и заснула.

Сон унес меня в незнакомую местность — судя по рассеянному голубому свету, в лес. Понимая какой-то частью сознания, что сплю, я прислушалась к шуму волн, бьющихся о скалы. Если найду океан, то увижу солнце. Я шла на звук воды, но тут неизвестно откуда появившийся Джейкоб Блэк схватил меня за руку и потащил в лесную чащу.

— Джейкоб, что случилось? — спросила я.

С побелевшим от страха лицом парень тянул меня в лес. Я пыталась сопротивляться. Нет, не желаю возвращаться во тьму!

— Беги, Белла, беги! — испуганно шептал Блэк.

— Сюда, иди сюда... — Голос Майка слышался откуда-то из-за деревьев, однако его самого я не видела.

— Зачем? — недоумевала я, вырываясь из объятий Джейкоба.

Но Блэк сам отпустил мою руку, всхлипнул, и, неожиданно забившись в конвульсиях, упал на землю. Боже, его колотит, как при лихорадке!

— Джейкоб! — закричала я. Однако было уже поздно. Вместо парня на земле лежал крупный рыжий волк с черными глазами. Зверь смотрел туда, где должен был быть океан, а потом ощетинился и зарычал, обнажив клыки.

— Беги, Белла, беги! — откуда-то из-за спины закричал Майк, а я даже не обернулась, засмотревшись на свет, приближавшийся ко мне с берега.

Из-за деревьев вышел Эдвард. Его кожа источала неяркое сияние, глаза казались черными и опасными. Вытянув руку, он поманил меня за собой. Сидящий у моих ног волк глухо зарычал.

Я шагнула к Каллену, и он улыбнулся, обнажив острые клыки.

— Доверься мне.

Волк сгруппировался, готовый в любую минуту броситься на вампира. Черные глаза впились в яремную впадину.

— Нет! — закричала я... и проснулась. Наушники и плейер с грохотом упали на деревянный пол.

В комнате горел свет, а я, одетая и обутая, лежала на неразобранной постели. Сбитая с толку, я взглянула на стоящие на туалетном столике часы. Полшестого утра.

Застонав, я скинула ботинки и перевернулась на живот. Нет, похоже, заснуть мне сегодня не удастся. Я снова легла на спину и, стараясь оставаться в горизонтальном положении, стянула джинсы. Теперь раздражала коса; сняв резинку, я распустила ее, а потом закрыла лицо подушкой.

Бесполезно. В сознании теснились образы, которые я гнала всеми силами.

Я села так резко, что почувствовала, как кровь приливает к конечностям. Раз забыть не получается, то попробую убежать от неприятных мыслей. Например, в душ!

Времени, проведенного в душе, мне явно не хватило, даже вместе с сушкой волос. Завернувшись в махровое полотенце, я прошла в свою комнату. Непонятно, спит еще Чарли или уже уехал. Выглянув в окно, патрульной машины я не увидела. Значит, снова уехал на рыбалку.

Я переоделась в спортивный костюм и, чтобы оттянуть неприятный момент, поправила смятую постель, затем подошла к столу и включила свой комп.

Пользоваться Интернетом в Форксе — только нервы трепать. Модем мой не первой молодости, работает медленно, так что пока шло соединение, я решила полакомиться медовыми хлопьями.

Ела я медленно, будто хлопья нужно пережевывать, затем тщательно вымыла чашку и ложку и убрала в буфет. Ноги отказывались подниматься в комнату. Пересилив себя, я первым делом подняла с пола плейер, положила на стол, а наушники спрятала в ящик. Решив, что с хорошей музыкой будет не так тоскливо, я включила вчерашний диск, уменьшив громкость до минимума.

И, тяжело вздохнув, повернулась к компьютеру. Естественно, экран заполонили выплывающие окна с рекламными объявлениями; пришлось их все закрывать. Наконец я запустила свой любимый поисковик и, закрыв еще несколько окон с рекламой, набрала одно-единственное слово.

«Вампир».

Ожидая результата, я тихо бесилась. В итоге мне предложили несколько тысяч сайтов, причем на первой странице оказались наименее нужные. Любая информация о фильмах, телешоу, ролевых играх, тяжелом роке и даже специальной косметике для готов.

Интересный сайт «Вампиры от А до Я» почему-то находился на третьей странице. Я с нетерпением ждала, когда он, наконец, загрузится, быстро закрывая все выплывающие окна. А вот и главная страница, наконец-то! Никаких излишеств: белый фон, черный текст. В качестве ознакомительной информации предлагались две цитаты:

«В темном мире, населенном демонами и призраками, нет никого ужаснее, страшнее и, как ни странно, обаятельнее вампиров. Они не относятся ни к призракам, ни к демонам, однако обладают не меньшей колдовской и дьявольской силой». Преподобный Монтегю Саммерз.

«Если чему-то в этом мире и существует достаточное количество доказательств, так это вампиризму. К вашим услугам официальные заключения, письменные показания знаменитостей, врачей, священников, судей — бо́льших доказательств и не требуется. Пусть так, но покажите мне хоть одного человека, который верит в вампиров!» Руссо.

Ниже в алфавитном порядке приводились истории о вампирах, собранные по всему миру. Для начала я кликнула по Данагу, вампиру филиппинскому. Якобы эти вампиры с незапамятных времен выращивали на островах таро и мирно соседствовали с людьми, пока не случилось страшное: молодая женщина уколола палец, а обрабатывавшему место укола Данагу так понравилась ее кровь, что он высосал всю, до последней капли.

Я внимательно читала истории, выискивая информацию, которая напоминала бы правдоподобную. В большинстве историй в роли вампирш выступали красивые женщины, а в качестве жертв — маленькие дети. Вампиры оказались причиной высокой детской смертности и мужской неверности. Почти в каждой истории имелись практические советы: как хоронить вампиров, чтобы их бренный дух наконец обрел покой. Не очень похоже на то, что я знала из фильмов: как выяснилось, только два вида вампиров — польский Упырь и еврейский Эстри — ради того, чтобы напиться крови, убивали людей.

Особенно интересными мне показались три вида: румынские Вараколаки, очень сильные бессмертные существа, принимающие облик красавцев-сердцеедов, словацкие Нелапси, которые в полночь могли истребить целую деревню, и Стрегони Бенефици, или итальянские вампиры.

Последнему посвящалось одно-единственное предложение: «Стрегони Бенефици, итальянские вампиры, единственный вид, стоящий на стороне светлых сил, заклятые враги всех остальных вампиров».

Какое облегчение я испытала, прочитав эту фразу! Надо же, существуют и добрые вампиры.

Однако сведений, подтверждающих рассказы Джейкоба или мои собственные наблюдения, я не обнаружила, хотя при чтении старалась анализировать новую информацию по ключевым признакам: скорость, сила, красота, светлая кожа, меняющие цвет глаза плюс то, что я узнала от Блэка: кровопийцы, враги оборотней, низкая температура тела, бессмертие. Нет, ничего похожего я не нашла.

Было еще одно противоречие: вампиры не могут жить в светлое время суток. Днем они спят в гробах, а выходят только ночью.

Разозлившись, я отключила питание компьютера, не завершив его работу должным образом. Раздражение, смешанное с неуверенностью в себе, заливало с головой. Что за безумие! Среди бела дня сижу в своей комнате и ищу информацию о вампирах! Да что со мной такое? Наверняка во всем виноват мерзкий городишко Форкс.

Нужно куда-то выбраться... Увы, ближайшее место, куда хотелось бы поехать, находится в трех сутках езды. Тем не менее я обулась и, не понимая, куда направляюсь, спустилась по лестнице, надела плащ и вышла из дома.

Небо облепили темные облака, но дождя еще не было. Даже не взглянув на пикап, я пошла пешком наискось через двор Чарли к лесу. Довольно скоро и дом, и дорога исчезли из вида, а единственными звуками стали хлюпанье грязи под ногами и крики соек.

По лесу петляла едва заметная тропка, иначе я не отважилась бы заходить так далеко. Я плохо ориентируюсь и могу заблудиться даже в знакомом городе. Тропинка уводила меня все дальше в лес, кружа между елями, квелым болиголовом, тисом и кленами. Я угадала названия далеко не всех деревьев, а только тех, что когда-то показывал Чарли. Некоторые деревья были настолько изъедены паразитами, что я и близко подойти боялась.

Ощущение собственного бессилия и злость гнали меня по тропке, но потихоньку я успокоилась и поняла, что дальше идти ни к чему. Несколько холодных капель упали за шиворот, и я не знала, начинается ли дождь, или он уже прошел, а вода капает с листьев. Недавно спиленное дерево (его ствол еще не зарос мхом) лежало на двух пнях, образуя удобную скамейку у самой тропы. Аккуратно переступая через папоротник, я присела на ствол, подложив под себя куртку, и откинула голову на стоящую рядом сосну.

Не стоило сюда приходить, но куда еще мне идти? Лес был таким темным и похожим на мой вчерашний кошмар, что успокоиться я не могла. Стихло даже хлюпанье моих шагов, и повисла мертвая тишина. Птицы перестали петь, капли падали чаще, значит, пошел дождь. Теперь, когда я села, папоротник стал выше меня, так что если кто-то пойдет по дорожке, то не увидит меня даже с расстояния трех шагов.

Здесь, среди деревьев, было легче поверить в тот абсурд, что я узнала из Интернета. Лес не менялся на протяжении нескольких тысячелетий, и все мифы и легенды казались более правдоподобными в зеленом сумраке, чем в ярком свете комнаты.

С огромным трудом я заставила себя сосредоточиться на двух вопросах, которые волновали меня больше всего.

Во-первых, может ли быть правдой то, что Джейкоб рассказал про Калленов. Разумеется, логичнее выглядел отрицательный ответ. Думать о чем-то подобном глупо и даже стыдно для психически здоровой девушки, каковой я себя считала. Но тогда где правда? Должно же существовать рациональное объяснение тому, что я до сих пор жива!

Снова и снова я перебирала в уме собственные наблюдения: огромная сила и скорость, цвет глаз, меняющийся от черного до золотого, дивная красота, бледная холодная кожа. И еще нечто странное: Каллены никогда не едят, двигаются с невероятной грацией. А как Эдвард порой говорит! Такие выражения и фразы более характерны для английского романа прошлого века, чем для современного американского подростка! В день, когда мы определяли группу крови, он пропустил урок. А от поездки в выходной отказался, только когда узнал, куда именно мы едем. Похоже, ему известно, что думают все окружающие... кроме меня. Он сам предупреждал, что опасен и с ним лучше не общаться...

Неужели Каллены — вампиры?

Не знаю. Тогда кто они такие? То, что я видела, не поддается логическому осмыслению. Может, они «белые», как говорит Джейкоб, или супермены, как Питер Паркер, но, вне всякого сомнения, не обычные люди.

Значит, ответ на мой первый вопрос — «возможно».

А теперь самый важный вопрос. Что я буду делать, если это правда?

Если Эдвард — вампир (я не отваживалась даже вникнуть в смысл этого слова), что мне тогда делать? Посоветоваться не с кем, любой, к кому я обращусь, сочтет меня ненормальной.

Есть только два выхода. Первый — последовать его совету, быть умницей и как можно меньше с ним общаться. Притвориться, что между нами глухая стеклянная стена, и попросить оставить меня в покое.

Обдумывая этот вариант, я впала в глухое отчаяние. Нет, такого испытания я не выдержу, придется придумать что-то другое. Только что? В конце концов, даже если он... злой, то пока не сделал мне ничего плохого. Фургон Тайлера превратил бы меня в лепешку, если бы не его реакция. Возможно, он сделал это машинально, однако если существо машинально спасает чужую жизнь, оно не может быть злым.

От жутких мыслей голова шла кругом.

Одно я знала точно: тот темный Эдвард во сне был порожден рассказом Джейкоба, а не моими собственными впечатлениями. Даже кричала я не из страха перед черными глазами и длинными клыками, я боялась за него, кем бы он ни был!

Медленно в моем сознании сформировался ответ. Похоже, у меня нет выбора — так сильно я завязла. Теперь я поняла, что никуда не денусь от своей страшной тайны. Когда я думала о нем, его голосе, гипнотизирующих глазах, грациозной походке, я не желала ничего, кроме как быть с ним. Даже если... нет, не буду об этом думать. По крайней мере, не здесь, среди темных елей и сосен. Не сейчас, когда дождевые капли стучат по земле, словно крадущиеся шаги, а от тяжелых туч темно, как ночью...

Задрожав, я быстро поднялась, будто испугавшись, что дорожку размоет дождем.

К счастью, она никуда не исчезла и благополучно повела по влажному лабиринту леса. Я бежала со всех ног, опустив капюшон на лицо. Боже, как далеко я зашла! Надеюсь, я бегу в сторону опушки, а не обратно в чащу!.. Однако прежде чем я успела испугаться, между ветвей появился просвет и донесся шум машин. Вот наконец и двор Чарли, сулящий мне тепло и сухие носки.

Домой я вернулась ровно в двенадцать, быстро поднялась в свою комнату и переоделась в чистые джинсы и свитер. Составить план на остаток дня оказалось несложно — к среде нужно было написать сочинение по «Макбету». Я с головой ушла в работу, наслаждаясь спокойствием, которого не ощущала, наверное, со второй половины четверга, если быть до конца честной.

Я часто переживала нечто подобное. Решения всегда давались мне с огромным трудом, но, сделав выбор, я испытывала огромное облегчение. Правда, порой с примесью отчаяния, например, когда я решила переехать в Форкс. И все равно, лучше так, чем жить в неизвестности.

Однако это решение пришло само собой, без всяких мучений. Странно, даже страшно!

Вторая половина дня оказалась весьма плодотворной — сочинение я закончила еще до восьми. Чарли вернулся с большим уловом, и я решила привезти из Сиэтла кулинарную книгу с рецептами приготовления рыбных блюд. При мыслях о поездке по спине бежали мурашки, совсем как во время разговора с Джейкобом Блэком. Поразительно, но никакого страха я не испытывала.

Той ночью я спала без сновидений, сильно устав за день. Следующее утро во второй раз с момента приезда в Форкс встретило меня ярким солнечным светом. Подскочив к окну, я с удивлением увидела голубое небо, а легкие белые перышки никак не могли предвещать дождь. Я распахнула окно, которое, как ни странно, открылось легко и бесшумно, и с наслаждением вдохнула теплый сухой воздух. Кровь так и забурлила!

Когда я спустилась вниз, Чарли заканчивал завтрак. Мое настроение он разгадал сразу.

— Отличный день! — проговорил папа.

— Чудесный! — с улыбкой согласилась я.

Чарли улыбнулся, его карие глаза задорно заблестели, и мне стало ясно, почему они с мамой решились на ранний брак. К тому времени как я узнала папу достаточно хорошо, от романтизма и вьющихся каштановых волос не осталось и следа. Но стоило ему улыбнуться, и я тут же видела паренька, который убежал с любимой, когда обоим было по девятнадцать.

Завтракая, я наблюдала, как в ярком солнечном свете танцуют пылинки. Чарли попрощался. Услышав, как отъезжает его машина, я помедлила у двери, раздумывая, взять ли плащ. Лучше взять, чтобы не искушать судьбу. Забросив его на плечо, я вышла на яркое солнце.

В школу я приехала одной из первых. Оставив пикап на стоянке, я отыскала скамеечку к югу от столовой. Она была влажной, и я села на плащ, радуясь, что не поленилась его захватить. Домашняя работа выполнена — результат вяло текущей личной жизни, но некоторые задачи по тригонометрии вряд ли решены правильно. Я достала задачник, но тут же отвлеклась, засмотревшись, как солнце играет на красноватых стволах деревьев. Задумавшись, я рассеянно чертила на полях тетради и через несколько минут поняла, что нарисовала пять пар темных глаз. Пришлось срочно стирать их ластиком.

— Белла! — издалека донесся чей-то голос. Похоже, Майк. Пока я сидела и мечтала, в школьном дворе появились люди. Очень многие надели футболки, хотя температура была не выше пятнадцати градусов. Приветливо помахивая рукой, ко мне действительно шел Майк Ньютон в длинных шортах цвета хаки и полосатой сине-голубой майке.

— Привет, Майк, — помахала я в ответ. В такое утро очень хотелось быть доброй.

Майк присел рядом, пряди светлых волос блестели на солнце, на лице играла улыбка. Он был так рад меня видеть, что невольно я почувствовала благодарность.

— Никогда не замечал, что твои волосы отливают красным, — задумчиво проговорил Майк, поймав прядь, которую трепал легкий ветерок.

— Только на солнце. — Я сильно смутилась, когда он заправил локон мне за ухо.

— Хороший день, правда?

— Отличный! — согласилась я.

— Чем вчера занималась? — по-хозяйски спросил он.

— Сочинение писала...

Зачем говорить, что работа закончена? Еще подумает, что я выставляюсь...

— Слушай, его же нужно сдавать в четверг, верно? — Майк картинно стукнул себя кулаком по лбу.

— Вообще-то, в среду.

— В среду? Да уж... и о чем ты пишешь?

— О том, можно ли назвать Шекспира женоненавистником.

Майк посмотрел на меня так, будто я вдруг заговорила на суахили.

— Наверное, мне придется приступить сегодня, — загрустил он. — А я хотел тебя куда-нибудь пригласить.

— О! — Меня застигли врасплох. Ну почему при разговоре с Майком мне всегда так неловко?

— Мы можем сходить куда-нибудь поужинать, а потом я сяду за сочинение, — робко улыбаясь, предложил он.

— Майк... — Терпеть не могу, когда меня ставят в неловкое положение. — Не думаю, что это хорошая идея!

Он поник.

— Почему?

— Знаешь... если ты кому-нибудь разболтаешь то, что я сейчас скажу, придется выбить тебе глаз, — пригрозила я. — Это ведь разобьет сердце Джессике!

— Джессике? — ошарашенно повторил Майк, очевидно, не задумывавшийся о таком варианте.

— Боже, ты что, слепой?

— Да... — только и выдавил он растерянно, а я, воспользовавшись его замешательством, тут же вскочила на ноги.

— Пора на урок, иначе снова опоздаю.

— Точно, — рассеянно проговорил Майк и тоже поднялся. К корпусу номер 3 мы шли молча.

На тригонометрии Джессика так и сверкала от радости. Они с Анжелой и Лорен собирались в Порт-Анжелес за вечерними платьями и предлагали ехать с ними. Я не знала, что ответить. Выбраться из Форкса с подругами заманчиво, но ведь Лорен тоже едет... К тому же я не знала, чем буду заниматься сегодня вечером. Нет, так далеко загадывать не стоит. Я что-то замечталась. Наверное, в этом виновато солнце, хотя мое настроение вызвано не только погодой.

Определенного ответа я не дала, сославшись на то, что нужно спросить разрешения у Чарли.

О предстоящих танцах Джессика трещала весь испанский, не давая мне слушать, и на перемене, когда мы пошли на ленч. Однако я была слишком поглощена собственными переживаниями, чтобы обращать внимание на ее болтовню. Страшно хотелось увидеть не только *его*, но и остальных Калленов, чтобы проверить подозрения, бередившие душу. Переступая порог столовой, я чувствовала, как страх ледяными щупальцами сжимает сердце. А вдруг они прочитают мои мысли? А еще сильнее волновало другое: предложит ли Эдвард снова с ним сесть?

По привычке взглянув на столик Калленов, я почувствовала, что в животе образуется тугой узел. Там никого не было. Не теряя надежды, я судорожно огляделась: вдруг он сидит один и ждет меня? В столовой почти не осталось свободных мест, но ни Эдварда, ни его семью я не увидела. День померк, меня охватило черное отчаяние. С трудом передвигая ноги, я шла за Джессикой, даже не притворяясь, что слушаю ее.

На испанском нас задержали, поэтому к столику мы пришли последними. Якобы не заметив свободного стула рядом с Майком, я села с Анжелой. Вот Ньютон отодвинул стул, помогая Джессике сесть, и та вспыхнула от удовольствия.

Анжела что-то спрашивала о сочинении по «Макбету», я старательно отвечала, чувствуя, как сердце разрывается от боли. Подруга снова пригласила меня поехать с ними по магазинам, и на этот раз я согласилась, надеясь хоть немного отвлечься.

Среди черного отчаяния, охватившего меня, оставался последний лучик надежды, который погас, когда я пришла на биологию и увидела пустую парту.

День тянулся мучительно долго. На физкультуре нам рассказывали о правилах игры в бадминтон. Значит, на ближайшем занятии меня ждут новые испытания. Зато сегодня я могла сидеть и слушать, вместо того чтобы толкаться на баскетбольной площадке. Как хорошо, что физрук не успел закончить объяснения! Теоретическая подготовка продолжится завтра, а вот послезавтра мне выдадут ракетку и выпустят на площадку калечить себя и других.

Хотелось скорее домой, чтобы всласть настрадаться, перед тем как ехать по магазинам с подругами. Но не успела я закрыть входную дверь, как позвонила Джессика: шопинг отменяется. Майк пригласил ее на ужин! Он наконец-то все понял! Я вздохнула с облегчением, хотя боюсь, в моем голосе не прозвучало должной радости и восторга. Джессика сообщила, что в Порт-Анжелес мы поедем завтра.

Чем же мне теперь заняться? На ужин рыба под маринадом, готовить ее минут пятнадцать, не больше, а салат и гренки остались со вчерашнего дня. Я решила взяться за уроки, но порыва хватило ненадолго. В электронной почте обнаружилась куча писем от мамы, тон которых становился резче с каждым сообщением. Вздохнув, я написала коротенький ответ.

«Мама! Прости, что долго не отвечала, — мы с друзьями ездили на пляж, а в воскресенье я писала сочинение. Сегодня в Форксе тепло и ясно. Знаю-знаю, я и сама поражена! Стараюсь побольше гулять, чтобы запастись витамином А. Целую, Белла».

Может, что-нибудь почитать? Книг с собой я привезла совсем немного, самой толстой и потертой был сборник произведений Джейн Остин. Взяв книгу, я вышла на задний двор, захватив по дороге старое одеяло.

Дворик у Чарли совсем небольшой, квадратный, с крошечной лужайкой, которая, сколько бы ни светило солнце, всегда остается влажной. Свернув одеяло пополам, я легла на живот и стала рассеянно листать страницы, выбирая роман, который позволит мне забыться. Больше всего мне нравились «Гордость и предубеждение» и «Чувство и чувствительность». Первый из них я перечитывала совсем недавно, так что лучше начать с «Чувства и чувствительности». Я дошла до третьей главы, когда вдруг вспомнила, что главного героя зовут Эдвард. В бешенстве я открыла «Мэнсфилд-парк», но там фигурировал Эдмунд, а это почти то же самое. Неужели в восемнадцатом веке не было других имен?

Захлопнув книгу, я перевернулась на спину и, закатав штанины и рукава, решила думать лишь о теплых лучах, ласкающих кожу. Волосы, раздуваемые легким ветерком, щекотали лицо; собрав их в высокий хвост, я закрыла глаза, представляя, как на солнце плавятся мои веки, скулы, нос, глаза, шея, плечи. Сейчас я растаю, словно ириска...

Но вот зашуршала галька, будто по подъездной дорожке ехала машина. Я села и только тогда поняла, что солнце уже зашло. Выходит, часа на полтора меня сморил сон. В полнейшем замешательстве я огляделась по сторонам, чувствуя, что во дворе кто-то есть.

— Чарли? — негромко позвала я, а через секунду услышала, как у парадного входа хлопнула дверца его машины.

Злясь на себя, я вскочила на ноги, взяла книгу и подняла ставшее влажным одеяло. Пришлось рысью нестись на кухню — рыбу-то я так и не приготовила. Когда я появилась в прихожей, Чарли снимал сапоги и отстегивал кобуру.

— Прости, папа, ужин еще не готов, я заснула во дворе.

— Ничего страшного, — успокоил он. — Я все равно хотел посмотреть бейсбол.

Как только Чарли ушел в гостиную, я затолкала одеяло в стиральную машину, налила на сковородку масло и выложила рыбное филе. Хорошо, что папа нарезал рыбу на тонкие куски, жарились они всего пару минут, зато едва не подгорели — незапланированный сон на свежем воздухе выбил меня из колеи.

От нечего делать после ужина я пришла в гостиную смотреть телевизор. В программе не было ничего интересного, однако Чарли ради меня пожертвовал бейсбольным матчем и переключился на какой-то безмозглый сериал. Он был доволен, что мы вместе сидим перед телевизором, а я радовалась, что смогла ему угодить.

— Папа, — начала я во время рекламы, — Анжела с Джессикой собираются завтра в Порт-Анжелес. Они хотят выбрать вечерние платья и просят поехать с ними. Можно?

— Джессика Стэнли? — строго переспросил Чарли.

— Да, и Анжела Вебер, — вздохнула я.

— Но ведь ты не идешь на танцы? — недоумевал отец.

— Они хотят, чтобы я помогла им выбрать платья... Знаешь, дружеский совет и конструктивная критика никогда не помешают.

Женщине такое бы объяснять не пришлось!

— Ну ладно, — проговорил Чарли, которому совершенно не хотелось вникать в женские причуды. — Но ведь послезавтра тебе в школу! — тоном строгого отца напомнил он.

— Мы поедем сразу после уроков, чтобы вернуться как можно раньше. Ты ведь сможешь сам поужинать?

— Беллз, я готовил сам целых семнадцать лет! — напомнил отец.

— Не знаю, как ты выжил! — пробормотала я, а потом уже громче добавила: — Я сделаю сандвичи и оставлю в холодильнике, ладно?

Чарли довольно кивнул.

Следующее утро тоже было ясным. Я проснулась в хорошем настроении и ради второго солнечного дня надела темно-синюю блузку с треугольным вырезом, которую в Финиксе носила в самом разгаре зимы.

В школу я приехала к самому звонку и с замиранием сердца кружила по стоянке, выискивая свободное место. А вдруг увижу серебристый «вольво»! Но его не было... Припарковавшись в последнем ряду, я побежала на английский. На душе скребли кошки.

Как и вчера, надежда робким подснежником цвела в моем сердце до того момента, пока в столовой я не увидела свободный столик, а на биологии — пустую парту.

План ехать за покупками остался в силе, только Лорен передумала. Тем лучше для меня! Выбраться из города просто необходимо, ведь я каждую секунду оглядываюсь по сторонам в надежде увидеть дорогое лицо. Постараюсь быть веселой и не портить

настроение подругам. Кстати, мне тоже не мешало
бы освежить гардероб. О том, что в Сиэтл придется
ехать в одиночку, думать не хотелось. Нет, если
у Эдварда изменятся планы, он обязательно меня
предупредит.

После школы Джессика проехала со мной к Чарли, чтобы я оставила пикап во дворе. Я забежала
в дом, пригладила волосы, черкнула записку отцу,
напоминая, что сандвичи в холодильнике, и переложила кошелек из школьного рюкзака в элегантную
сумочку.

Потом в стареньком «форде» Джессики мы поехали за Анжелой. Оказавшись за пределами Форкса, я почувствовала, как расслабляется каждая
клеточка тела.

Глава восьмая

ПОРТ-АНЖЕЛЕС

Джесс вела машину быстрее, чем Чарли, и к че-
тырем мы уже приехали в Порт-Анжелес. Я давно никуда не выбиралась с подругами и почти забыла, как это бывает. Мы с Анжелой слушали рок,
а Джессика сплетничала о парнях из нашей компании. Ужин с Майком прошел отлично; подруга надеялась, что к субботе дело дойдет до первого поцелуя.
Я тайком улыбалась, радуясь, что Майка удалось
пристроить в хорошие руки. Анжела тоже радовалась танцам, хотя Эрик ее особо не интересовал.

Джесс допытывалась, какой тип мужчин ей нравится, но тут вмешалась я, спросив, что конкретно они собираются купить. Анжела посмотрела на меня с огромной благодарностью.

Порт-Анжелес был настоящей Меккой для туристов, гораздо красивее и изящнее, чем Форкс. Джессика и Анжела отлично ориентировались в городе и не стали тратить время на осмотр живописных деревянных пандусов в бухте или сувенирных лавочек. Джесс сразу подъехала к большому магазину буквально в двух шагах от бухты.

Если верить пригласительным билетам, то на танцы следовало являться в полуформальных туалетах. Что это может означать, никто из нас не знал. Джессика с Анжелой отказывались верить, что я ни разу не была на танцах.

— Неужели у тебя никогда не было парня? — изумленно спросила Джессика, когда мы входили в магазин.

— Так и есть, — попыталась я убедить ее. Не рассказывать же, что я не умею танцевать! — Я никогда ни с кем не встречалась и, кажется, была только на половинчатых свиданиях.

— Что еще за половинчатые свидания? — с любопытством спросила Анжела.

— Это когда на двух девушек один парень. Мы так и не поняли, кто из нас ему нравится, — рассмеялась я, вспоминая, как мы с Лесли ходили в кино с Дэвидом Фоллетом.

— А почему ты больше не ходишь на свидания? — продолжала допытываться Джессика.

— Никто не зовет, — честно ответила я.

Однако мою подругу не проведешь!

— Здесь тебя приглашали, но ты отказала.

Мы были в секции молодежной одежды, исследуя полки в поисках вечерних платьев.

— Всем, кроме Тайлера, — спокойно поправила Анжела.

— О чем это ты? — испуганно спросила я.

— Тайлер всем рассказывает, что на выпускной идет вместе с тобой, — подозрительно глядя на меня, объяснила Джессика.

— Тайлер так сказал?

— Он врет, говорила же тебе, — прошипела Анжела.

Я молчала, чувствуя, как на смену изумлению приходит гнев. Наконец-то мы нашли кронштейн с платьями, значит, пришло время поговорить о другом.

— Поэтому Лорен тебя и не любит, — захихикала Джессика, осторожно касаясь шелкового подола.

— Слушай, если боднуть его пикапом, Тайлер поймет, что мы квиты?

— Наверное, — усмехнулась Джесс.

Платьев оказалось не так много, но каждая из подруг захватила в примерочную пять или шесть. Устроившись в мягком кресле среди зеркал, я пыталась хоть немного умерить свой гнев.

Джесс выбрала сразу два платья: длинное черное без бретелей и ярко-голубое до колен с глубоким вырезом на груди. Я посоветовала голубое — почему бы не подчеркнуть цвет глаз? Анжеле понравилось кремовое с драпировкой на талии: цвет густых сливок выгодно оттенял ее светло-каштановые волосы. Поздравив подруг с удачным выбором, я помогла отнести остальные платья на место.

Определившись с платьями, мы направились за обувью и аксессуарами. Подруги мерили туфли, а я только смотрела и критиковала, самой ничего покупать не хотелось, хотя новая обувь мне бы не помешала. Все из-за Тайлера: хорошее настроение испортилось, уступив место зеленой тоске.

— Анжела, — нерешительно обратилась я, наблюдая, как подруга примеряет розовые босоножки на высоком каблуке. Эрик был довольно высок, и девушка радовалась, что может надеть каблуки. Джессика пошла в отдел бижутерии, так что мы остались одни.

— Да? — Подруга повернулась боком, чтобы получше рассмотреть босоножки.

— Отлично смотрятся, — начала я издалека.

— Наверное, возьму, хотя они подойдут только к новому платью.

— Конечно, бери, они же со скидкой! — воскликнула я.

Анжела улыбнулась и закрыла крышкой коробку, в которой лежали гораздо более практичные белые лодочки.

— Анжела... — снова начала я, — слушай, а Каллены часто пропускают занятия?

Мне хотелось, чтобы вопрос прозвучал как можно безразличнее, но ничего не вышло.

— Да, в хорошую погоду они часто ходят в походы всей семьей. Видимо, им нравится активный отдых, — негромко ответила подруга, рассматривая туфли. Она не задала ни единого вопроса! Вот Джессика, та бы не упустила возможности разузнать, чем вызван мой интерес.

— Ясно.

Больше ничего выяснить не удалось, потому что вернулась Джесс, желавшая показать нам комплект из горного хрусталя, который она собиралась купить под серебристые туфли.

Первоначально мы планировали поужинать в маленьком итальянском ресторанчике на пристани, но поход в магазин занял меньше времени, чем мы думали. Джесс с Анжелой хотели отнести покупки в машину, а потом прогуляться по причалу. Решив сходить в книжный, я предложила подругам встретиться в ресторане через час. Обе вознамерились меня сопровождать, но я объяснила, что в книжном превращаюсь в полную зануду и подолгу копаюсь на стеллажах. Рассмеявшись, девушки пошли к машине, а я, памятуя указания Джесс, отправилась в ближайший книжный.

Магазин я нашла быстро. Увы, он оказался совсем не тем, что нужно. На витрине красовались божки и хрустальные фигурки, талисманы и книги с заговорами и рецептами снадобий. Заходить я не стала, особенно увидев за прилавком пятидесятилетнюю женщину с длинными седыми волосами в черном балахоне. Ведьма приветливо улыбнулась, а я поспешно зашагала прочь. Должен же в этом городе быть хоть один нормальный книжный!

Я брела по улицам, заполненным спешащими домой людьми, и надеялась, что двигаюсь к центру. По сторонам особо не смотрела, рассчитывая, что без труда найду дорогу к пристани. В конце концов, именно туда направляется большая часть машин. Отчаяние захлестывало черными волнами. О нем я старалась не думать, да и Анжела говорила, что... Страшно разочарованная, я старалась забыть о планах на субботу, но как только среди машин попадался серебристый «вольво», ничего не могла с собой поделать и думала, думала, думала... Чертов вампир, я схожу по нему с ума!

Я шла в южном направлении к магазинам с большими витринами. Однако, подойдя поближе, поняла, что это ремонтная мастерская, а соседнее помещение и вовсе пустует. До встречи с подругами еще много времени, а мне нужно собраться с мыслями и взять себя в руки. Машинально пригладив волосы, я вздохнула полной грудью и завернула за угол.

Только сейчас я поняла, что иду не туда. Машин стало меньше, почти все они двигались на север, а место магазинов заняли склады. Я решила повернуть на восток и найти улицу, которая приведет меня к пристани.

Навстречу попались четверо молодых людей, одетых слишком неформально для работы в офисе, и слишком грязных, чтобы быть туристами. Парни выглядели чуть старше меня, громко смеялись и толкали друг друга в бока. Я прижалась к стене склада, чтобы мы могли разминуться, а потом быстро зашагала прочь.

— Эй, ты! — крикнул один из них, проходя мимо.

Вокруг больше никого не было, значит, они обращаются ко мне. Я непроизвольно подняла глаза. Двое остановились рядом, а еще двое поодаль. Ближе всех ко мне оказался крепко сбитый темноволосый парень лет двадцати, одетый в грязную футболку, затертую фланелевую рубаху и рваные джинсы. Он шагнул ко мне.

— Привет! — машинально пробормотала я и быстро свернула за угол. Грубый хохот несся мне вслед.

— Подожди! — снова закричал кто-то из парней, но я шла дальше, низко опустив голову.

Тротуарная дорожка вела меня мимо мрачного вида складов с запертыми на ночь дверьми. На южной стороне улицы не было даже тротуара, только забор с колючей проволокой, за которым находились детали каких-то двигателей.

Итак, я забрела в район Порт-Анжелеса, который вряд ли показывают туристам. Смеркалось, на западе появились облака, а на востоке — красные и оранжевые полоски. Куртка осталась в машине, и, пытаясь согреться, я скрестила руки на груди. Мимо проехал фургон, дорога опустела.

Небо стало еще темнее, я испуганно оглянулась и увидела двух парней, от которых меня отделяло не более пяти метров.

Парни были из той компании, что недавно попалась мне навстречу, хотя темноволосого крепыша я не разглядела. Я зашагала быстрее, чувствуя, что меня колотит нервная дрожь, и на этот раз дело было не в холоде. Сумочку я специально повесила так, чтобы не украли — ремешок на правом плече, сама сумка — на левом бедре. Газовый баллончик остался в дорожной сумке, я даже не подумала, что его неплохо бы взять. Денег с собой немного — долларов двадцать пять; мелькнула трусливая мысль: «случайно» уронить сумку на асфальт и уйти. Но что-то мне подсказывало, что этим двоим нужны вовсе не деньги.

Я вся обратилась в слух — парни вели себя очень тихо, не кричали и не шумели. «Дыши глубже! — успокаивала я себя. — Может, они идут не за тобой». Я шла быстро, с трудом сдерживаясь, чтобы не побежать. Через несколько метров можно повернуть направо. Кажется, расстояние между мной и преследователями не сократилось. С юга на улицу выехала синяя машина и быстро пронеслась мимо. Я хотела броситься на дорогу, чтобы остановить машину и попросить водителя отвезти меня на пристань, но в последний момент передумала. А что если меня не преследуют?

Дойдя до угла, я увидела, что это тупик, подъездная дорога к другому складу. Пришлось сделать вид, что меня это ничуть не удивляет. У следующего поворота улица кончалась — на одном из домов висел «кирпич», значит, по перпендикулярной дороге движение запрещено. Я прислушалась, решая, идти быстрым шагом или бежать. Судя по всему, незнакомцы немного отстали, хотя в любую минуту могли нагнать. Я боялась, что если попытаюсь идти быстрее, обязательно поскользнусь и упаду. Да, парни действительно отстали. Чтобы успокоиться окончательно, я решила оглянуться. Так, теперь между нами метров десять, я вздохнула с облегчением.

Неужели я никогда не дойду до поворота? Я шла спокойно, надеясь, что с каждым шагом преследователи отстают. Наверное, они поняли, что напугали меня, и теперь об этом сожалеют.

Мимо проехали две машины, и я встрепенулась — за перекрестком наверняка улица пооживленнее, и кто-нибудь обязательно подскажет, как попасть на пристань. Я радостно завернула за угол... и остановилась как вкопанная.

Насколько хватало глаз, вдоль улицы тянулась высокая бетонная стена. Где-то вдали, примерно через два перекрестка, горели яркие фонари, ездили машины, гуляли прохожие. Нет, туда мне не дойти, потому что совсем неподалеку, посредине улицы стоял чернявый крепыш с дружком и криво ухмылялся.

Ноги примерзли к асфальту. Тут-то я все поняла. Меня не преследовали, а гнали в ловушку.

Я остановилась буквально на секунду, но она показалась мне вечностью. Резко обернувшись, я бросилась к противоположной стороне улицы, сердцем чувствуя, что делаю это напрасно.

Шаги зазвучали громче.

— Вот вы где! — прогудел коренастый и посмотрел так, что я чуть не подпрыгнула. Оказывается, он обращается вовсе не ко мне.

— Да уж, — послышался низкий голос одного из преследователей, — пришлось немного прогуляться.

Расстояние между мной и идущими сзади стремительно сокращалось. Голос у меня громкий, я вдохнула, приготовившись закричать, но горло пересохло. Наверное, вместо крика получится хрип! Я быстро перевесила сумочку на плечо, чтобы отдать ее или использовать для самообороны.

Тем временем темноволосый крепыш отлепился от бетонной стены и медленно, вразвалочку, пошел ко мне.

— Не подходи! — закричала я. Почему-то голос прозвучал не грозно и уверенно, а эдаким мышиным писком.

— Не будь несговорчивой, крошка, — просюсюкал здоровяк, а дружки мерзко заржали.

Я попыталась взять себя в руки и вспомнить что-нибудь из самообороны. Так, можно ударить кулаком в нос, с силой нажать на глаза, а в идеале — выцарапать, или классический прием — пинок в промежность. Здравый смысл подсказывал, что я и с одним-то из парней не справлюсь, не говоря уже о всех четырех. «Соберись!» — приказала я себе, не желая поддаваться панике. Нет, просто так я не сдамся! Я попыталась сглотнуть, чтобы закричать как можно громче.

Вдруг ослепительно вспыхнули фары, и выехавшая из-за угла машина чуть не сбила наглого крепыша. Я бросилась на мостовую. *Эту* машину я ни за что не пропущу! Однако серебристый «вольво» остановился сам, а пассажирская дверь открылась всего в двух шагах от меня.

— Садись! — приказал раздраженный голос.

Поразительно, как только я села на переднее сиденье и захлопнула дверцу, всепоглощающий ужас тут же отпустил. Нет, волна спокойствия разлилась по телу даже раньше — как только я услышала его голос.

В машине было темно, и в свете приборной панели я едва видела знакомое лицо. Шины скрипели, «вольво», распугивая прохожих, стремительно несся на север к бухте.

— Пристегнись! — скомандовал Эдвард, и только тут я поняла, что судорожно сжимаю сиденье. Я тут же послушалась, и ремни безопасности громко щелкнули в темноте. Мы мчались вперед, не обращая внимания на дорожные знаки.

Мне было так хорошо, что думать о том, куда мы едем, совершенно не хотелось. Я смотрела на Каллена с огромным облегчением, и дело было не только в чудесном спасении. Наблюдая за его лицом, я постепенно успокаивалась, пока не заметила, что оно перекошено от гнева.

— Ты злишься? — спросила я, удивившись, как грубо звучит мой голос.

— Нет, — раздраженно ответил Эдвард.

Я так и сидела, молча наблюдая за бледным лицом и пылающими глазами, пока машина вдруг не остановилась. За окном было темно и, оглядевшись по сторонам, я не увидела ничего, кроме темных силуэтов растущих вдоль дороги деревьев. Значит, мы уже не в городе.

— Белла, — сдавленно произнес Каллен.

— Да? — прохрипела я.

— Ты в порядке? — Он по-прежнему старался на меня не смотреть, а по лицу видно было, как он зол.

— Да.

— Пожалуйста, расскажи что-нибудь!

— Что сделать? — недоуменно переспросила я.

— Просто болтай о чем-нибудь веселом, пока я не успокоюсь, — пояснил Эдвард и, закрыв глаза, стал тереть переносицу. За что же он так на меня злится?

— Ну, — я ломала голову в поисках какой-нибудь забавной чепухи, — завтра утром я бодну новый «ниссан» Тайлера Кроули.

— Что? — недовольно переспросил он.

— Он всем разболтал, что на выпускной пойдет со мной. Наверное, если слегка поцарапать его машину, Тайлер поймет, что мы квиты, и перестанет лебезить. Надеюсь, и Лорен не будет злиться, когда увидит, что Кроули оставил меня в покое. Нет, «ниссан» придется разбить вдребезги, тогда Тайлер точно не позовет меня на выпускной!

— Я слышал о том, что болтает Кроули, — уже спокойнее проговорил Эдвард.

— Слышал? — недоверчиво переспросила я, чувствуя, что начинаю заводиться. — Может, на всякий случай сломать ему пару ребер?

Эдвард тяжело вздохнул.

— Если хочешь, можешь на меня покричать, — предложила я.

— За что мне на тебя кричать? — с презрением спросил он, не удостоив взглядом.

— Не знаю. Может, станет легче.

В голове теснилось бесчисленное множество вопросов, но с ними лучше подождать, пока Эдвард справится с гневом.

— Хммм, так за что мне на тебя кричать? Неужели ты снова иронизируешь?

— Ну, — осторожно начала я, — мне следовало остаться с Анжелой и Джесс и внимательно смотреть, куда иду. Еще стоило взять с собой газовый баллончик.

— Совершенно верно! — Наконец-то Эдвард на меня посмотрел. Глаза казались спокойными, а зрачки, хотя в слабом свете приборной доски я могла ошибиться, — чересчур светлыми.

— До сих пор злишься?

— Я злюсь вовсе не на тебя.

— Тогда в чем же дело?

— Порой я очень раздражителен, — Эдвард смотрел в окно, — но даже это не заставит меня охотиться на... — Он не договорил и отвернулся, снова сражаясь со своим гневом. — По крайней мере, я пытаюсь себя в этом убедить.

— Да, — совершенно не к месту проговорила я.

Повисла тишина. Я взглянула на часы на приборном щитке. Половина седьмого.

— Анжела с Джессикой будут волноваться. Мы должны были встретиться.

Не сказав ни слова, Эдвард завел мотор, и мы помчались обратно в город. В считанные секунды мы выехали к пристани и запетляли среди машин, медленно направлявшихся к парому. Стоянка была переполнена, но Каллен отыскал крошечное местечко и аккуратно припарковался.

Выглянув в окно, я увидела вывеску «Ла Белла Италия» и Анжелу с Джессикой, как раз выходящих из ресторана.

— Как ты... — начала было я и тут же осеклась. Эдвард вышел из машины. — Ты куда?

— Приглашаю тебя на ужин, — улыбнулся он и сильно хлопнул дверцей. Я отстегнула ремень и поспешно выбралась из машины.

— Останови Джессику с Анжелой, пока это не сделал я, — велел Эдвард.

— Джесс! Анжела! — закричала я и помахала рукой.

Девушки бросились ко мне. Когда они увидели, кто стоит рядом со мной, облегчение на их лицах уступило место шоку. Обе застыли в полуметре от нас с Эдвардом.

— Где ты была? — бросилась в атаку Джессика.

— Заблудилась, — нерешительно ответила я, — а потом встретила Эдварда.

— Не возражаете, если я к вам присоединюсь? — мягким вкрадчивым голосом спросил Эдвард.

По ошеломленным лицам подруг я поняла, что они никогда раньше не испытывали на себе силу его чар.

— Да, конечно, — пролепетала Джессика.

— Вообще-то мы поели, пока ждали тебя, Белла, — призналась Анжела. — Прости!

— Все в порядке, я не голодна, — пожала я плечами.

— Думаю, тебе стоит поесть, — тихо, но настойчиво сказал Эдвард. Взглянув на Джессику, он заговорил чуть громче: — Не возражаешь, если я сам отвезу Беллу домой? Тогда вам с Анжелой не придется ждать.

— Наверное, так будет лучше... — закусила губу подруга, пытаясь по выражению моего лица понять, возражаю я или нет.

Больше всего на свете мне хотелось остаться наедине с тем, кто уже не в первый раз спас мою жизнь, и я украдкой подмигнула Джессике. Нужно задать Эдварду столько вопросов, а при девчонках это невозможно.

— Ну, ладно, — первой нашлась тактичная Анжела. — Увидимся завтра, ребята!

Она схватила Джессику за руку и потащила к машине, которая виднелась в некотором отдалении. Я смотрела им вслед, чтобы убедиться, что подруги благополучно сядут в «форд». Джесс помахала на прощание — представляю, как она сгорает от любопытства. Машина скрылась за поворотом, и только тогда я решилась повернуться к Эдварду.

— Мне честно не хочется есть, — сказала я, внимательно вглядываясь в его лицо.

— Сделай одолжение, — безапелляционным тоном произнес он и открыл дверь.

Возразить мне было нечего, и я покорно вошла в ресторан.

Посетителей было немного, туристический сезон еще не наступил. Хозяйка, молодящаяся ухоженная итальянка, смотрела на Эдварда с нескрываемым интересом. Мне это очень не понравилось, тем более что женщина была ярче и интереснее, чем я.

— Столик на двоих? — сладко промурлыкала хозяйка. Она мельком оглядела меня и успокоилась, увидев, что до красавицы мне далеко, а Эдвард не держит меня за руку. Захватив меню, она подвела нас к столику на четверых в самом центре зала.

Я собиралась сесть, но Эдвард покачал головой.

— А можно что-нибудь более уединенное? — Кажется, он уже успел отстегнуть ей чаевые. Неужели она откажет?

— Конечно, — с удивлением ответила итальянка и подвела нас к маленькому столику за перегородкой. — Подойдет?

— Отлично, — ослепительно улыбнулся Эдвард.

— Ладно, — кивнула хозяйка, — устраивайтесь. — Она рассеянно посмотрела на нас и нетвердой походкой ушла на кухню.

— Тебе не следует так поступать с людьми, — пожурила я Каллена. — Это несправедливо.

— Поступать как? — не понял он.

— Ослеплять и поражать — бедная женщина наверное задыхается от желания.

Эдвард смутился.

— Да ладно тебе, — съязвила я. — Будто не знаешь, какое впечатление производишь!

— Я ослепляю людей?

— А то сам не замечал! Думаешь, все так легко добиваются своего?

— Тебя я тоже ослепляю и поражаю? — проигнорировал мой вопрос Эдвард.

— Бывает, — призналась я, стараясь на него не смотреть.

Тут подошла официантка, оглядывая нас с явным интересом. Вне всякого сомнения, хозяйка успела рассказать о том, как красив молодой посетитель, и девица не обманулась в ожиданиях. Она сладко улыбнулась, откинув назад смоляную прядь.

— Привет, меня зовут Эмбер. Принести чего-нибудь выпить?

От меня не ускользнуло, что она обращается только к Эдварду.

Он посмотрел на меня.

— Мне колу.

— Тогда две колы.

— Буквально минутку, — пообещала девушка, снова улыбнувшись, но Эдвард ее не замечал.

— Ты что? — спросила я, когда официантка ушла.

— Как ты себя чувствуешь? — поинтересовался он, голос звучал как-то сдавленно и напряженно.

— Отлично, — ответила я. Почему он нервничает?

— Может, тебе холодно, страшно или голова кружится?

— Она должна кружиться?

Эдвард усмехнулся.

— Ну, любая девушка была бы в шоке от того, что случилось.

— Боюсь, от меня такого ждать не стоит. Я частенько попадаю в разные передряги.

— Тем не менее мне будет спокойнее, если ты поешь.

Официантка принесла колу и плетеную корзинку с хлебными палочками.

— Готовы заказать? — спросила она у Эдварда, повернувшись ко мне спиной.

— Белла?

Девица нехотя посмотрела на меня.

— Хм... грибные равиоли, — я назвала первое попавшееся на глаза блюдо.

— А молодой человек? — ласково спросила Эмбер.

— Спасибо, я не голоден, — вежливо улыбнулся он.

Не голоден, как же!

— Ну, дайте мне знать, если передумаете, — кокетливо улыбнулась девица, но Эдвард на нее даже не взглянул, и она ушла, явно обиженная.

— Пей колу! — приказал он.

Я послушно сделала маленький глоток, потом, поняв, что умираю от жажды, разом осушила стакан. Эдвард пододвинул мне свой.

— Спасибо, — пробормотала я и задрожала, чувствуя, как ледяная жидкость двигается по пищеводу.

— Замерзла?

— Это из-за колы, — мелко дрожа, объяснила я.

— А где куртка?

— Боже, я оставила ее в машине Джессики!

Эдвард снял пиджак. Как же я не обращала внимания на его одежду? Ладно, лучше поздно, чем никогда. Под пиджаком из тонкой бежевой кожи была шерстяная водолазка цвета слоновой кости, обтягивающая мускулистую грудь.

Эдвард протянул мне пиджак.

— Спасибо, — снова пробормотала я, засовывая руки в рукава. Кожа оказалась холодной; мои куртки были такими, когда я забывала их на ночь во дворе. Зато как пахла! Я вдохнула поглубже, пытаясь понять, что это за запах. Уж точно не парфюм! Рукава были слишком длинными, и их пришлось подвернуть.

— Мертвенная бледность тебе к лицу! — сострил Эдвард, а я вспыхнула.

Он подтолкнул ко мне корзину с палочками.

— Я в полном порядке и ничего не боюсь!

— Зря! Любой нормальный человек испугался бы, а тебе все нипочем. — Таких светлых глаз я у него еще не видела — цвета золотого песка на калифорнийском пляже.

— Мне очень спокойно, когда ты рядом.

Он нахмурился и покачал головой.

— Все сложнее, чем я предполагал.

Не сводя глаз с его лица, я взяла хлебную палочку.

— Обычно, когда у тебя светлые глаза, ты в хорошем настроении, — сказала я, надеясь отвлечь его от мрачных мыслей.

— Что? — ошеломленно переспросил он.

— А когда они черные, к тебе лучше не подходить... Это так, теория.

— Еще одна? — Золотые глаза сузились.

— Ммм. — Я откусила палочку, притворившись равнодушной.

— Надеюсь, на этот раз ты придумала что-нибудь получше, или опять комиксов начиталась? — Он вроде и улыбнулся, но глаза смотрели строго.

— Нет, на этот раз информация из другого источника, — неохотно призналась я.

— И что же ты нарыла?

Тут Эмбер принесла равиоли. Разговаривая, мы неосознанно наклонились друг к другу, а когда приблизилась официантка, резко отпрянули. Девушка поставила тарелку передо мной и тут же повернулась к Эдварду.

— Не передумали? — с надеждой спросила она. — Я могу вам чем-нибудь помочь?

Боже, ну и язык у этой девицы!

— Нет, спасибо! Впрочем, принесите, пожалуйста, еще две колы. — Тонкая белая рука показала на пустые стаканы.

— Конечно! — обрадовалась девица и унеслась на кухню.

— Итак, что за теория? — спросил Эдвард.

— В машине расскажу. Если, конечно... — замялась я.

— Будут какие-то условия?

— Ну, есть кое-какие вопросы.

— Неужели?

Девушка принесла колу, поставила на стол и тут же ушла. Я жадно схватила стакан.

— Зачем ты приехал в Порт-Анжелес? — По-моему, вопрос довольно безобидный.

Каллен скрестил руки на груди и уставился на стол. В брошенном украдкой взгляде сквозила насмешка.

— Следующий вопрос, — ухмыльнулся он.

— Ты не ответил! — возмутилась я.

— Следующий!

Не желая продолжать, я взяла вилку и начала есть. Равиоли оказались вкусными.

— Ну, ладно, — глотнув колы, продолжала я, — предположим, чисто гипотетически, что кто-то умеет читать мысли других людей. Ну, за редким исключением.

— Одним-единственным, — поправил Эдвард, — гипотетически.

— Ладно, пусть за единственным исключением. — Я радовалась, что он мне подыгрывает, и старалась говорить как можно спокойнее. — Как же так получается? Чем объясняются исключения? Как этот кто-то может находить другого человека в нужное время и в нужном месте?

— Гипотетически? — съязвил он.

— Реально, практически.

— Ну, если этот кто-то...

— Давай назовем его Джо, — предложила я.

— Ладно. Этому Джо достаточно быть внимательным и собранным, чтобы везде успевать вовремя. — Эдвард закатил глаза. — В таком маленьком городишке только ты умудряешься попадать в неприятности. Ты бы испортила криминальную статистику Форкса лет на десять!

— Давай не переходить на личности! — ледяным тоном бросила я.

Каллен рассмеялся.

— Да уж. Давай тогда назовем тебя Джейн!

— Как ты узнал, что я здесь? — не вытерпела я, снова пододвигаясь к нему.

Он колебался, будто решал, стоит ли рассказать мне правду.

— Слушай, мне ты можешь доверять, — прошептала я.

— Не знаю, есть ли у меня выбор. — Его голос превратился в шепот. — Я ошибался, ты гораздо наблюдательнее, чем мне казалось.

— Я думала, ты никогда не ошибаешься!

— Раньше именно так и было! — покачал головой Эдвард. — Я ошибся не только в этом. Ты притягиваешь не неприятности, это слишком широкое определение, а беды и опасности. Если в радиусе десяти миль есть источник опасности, ты обязательно его притянешь.

— Себя ты тоже считаешь опасным?

— Разумеется! — Его лицо внезапно стало холодным и непроницаемым.

Я снова потянулась через стол, не обращая внимания на реакцию Каллена, и робко коснулась кончиками пальцев его руки. Рука была холодной и твердой, как камень.

— Спасибо, что спас меня уже во второй раз.

Выражение прекрасного лица немного смягчилось.

— Третьего пусть лучше не будет, ладно?

Я нахмурилась, однако кивнула. Эдвард поспешно отдернул руку.

— Я следил за тобой и поехал за «фордом» Джессики в Порт-Анжелес, — нехотя признался он. — Никогда раньше не пытался спасать чужую жизнь. Это сложнее, чем я предполагал. Наверное, все дело в тебе. В жизни обычных людей гораздо меньше неприятностей и происшествий!

Вероятно, стоило возмутиться — ведь он за мной следил, — но мне было очень приятно! Губы сами собой растянулись в улыбке.

— А ты не думал, что в тот день мне было суждено попасть под фургон Тайлера, а ты играешь в Бога, вмешиваясь в судьбу? — задумчиво спросила я.

— Ну, мне не привыкать, — чуть слышно ответил Эдвард, и я удивленно на него посмотрела. — Я вмешался в твою судьбу сразу, как только увидел.

Зловещие слова вернули тот день, когда, даже не узнав, кто я такая, он окинул меня исполненным ненависти взглядом. Однако все тревоги и волнения тут же утонули в омуте бесконечного покоя, который я испытывала в его присутствии. Когда Эдвард на меня посмотрел, в моих глазах не было страха.

— Помнишь? — мрачно спросил он.

— Да, — спокойно ответила я.

— Но раз ты здесь, значит, тебя это не останавливает!

— Да, я здесь только благодаря тебе. Как же ты сегодня меня нашел?

Я надеялась, что он все-таки ответит на мой вопрос.

Эдвард плотно сжал губы и искоса взглянул на меня, словно решая, стоит ли откровенничать.

— Ешь, а я буду рассказывать.

Я тут же схватила вилку и начала жевать так быстро, что чуть не поперхнулась.

— Следить за тобой — дело довольно хлопотное. Обычно я легко нахожу людей, особенно прочитав их мысли. — Он замолчал и бросил на меня многозначительный взгляд — я поняла, что перестала жевать. Пришлось съесть еще один равиоли.

— Практики ради, я решил заглянуть в сознание Джессики, но упустил тот момент, когда вы разошлись. Не увидев тебя рядом с подругами, я отправился в книжный. В магазин ты не заходила, и я понял, что ты заблудилась. Кружа по городу, я читал мысли людей в надежде узнать что-нибудь полезное. Особых причин волноваться не было, но отчего-то мне стало не по себе... — Эдвард замолчал, задумчиво уставившись в пространство. — Я все ездил по улицам и прислушивался. Солнце садилось, и я собрался продолжать поиски пешком. А потом... — его лицо перекосилось от злости, и он с огромным трудом взял себя в руки.

— Что потом? — прошептала я.

— Я прочел их мысли, — глухо прорычал Эдвард, его верхняя губа поднялась, обнажив передние зубы, — и понял, что они хотят с тобой сделать. — Склонившись над столом, Каллен закрыл лицо руками. Движение было таким стремительным, что я испугалась.

— Не представляешь, каких трудов мне стоило оставить их... живыми. — Эдвард осекся. — Можно было отпустить тебя с Джессикой и Анжелой, но я боялся, что, оставшись один, начну их искать.

Охваченные смятением, мои мысли разлетались, как испуганные птички. Сложив руки на коленях, я устало откинулась на спинку стула. Эдвард сидел неподвижно, как статуя.

Наконец он испытующе посмотрел на меня.

— Ты перестала есть.

— Извини, больше не могу.

— Ты в порядке?

Разве «в порядке» уместно в такой ситуации?

— Шока не испытываю, — осторожно сказала я.

— Готова ехать домой?

— Конечно!

Как здорово, еще целый час мы проведем наедине! Еще столько нужно обсудить!

Словно по мановению волшебной палочки к нам подошла официантка. Может, она подслушивала?

— Чего-нибудь желаете? — спросила она Эдварда.

— Будьте любезны счет! — Просьба прозвучала резковато, но девица так и застыла с раскрытым ртом.

— Да, конечно, — вздрогнув, пролепетала она и, достав из кармана передника листочек, положила на стол.

Едва взглянув на счет, Эдвард вернул его официантке вместе с заранее приготовленной купюрой, судя по всему, большого достоинства.

— Сдачи не надо, — улыбнулся он, вставая, и выжидательно посмотрел на меня.

— Желаю отличного вечера, — сладко улыбнулась официантка, а Эдвард поблагодарил ее, даже не удостоив взглядом. Я едва не расхохоталась.

— Это я должна была платить, ты-то даже колу не выпил!

Каллен сделал вид, что ничего не услышал. Он галантно открыл передо мной дверь, но за руку так и не взял. Вспоминая рассказы Джессики о намечающемся поцелуе с Майком, я завистливо вздохнула. Эдвард вопросительно на меня посмотрел, и я уже в который раз обрадовалась, что он не может читать мои мысли.

Через минуту я устроилась на переднем сиденье «вольво», а Эдвард, захлопнув за мной дверцу, обошел машину спереди и сел рядом. Боже, он двигается, как танцор!

Взревел мотор, и мы понеслись прочь. На улице сильно похолодало, вероятно, ясной погоде конец. В кожаном пиджаке было так уютно, и тайком от хозяина я упивалась его запахом.

Ловко лавируя между машинами, «вольво» летел на запад по направлению к автостраде.

— Теперь твоя очередь! — многозначительно проговорил Эдвард.

Глава девятая

ТЕОРИЯ

—**М**ожно задать еще один вопрос? — робко попросила я, когда мы на бешеной скорости выезжали на шоссе. Зачем так нестись?

— Только один, — нехотя согласился он, — но для начала пристегнись.

Я тут же послушалась, чувствуя, что Эдвард внимательно за мной наблюдает.

— Как ты догадался, что я не заходила в книжный? Не думаю, что тебе рассказала та старая ведьма с седыми космами!

Эдвард целую минуту смотрел на трассу, на которой никого, кроме нас, не было.

— Мы вроде пытаемся быть откровенными, — раздраженно пробормотала я.

Каллен ухмыльнулся.

— Ладно, скажу. Я не почувствовал твой запах. — Он снова уставился на дорогу, давая мне время переварить сказанное. Не подобрав подходящего объяснения, я решила обдумать это позже. Если хочу докопаться до истины, то сейчас нужно спрашивать.

— Ты не ответил на мой первый вопрос... — напомнила я.

Такое развитие событий Эдварду не понравилось.

— Разве? — со вздохом спросил он.

— Как именно ты читаешь мысли? На каком расстоянии? А твои родственники умеют... — Я чувствовала себя малолетней идиоткой, пристающей с глупыми вопросами к взрослым.

— Вообще-то, это уже второй вопрос, — возразил Эдвард, однако я сцепила пальцы и выжидающе на него смотрела.

— Нет, мои родственники так не умеют, а мысли удобнее читать вблизи. Чем знакомее «голос», тем с большего расстояния я могу его слышать. В среднем — в радиусе нескольких миль. Это все равно, что находиться в большом зале, где полно народу и все разговаривают одновременно. Очень похоже на негромкий гул, шум, звучащий где-то на заднем плане. Когда он начинает меня раздражать, я просто его отключаю. Гораздо проще казаться «нормальным», когда слышишь только голоса людей, а не голоса, вперемешку с мыслями.

— А почему ты не слышишь меня? — с любопытством спросила я.

Золотистые глаза загадочно вспыхнули.

— Не знаю, — пробормотал он. — Единственно возможное объяснение — твой разум устроен иначе, чем у остальных. Если сравнить с радио, то твои мысли текут на ультракороткой волне, а я способен ловить только длинные.

— Хочешь сказать, что у меня мозги набекрень? — разозлилась я.

— Я слышу голоса, а ты беспокоишься о своем душевном здравии!.. Не волнуйся, это же просто теория! Все, теперь твоя очередь. — Он вопросительно поднял брови.

Я тяжело вздохнула. С чего же начать?

— Мы вроде пытаемся быть откровенными, — напомнил Эдвард.

Собираясь с мыслями, я взглянула на приборную панель и, увидев показания спидометра, окаменела.

— Ты что, с ума сошел! — заорала я. — Сбавь скорость!

— Что случилось? — испугался он, однако на тормоз не нажал.

— Сто шестьдесят километров в час! — Я в панике посмотрела в окно, но не увидела ничего, кроме ярких убегающих огней. По обеим сторонам дороги темной стеной стоял лес, а мы неслись так быстро, что стена казалась монолитной.

— Расслабься, Белла! — закатил глаза Эдвард.

— Хочешь, чтобы мы разбились?

— Ничего не случится!

— Куда ты спешишь? — спокойнее спросила я.

— Я всегда так езжу! — усмехнулся он.

— Смотри на дорогу!

— Белла, я ни разу не попадал в аварию, даже штрафов не платил! — похвастался Эдвард и постучал по голове. — У меня здесь встроенный радар!

— Очень смешно! Особенно если учесть, что я дочь полицейского и воспитана на уважении к законам! К тому же, если твой «вольво» разобьется в лепешку, ты просто встанешь и пойдешь дальше.

— Очень может быть, — усмехнувшись, ответил он. — Но ты-то так не можешь, поэтому в лепешку лучше не расшибаться, — тяжело вздохнул Эдвард, и стрелка спидометра поползла вниз. — Довольна?

— Почти.

— Ненавижу ползать, как улитка! — пробормотал он.

— Сто двадцать километров в час — это скорость улитки?

— Хватит обсуждать мою езду! Я жду, когда ты расскажешь о своей теории!

Я закусила губу, а медовые глаза неожиданно смягчились.

— Смеяться не буду, — пообещал Эдвард.

— Я больше боюсь, что ты разозлишься!

— Неужели все так страшно?

— В общем, да.

Он ждал, а я, не желая видеть его лица, разглядывала свои руки.

— Рассказывай.

— Не знаю, с чего начать!

— Начни с начала, — посоветовал он. — Ты самостоятельно вывела эту теорию?

— Нет.

— Откуда ты ее взяла? Из книги или из фильма?

— Нет, все произошло в субботу на пляже. Я встретила старого друга — Джейкоба Блэка. Его отец и Чарли дружат с незапамятных времен. Отец Джейкоба — один из квилетских старейшин. — Эдвард никак не отреагировал. — Мы прошли к воде. — О коварном соблазнении юного Джейкоба я благоразумно умолчала. — Блэк рассказывал мне старые индейские легенды, наверное, старался напугать. Особенно хорошо мне запомнилась одна... — я запнулась.

— Продолжай.

— Легенда о вампирах. — Неожиданно для себя я перешла на шепот. Смотреть на лицо Каллена я не решалась, зато заметила, как побледнели сжимающие руль пальцы.

— И ты сразу подумала обо мне? — Иронии в его голосе я не услышала.

— Нет. Он упомянул твою семью.

Эдвард внимательно следил за дорогой. От его невозмутимости мне стало страшно, и я бросилась защищать Джейкоба.

— Блэк считает это глупым суеверием. Он просто хотел меня напугать. Я сама виновата — заставила его рассказывать страшилки.

— Зачем?

— Пытаясь меня задеть, Лорен что-то сказала про твою семью, но парень постарше, тоже индеец, заявил, что вы в резервации не бываете. Прозвучало это как-то странно, и, предложив Джейкобу пройтись, я вытянула из него эту историю, — низко опустив голову, каялась я.

Эдвард засмеялся, чем немало меня напугал. Разве можно смеяться одним ртом, когда глаза злые и холодные?

— Как же ты ее вытянула? Щипцами, что ли?

— Я флиртовала, и мне все удалось.

— Жаль, что меня там не было! Бедный Джейкоб Блэк! А ты еще меня обвиняла в том, что я «ослепляю и поражаю людей»!

Густо покраснев, я стала смотреть в окно.

— Что же случилось потом? — через некоторое время спросил Эдвард.

— Я залезла в Интернет.

— И твои подозрения подтвердились? — Особого интереса в голосе не слышалось, но руки так и сжали руль.

— Нет... Большая часть информации оказалась абсурдной. А потом...

— Что потом?

— Я решила, что мне все равно!

— Все равно? — Вопрос прозвучал так, что я невольно подняла голову. Неужели мне удалось про-
бить его нерушимое спокойствие?

— Да, — слабым голосом ответила я, — мне все
равно.

— Тебя не волнует, что я монстр? Что я не человек?

— Не волнует, — твердо ответила я.

Эдвард не ответил, внимательно следя за дорогой.
Бледное лицо снова стало непроницаемым.

— Ты злишься... Зря я все тебе рассказала.

— Нет, предпочитаю знать, что ты думаешь, даже
если твои догадки неверны.

— Так я снова ошиблась?

— Я вовсе не об этом, — процедил Эдвард. —
Ей все равно! — потрясенно повторял он.

— Так я права? — испуганно спросила я.

— А тебе не все равно? — съязвил он.

— Просто любопытно. По большому счету, я все
для себя решила.

— Что именно ты хочешь знать? — покорно осведомился Эдвард.

— Сколько тебе лет?

— Семнадцать, — тут же ответил он.

— И давно тебе семнадцать?

— Довольно давно. — Он усмехнулся.

— Ясно.

Эдвард внимательно меня разглядывал, совсем
как в ресторане, когда пытался понять, все ли со
мной в порядке после невеселого «приключения».

— Не смейся... но разве ты можешь выходить
в дневное время?

Он все-таки засмеялся.

— Ерунда!

— Солнце не мешает? В гробу не спишь?

— Чушь! Я вообще не сплю.

— Вообще не спишь? — ошеломленно переспросила я.

— Никогда! — прошептал Эдвард, задумчиво глядя на меня. Попав в плен золотых глаз, я начисто забыла, о чем думала.

— Ты еще не задала самый главный вопрос. — Его голос звучал холодно и как-то отрешенно.

— Какой именно?

— Тебя не интересует моя диета?

— Ах, это... — прошептала я.

— Да-да! Ты же хочешь знать, пью ли я кровь? Меня передернуло.

— Ну, Джейкоб мне кое-что рассказал...

— И что же рассказал Джейкоб?

— Что вы не охотитесь... на людей. По его словам, твоя семья не считается опасной, потому что вы охотитесь только на животных.

— Так он сказал, что мы неопасны? — недоверчиво уточнил Эдвард.

— Не совсем. Он сказал, что вы не считаетесь опасными, но квилеты по-прежнему не хотят, чтобы вы появлялись в их резервации.

Каллен смотрел куда-то вперед. Стрелка спидометра ползла к ста пятидесяти километрам, но возражать я не решилась.

— Итак, он прав, вы действительно не охотитесь на людей? — Я старалась, чтобы мой голос звучал как можно безразличнее.

— У квилетов хорошая память, — ничуть не смутившись, ответил Эдвард, и я приняла это за положительный ответ.

— Однако не стоит обольщаться, — предупредил он. — Квилеты совершенно правы, что держатся от нас подальше. Мы по-прежнему опасны.

— Не понимаю...

— Мы стараемся. Как правило, у нас получается. Но и ошибки бывают, как, например, сейчас, когда я нахожусь наедине с тобой.

— Ты считаешь это ошибкой? — Надеюсь, мой голос прозвучал не слишком печально.

— Да, и очень опасной, — мягко подтвердил он.

Воцарилась тишина. Я смотрела на яркие огни встречных машин. Они проносились так быстро, что казалось, будто я попала в виртуальный мир компьютерной игры. Время улетало так же стремительно, как и полотно автострады. А вдруг у меня не будет второго такого шанса? Судя по всему, Эдвард считает, что разговор окончен. Ну уж нет, я не стану терять времени!

— Расскажи мне еще что-нибудь! — отчаянно попросила я. Неважно, что он скажет, пусть только говорит!

— Что ты хочешь знать? — Он произнес это как-то растерянно: мольба в моем голосе застала его врасплох.

— Объясни, почему вы охотитесь на животных, а не на людей, — в отчаянии придумала я. На глаза навернулись слезы, и сдерживать их с каждой минутой становилось все труднее.

— Не хочу быть монстром! — тихо сказал Эдвард.

— Но ведь животных тебе мало? — допытывалась я.

— Наверное, это похоже на замену мяса соей. Мы в шутку называем себя вегетарианцами. Кровь жи-

вотных не полностью удовлетворяет голод, или в нашем случае — жажду, но ее достаточно для поддер-
жания жизни. В большинстве случав, — зловеще
добавил Эдвард. — Иногда сдерживаться особенно
сложно.

— И сейчас сложно? — осторожно спросила я.

— Да.

— Но ведь ты не голоден!

— Откуда такая уверенность?

— Твои глаза. Я же рассказывала о своей теории.
На пустой желудок мужчины всегда раздражитель-
нее.

— А ты очень наблюдательна, — рассмеялся Эдвард.

Я не ответила, просто наслаждалась серебристым
смехом.

— Ты ведь охотился в эти выходные? Вместе
с Эмметтом?

— Да, — помолчав, ответил он. — Не хотелось уезжать, но было просто необходимо. Лучше не искушать судьбу!

— Почему ты не хотел уезжать?

— Когда ты далеко, мне очень неспокойно. —
Я таяла под взглядом золотых глаз. — Я ведь не шу-
тил, когда просил не упасть в океан. Все выходные
я места себе не находил. Тебе повезло, что сегодня
ты осталась живой и невредимой. — Он покачал головой, будто что-то внезапно вспомнил. — Ну, почти
невредимой.

— Что? — удивилась я.

— Твои ладони! — напомнил Эдвард, и я посмотрела на почти зажившие царапины. От него ничего
не скроешь!

— Упала, — вздохнула я.

— Так я и думал. — Яркие губы насмешливо изогнулись. — Наверное, все могло быть и хуже! Я страшно переживал и за три дня успел порядком надоесть Эмметту.

— Три дня? Ты что, вернулся только сегодня? — спросила я, с трудом выбираясь из плена прекрасных глаз и приводя в порядок мысли.

— Нет, в воскресенье.

— Тогда почему ты не был в школе? — зло спросила я, вспоминая, сколько горя причинило мне его отсутствие.

— Ну, вообще-то мне солнце не мешает, но в ясную погоду лучше никому на глаза не показываться.

— Почему?

— Когда-нибудь сама увидишь.

— Мог бы мне позвонить! — с упреком воскликнула я. — Я ведь не знала, где ты. — Мой голос предательски дрогнул. — Я... мне...

— Что?

— Мне было так плохо! Я ведь тоже беспокоилась! — Я зарделась, рассказывая о самом сокровенном.

Лицо Эдварда перекосилось, как от резкой боли.

— Нет, — простонал он, — это неправильно!

— Что я такого сказала?

— Белла, неужели ты не понимаешь? Одно дело — мучиться самому, и совсем другое — впутывать тебя! — Полные страдания глаза устало смотрели на дорогу, а слова полились так быстро, что я с трудом улавливала смысл. — Не хочу, чтобы тебе было больно, — глухо, но настойчиво проговорил он. — Это неправильно и очень опасно!

— Нет! — тоном обиженного ребенка воскликнула я. — Мне все равно, кто ты. Уже слишком поздно!

— Не говори так! — прошептал Эдвард.

Я закусила губу, надеясь, что физическая боль заглушит сердечную, и смотрела на дорогу. До Форкса, наверное, осталось всего ничего.

— О чем ты думаешь? — раздраженно спросил он.

Не уверенная, что не разрыдаюсь, я покачала головой.

— Ты плачешь? — изумился Эдвард.

Я и не подозревала, что по щекам катятся предательские слезы.

— Нет, — дрожащим голосом сказала я.

Его рука потянулась ко мне, но на полпути замерла и снова легла на руль.

— Прости. — В бархатном голосе слышалось глубокое раскаяние. Я знала, то он извиняется не только за то, что заставил меня плакать.

— Не извиняйся! — уже увереннее проговорила я. — Ты ведь только что спас мне жизнь.

Мы помолчали.

— Скажи мне кое-что, — спустя некоторое время попросил Эдвард, стараясь, чтобы голос звучал весело.

— Да?

— О чем ты думала, когда я выехал из-за угла? У тебя было такое лицо — не испуганное, а скорее сосредоточенное.

— Пыталась вспомнить, как вывести из строя противника. Что-нибудь из самообороны. Собиралась сломать ему нос.

— Неужели ты хотела драться? — недоумевал Эдвард. — Почему не попыталась убежать?

— Когда бегу, я очень часто падаю, — неохотно призналась я.

— Ты могла закричать!

— В горле пересохло.

Он покачал головой.

— Ты права. Спасая тебе жизнь, я действительно вмешиваюсь в судьбу. В Финиксе ты тоже устраивала столько проблем?

— Что значит «устраивала»? Разве в том, что случилось, есть моя вина? — обиженно спросила я.

— «Устраивала» значит как магнит притягивала все опасное. Итак, ты устраивала столько проблем в Финиксе?

— Ну, проблемы случались, но гораздо реже, — неохотно промолвила я. — Обычно удавалось отделаться парой швов и легким испугом. Наверное, все дело действительно в магнетизме: чем ближе я к Северному полюсу, тем страшнее и опаснее жизнь.

Эдвард негромко захихикал.

— Тебе лучше жить на экваторе.

Я вздохнула.

Въезжая в предместья Форкса, Эдвард сбавил скорость. Дорога заняла не более тридцати минут.

— Увидимся завтра? — поинтересовалась я.

— Конечно, мне ведь нужно сдавать сочинение, — улыбнулся он. — Встретимся за ленчем.

Глупо, но после всего, что случилось сегодня, от обещания Эдварда у меня перехватило дыхание.

Я не заметила, как мы оказались возле дома Чарли. В окнах горел свет, пикап стоял на месте; я словно очнулась от волшебного сна и вернулась к реальности. «Вольво» остановился, но выходить я не спешила.

— Обещаешь прийти завтра в школу?

— Обещаю!

Нерешительно кивнув, я в последний раз вдохнула упоительный запах кожи и сняла пиджак.

— Оставь его себе. Твоя куртка ведь у Джессики, — напомнил Эдвард.

— А что сказать Чарли?

— Да уж, рисковать не стоит...

Я нерешительно коснулась дверцы. Выходить совсем не хотелось.

— Белла? — позвал Эдвард.

— Что? — Обернувшись, я увидела, что его лицо вдруг стало очень серьезным.

— Можешь мне кое-что пообещать?

— Конечно! — выпалила я и тут же об этом пожалела. А если он попросит меня остаться? Я не смогу...

— Никогда не ходи в лес одна.

Я раскрыла рот от удивления.

— Почему?

— Невинная прогулка может быть еще опаснее, чем дружба со мной. Просто поверь на слово.

Голос звучал так зловеще, что я задрожала. Что же, это обещание я сдержать смогу.

— Как скажешь, — улыбнулась я.

Похоже, моя покорность не слишком его обрадовала.

— До завтра, — вздохнул он, и я поняла, что мне пора уходить.

— До завтра, — повторила я и неохотно открыла дверцу.

— Белла? — Эдвард потянулся ко мне, и прекрасное лицо оказалось в нескольких сантиметрах от моего. Мне казалось, что сердце сейчас вырвется из груди. — Спокойной ночи!

Я почувствовала дивный аромат его кожи. Так вот чем пахла куртка! Голова закружилась. Не в силах сдвинуться с места, я пыталась привести в порядок мысли. Наконец я все-таки вышла из машины, но тут же потеряла равновесие и чуть не упала. Эдвард негромко рассмеялся. Обиженно хлопнув дверцей, я, пошатываясь, пошла к дому.

Эдвард подождал, пока я дойду до двери, и только потом завел мотор. Серебристая машина исчезла за поворотом, а я завороженно смотрела вслед, почти не чувствуя холода.

Словно во сне я нащупала ключи и открыла дверь.

— Белла? — тут же позвал из гостиной Чарли.

— Да, папа. — Кажется, он смотрит бейсбольный матч.

— Что-то ты рано!

— Разве?

— Еще и восьми нет. Как съездили?

— Отлично! — Я почти забыла, что именно планировалось на этот вечер. — Девочки выбрали платья.

— Ты в порядке?

— Да, просто немного устала. Мы столько магазинов обошли...

— Думаю, тебе стоит пораньше лечь спать! — озабоченно посоветовал Чарли. Неужели я так плохо выгляжу?

— Сначала позвоню Джессике.

— Разве не она тебя привезла?

— Да, но я забыла куртку в ее машине. Хочу попросить, чтобы Джесс завтра ее захватила.

— Дай ей хоть до дома доехать!

— Конечно!

Ретировавшись на кухню, я плюхнулась на стул. Боль тысячей иголок терзала голову. Наверное, это последствия стресса. Зря я так храбрилась при Эдварде... «Соберись!» — приказала я себе.

Зазвонил телефон, страшно меня испугав. Я схватила трубку.

— Алло! — пролепетала я.

— Белла?

— Привет, Джесс! Как раз собиралась тебе звонить.

— Ты уже дома? — Она беспокоилась за меня, но удивилась, что я вернулась так рано.

— Да. Я забыла куртку в твоей машине. Захвати ее завтра, ладно?

— Конечно! А теперь расскажи мне, что случилось! — потребовала она.

— Давай лучше завтра на тригонометрии, хорошо?

— Нас слышит твой папа? — догадалась подруга.

— Угу.

— Ладно, поговорим завтра, пока!

Судя по ее тону, завтра мне предстоит инквизиторский допрос.

— Пока, Джесс!

С трудом передвигая ноги, я поднялась наверх и кое-как расстелила постель. Только встав под теплый душ, я поняла, как сильно замерзла. Несколько минут меня колотил озноб, и лишь когда вода стала горячей, как кипяток, онемевшее тело начало оживать. Я так и стояла, не в силах пошевелиться, пока бойлер не опустел.

Выйдя из душа, я поплотнее закуталась в махровую простыню. Сушить волосы феном было лень, и, вернувшись в свою комнату, я быстро переоделась в теплую толстовку и тренировочные брюки. Соорудив на голове тюрбан из полотенца, я нырнула под одеяло и сжалась в комочек. Тепло волнами разливалось по телу, и я понемногу успокаивалась.

Сегодняшние события теснились в голове, не давая уснуть. Столько всего случилось! Образы кружили в бешеном калейдоскопе, но, проваливаясь в забытье, я успела подвести итог уходящему дню.

Три вещи прояснились окончательно.

Во-первых, Эдвард — вампир. Во-вторых, он хочет попробовать мою кровь, хотя и борется с этим желанием.

А в-третьих, я окончательно и бесповоротно в него влюбилась.

Глава десятая

ВОПРОСЫ

На следующее утро мне было непросто себя убедить, что события вчерашнего вечера не приснились.

За окном темно и туманно, лучше не придумаешь! Раз уж надо идти в школу, стоит одеться потеплее. Куртки-то нет, значит, это был не сон!

Я так и заснула с полотенцем на голове, и волосы не высохли. Пришлось собирать их в пучок. Когда я сошла вниз, Чарли уже не было. Наверное, опаздываю. Проглотив батончик мюсли, я запила его молоком прямо из пакета. Схватив сумочку, переложила кошелек в рюкзак, проверила, не забыла ли сочинение. Теперь быстрее в школу! Надеюсь, Джессика не забудет мою куртку.

Туман превратился в густой смог. Сильно похолодало, ледяная мгла обжигала лицо и руки. Забравшись в пикап, я тут же включила печку. Видимость была настолько плохой, что серебристую машину я увидела, лишь выйдя на подъездную дорожку. Сердце бешено заколотилось, в глазах потемнело.

Когда подъехал Каллен, я не заметила, но вот он здесь и гостеприимно открывает дверцу.

— Хочешь, поедем вместе? — предложил Эдвард, явно наслаждаясь моим испуганным видом. Впрочем, за его усмешкой скрывалась неуверенность: он ведь предоставил мне свободу выбора, я могу отказаться. Возможно, на это он и надеялся. Напрасно!

— С удовольствием, — спокойно ответила я и, сев в машину, увидела на подголовнике бежевый пиджак.

— Решил захватить пиджак, не хочу, чтобы ты заболела, — осторожно сказал Эдвард. Сегодня он надел серебристый пуловер с треугольным вырезом. Эластичная ткань красиво облегала тело. Жаль, что, восхищаясь лицом, я обделяла вниманием тело.

— Не такая уж я слабенькая, — возразила я, надевая пиджак. Интересно, запах такой же, как вчера? Нет, даже лучше!

С головокружительной скоростью мы неслись по утреннему городу. Мне было немного не по себе. Прошлой ночью между нами исчезли все преграды, но как вести себя сегодня, я не знала и ждала, пока заговорит он.

— Что, сегодня вопросов не будет? — пошутил Эдвард.

— Они тебя раздражают?

— Скорее не вопросы, а твоя реакция.

— Я плохо реагирую?

— Наоборот, хорошо, в том-то и проблема. Ты ничего не боишься, это ненормально! Приходится гадать, что ты думаешь на самом деле.

— Я всегда говорю то, что думаю.

— Ты все извращаешь! — обвинил он.

— Не так уж и много, — пробормотала я.

— Достаточно, чтобы свести меня с ума, — весело сказал Эдвард.

— Тебе просто не нравится моя трактовка, — обиженно прошептала я и тут же об этом пожалела.

Эдвард молчал, и мне показалось, что я испортила ему настроение. Каждый думая о своем, мы подъехали к школе. Внезапно меня осенило.

— А где твоя семья?

— Они взяли машину Розали, — спокойно ответил Эдвард, показывая на новенький красный кабриолет с откидным верхом. — Шикарный, правда?

— Вау! — шумно выдохнула я. — Если у нее такая машина, зачем она ездит с тобой?

— Ну, роскошь не всегда благо. Стараемся не выделяться!

— Без особого успеха, — засмеялась я, выбираясь из машины. Благодаря сумасшедшей скорости, мы выиграли время. — Так зачем Розали решила выделиться сегодня?

— А сама не догадываешься? Я же нарушаю все правила! — Каллен подождал меня, чтобы вместе пойти к школе.

Наши тела так близко... вот бы коснуться его рукой! Не уверена, что ему понравится!

— Тогда зачем вам эти машины? — поинтересовалась я. — Если хотите быть как все?

— Маленькие слабости, — улыбнулся Каллен. — Любим быструю езду.

— Снобы, — чуть слышно пробормотала я.

Под навесом столовой ждала Джессика с круглыми от удивления глазами, в руке она держала мою куртку.

— Привет, — подойдя, сказала я. — Спасибо, что не забыла!

Подруга молча отдала мне куртку.

— С добрым утром, Джессика, — вежливо поздоровался Эдвард. Ну разве он виноват, что у него такой соблазнительный голос?!

— Э-э, привет! — растерянно промямлила она. — Увидимся на тригонометрии, Белла.

Я тяжело вздохнула: как можно быть такой назойливой?

— До встречи, — сказала Джессика и ушла — было очевидно, что ей этого не хотелось.

— Что ты ей скажешь? — тихо спросил Эдвард.

— Эй, ты же не можешь читать мои мысли! — зашипела я.

— Верно, — отозвался он, и его глаза заблестели. — Зато с Джессикой никаких проблем. Она собирается подкараулить тебя в классе и допросить с пристрастием.

Застонав, я в последний раз вдохнула чарующий аромат бежевой кожи и надела свою куртку. Аккуратно сложив пиджак, Эдвард повесил его на руку.

— Так что ты ей скажешь?

— Есть идеи? Что она хочет узнать?

Несколько минут он задумчиво молчал. Первым уроком у меня был английский, и мы шли ко второму корпусу.

— Ее интересует, не встречаемся ли мы и как ты ко мне относишься, — наконец признался Эдвард.

— Да уж! И что мне ответить? — нарочито равнодушно спросила я. Мимо шли студенты, некоторые с удивлением смотрели на нас, но меня это не волновало.

— Хмм, — задумчиво протянул Эдвард и, поймав выбившуюся из пучка прядь моих волос, заправил ее за ухо. Сердце остановилось; наверное, я сейчас умру. — Думаю, на первый вопрос лучше ответить «да», если ты, конечно, не возражаешь. Зачем что-то выдумывать.

— Не возражаю.

— А что касается второго... Я сам выслушаю твой ответ с огромным интересом. — Он улыбнулся — как же я любила его улыбку. Разволновавшись, я даже не успела ответить.

— Увидимся за ленчем, — бросил Эдвард и ушел на философию.

Покрасневшая и разъяренная, я пулей влетела в класс. Обманщик, он просто играет со мной в кошки-мышки! Что же сказать Джессике?.. Выпуская пары́, я швырнула тяжелый рюкзак на парту.

— Привет, Белла, — поздоровался сидевший за соседним столом Майк. — Как Порт-Анжелес?

— Замечательно! — без запинки ответила я. — Джессика купила чудесное платье.

— Она что-нибудь говорила про понедельник? — робко поинтересовался Майк, и я улыбнулась, радуясь, что разговор принял такой оборот.

— Кажется, Джессика очень довольна.

— Правда? — обрадовался он.

— Конечно, правда!

Тут в класс вошел мистер Мейсон и стал собирать сочинения.

Английский и политология прошли без приключений. Меня волновало предстоящее объяснение с Джессикой, а еще больше то, что читающий ее мысли Каллен узнает все до последнего слова. От этой его способности одни неприятности, — естественно, когда он не спасает мне жизнь.

К концу второго урока туман рассеялся, хотя тучи висели по-прежнему низко. Глядя на небо, я задумчиво улыбнулась.

Эдвард оказался прав. Не успев зайти на тригонометрию, я увидела Джессику. Она так и подпрыгивала на стуле. Решив не откладывать разговор в долгий ящик, я села рядом.

— Расскажи мне все! — тут же потребовала она.

— Что именно?

— А что случилось вчера вечером?

— Каллен угостил меня ужином и отвез домой.

Мой ответ Джессике не понравился — она ждала подробностей.

— Как же вы так быстро доехали? — недоверчиво спросила подруга.

— Он водит как ненормальный! Я чуть со страха не умерла. — Надеюсь, она уже слышала, как водят Каллены.

— Вы заранее договорились встретиться в том ресторане?

Ничего себе вопрос!

— Нет, я вообще не знала, что Каллен в Порт-Анжелесе! — честно ответила я.

— А сегодня он отвез тебя в школу? — допытывалась Джессика.

— Да, и все опять произошло случайно. Просто вчера он обратил внимание, что я забыла куртку.

— Еще встречаться собираетесь?

— Эдвард предложил отвезти меня в Сиэтл, потому что боится, что мой пикап не выдержит дороги. Это считается?

— Конечно! — с жаром кивнула подруга.

— Значит, собираемся.

— Ничего себе! — восторженно воскликнула она. — Ты и Эдвард Каллен!

— Да, — спокойно согласилась я.

— Подожди! — замахала руками Джессика. — Вы уже целовались?

— Нет, — пробормотала я. — Ничего подобного!

На лице Джессики отразилось разочарование. На моем — тоже.

— Думаешь, в субботу он?.. — многозначительно подняла бровь подруга.

— Очень сомневаюсь. — Я и не пыталась скрыть досаду.

— О чем вы говорили? — продолжала расспрашивать Джесс. Начался урок, и мы перешли на шепот. Однако мистер Варнер за дисциплиной особо не следил, и болтали почти все.

— Не знаю, Джесс, о многом, — зашептала я. — О сочинении по «Макбету», например. — Эдвард ведь действительно говорил что-то про сочинение!

— Белла, пожалуйста, — взмолилась Джессика, — расскажи поподробнее!

— Знаешь, как с ним флиртовала официантка в том ресторане? Из кожи вон лезла! А Каллену хоть бы что! — Надеюсь, он меня слушает. Пусть порадуется!

— Ну, это хороший признак, — заметила Джессика. — Девушка была симпатичная?

— Очень! На вид лет девятнадцать — двадцать.

— Тогда вообще отлично! Значит, ты ему нравишься!

— Не знаю, трудно сказать... Он всегда такой таинственный! — проговорила я, картинно вздыхая.

— Как ты только не боишься оставаться с ним наедине!

— Почему я должна бояться?

— Он чересчур обаятельный! Лично я рядом с ним чувствую себя дурой. — Джессика скорчила гримасу, очевидно, вспоминая сегодняшнее утро или вчерашний вечер, когда она стала жертвой золотистых глаз и бархатного голоса.

— Ну, со мной такое тоже бывает, — призналась я.

— И как ты к нему относишься? Он тебе нравится? — Вот мы и подошли к самому интересному!

— Да, — только и ответила я.

— То есть Каллен тебе действительно нравится? — не успокаивалась подруга.

— Да, — густо краснея, повторила я.

Однако от нее так легко не отделаешься!

— Очень нравится?

— Очень, — прошептала я. — Намного больше, чем я ему. Но тут уж ничего не поделаешь! — Мои щеки снова залила краска.

К счастью, тут вмешался мистер Варнер, задав Джессике какой-то вопрос. Учитель все же заметил нашу болтовню. Хорошо, что он меня не вызвал! Джесс была готова и ответила правильно, а вот я, заглянув в тетрадку, тут же нашла пару ошибок.

На тригонометрии нам больше не удалось поговорить, а когда прозвенел звонок, я совершила обманный маневр.

— Имей в виду, на английском Майк спрашивал, понравился ли тебе ужин, — сообщила я.

— Правда? И что ты ему сказала? — не замедлила проглотить наживку Джесс.

— Что тебе очень понравилось. Знаешь, как он обрадовался!

— Как именно он спросил и что ты ответила?

Остаток перемены и бо́льшая часть испанского прошли за структурным разбором фраз Майка и детальным анализом выражения его лица. При других обстоятельствах я бы ни за что не выдала Ньютона, поэтому чувствовала себя немного виноватой.

Наконец настал обеденный перерыв. Вскочив с места, я как попало покидала учебники в рюкзак. Судя по всему, мое приподнятое настроение не укрылось от Джессики.

— Ты ведь не сядешь за наш столик? — догадалась она.

— Не знаю, — неуверенно ответила я, боясь, что Каллен куда-нибудь исчезнет.

Но он ждал прямо за кабинетом испанского и был как никогда похож на греческую статую. Воздев глаза к небу и многозначительно взглянув на меня, Джессика унеслась прочь.

— Пока, Белла! — Ее тон не предвещал ничего хорошего. Пожалуй, мне сегодня стоит отключить телефон.

— Привет, — невесело проговорил Каллен. Наш разговор он слышал, можно не сомневаться!

— Привет!

О чем говорить, я не знала, и Эдвард тоже молчал, очевидно, ожидая благоприятного момента. Так мы и пришли в столовую. Вспомнился первый день — я снова завладела всеобщим вниманием!

Каллен встал в очередь, так и не сказав мне ни слова, хотя то и дело бросал на меня задумчивые взгляды. Теперь его лицо выглядело раздраженным, и я стала нервно теребить молнию куртки.

— Что ты делаешь? — закричала я, увидев, что он набрал целый поднос еды. — Это все мне?

Покачав головой, Каллен молча подошел к кассе.

— Половина мне.

Я скептически поджала губы, а Эдвард пошел к столику, за которым мы уже однажды сидели. Я то и дело ловила заинтересованные взгляды одноклассников, а вот Каллен делал вид, что ничего не замечает.

— Можешь выбрать то, что тебе нравится, — милостиво разрешил он, пододвигая ко мне поднос.

— Интересно, — я взяла большое яблоко, — что случится, если заставить вас есть обычную пищу?

— Ну, тебе всегда все интересно! — подначил Эдвард, качая головой. Бросив на меня злой взгляд, он взял кусок пиццы и с аппетитом съел. Я сидела с круглыми глазами. — Интересно, что случится, если заставить тебя есть землю?

— Я пробовала... один раз, на спор, — невольно рассмеявшись, призналась я. — Не так уж и противно.

— Знаешь, меня это нисколько не удивляет, — улыбнулся Эдвард и посмотрел через мое плечо. — За нами следит Джессика, вечером жди нового допроса. — Упомянув мою подругу, он снова помрачнел.

Отложив яблоко, я попробовала пиццу. Предстоящий разговор вряд ли будет приятным.

— Значит, официантка была хорошенькой? — небрежно спросил Эдвард.

— А то ты не заметил?

— Я не обращал внимания, у меня были заботы поважнее.

— Бедная девушка! — В такой ситуации я могла позволить себе великодушие.

— Кое-что из того, что ты сказала Джессике, мне не нравится! — прохрипел Эдвард, беспокойно глядя на меня из-под полуопущенных ресниц.

— Неудивительно! Знаешь, что говорят про тех, кто подслушивает? — мрачно спросила я.

— Я же предупреждал, что буду слушать!

— А я предупреждала, что не хочу, чтобы ты читал мои мысли!

— Верно, — нехотя признал он. — Но как же узнать, что ты действительно думаешь? Просто некоторые вещи мне не нравятся!

— Да что ты! — съязвила я.

— Сейчас это уже неважно!

— А что важно? — поинтересовалась я. Вот бы пододвинуться к нему поближе! Но я постоянно себя одергивала, вспоминая, что нахожусь в переполненной столовой, где за мной следят десятки любопытных глаз. Как жаль, что нельзя забыть об условностях!

— Почему тебе кажется, что ты мне нравишься меньше, чем я тебе? — прошептал Эдвард, пронзая меня золотистым взглядом.

Попав в плен волшебных глаз, я забыла, как дышать. Лишь огромным усилием воли я отвела взгляд в сторону.

— Ты опять!..

— Что такое? — удивился Эдвард.

— Ослепляешь меня! — выдавила я.

— Прости!

— Ладно, — вздохнула я. — Ты ведь не нарочно!

— Так ты ответишь на мой вопрос?

— Да, — прошептала я.

— «Да» — ответишь, или «Да» — ты действительно так думаешь?

— Да, я действительно так думаю. — Я изучала пластиковую поверхность стола. Мы замолчали, заговаривать первой не хотелось, а не смотреть на него стоило огромных трудов.

— Это не так, — мягко сказал он, и, подняв глаза, я с удивлением заметила, что выражение его лица смягчилось.

— Откуда ты знаешь? — прошептала я, чувствуя, что сердце вот-вот вырвется из груди. Как же мне хотелось ему верить!

— Почему ты мне не веришь? — Желтые тигриные глаза заглядывали в душу, словно пытаясь прочитать ответ прямо там.

Ну почему мне так трудно собраться с мыслями? Как мучительно трудно подобрать нужные слова! Я видела, что его сильно раздражает мое молчание.

— Дай мне подумать! — твердо сказала я.

Эдвард понял, что я собираюсь ответить, и его лицо просветлело. Я задумчиво сложила ладони веером и, прежде чем заговорить, долго сгибала и разгибала пальцы.

— За исключением очевидного... Знаешь, иногда... — я запнулась, — точно сказать не могу, ведь я не умею читать чужие мысли... Так вот, иногда мне кажется, что ты пытаешься от меня избавиться. — Вот в такую словесную форму я смогла облечь боль, которую он мне иногда причинял.

— Очень проницательно! — прошептал Эдвард. Значит, я не ошиблась. Все правильно! Боже, ну почему мне так больно! — Но именно в этом ты заблуждаешься! — Тигриные глаза сузились. — А что же ты считаешь очевидным?

— Посмотри на меня! — потребовала я, будто он и так на меня не смотрел. — Во мне нет ничего примечательного... кроме феноменальной неловкости и поразительной способности попадать в переделки. И посмотри на себя! — Ни за что не поверю, что он не понимает, как хорош собой!

На секунду Эдвард нахмурился, потом кивнул.

— Знаешь, у тебя неверное представление о самой себе! Зациклилась на собственных недостатках. Неужели не помнишь, какой фурор ты произвела в самый первый день? — мрачно усмехнулся он.

— Не может быть... — в полной растерянности пробормотала я.

— А уж заурядной тебя точно не назовешь, можешь мне поверить!

Как ни странно, смущение оказалось гораздо сильнее радости, которую доставили его слова.

— Зато я не пытаюсь от тебя избавиться!

— Неужели не понимаешь, что это только под-тверждает твою исключительность?! — Эдвард по-качал головой, будто в чем-то себя убеждая. — Ради твоей безопасности я готов на все!

Выражение его лица в очередной раз изменилось, и я увидела лукавую улыбку.

— К сожалению, сохранение и поддержание твоей безопасности требуют моего постоянного при-сутствия, — ухмыльнулся он.

— Сегодня еще никто не пытался меня убить, — напомнила я, благодарная за то, что разговор при-нял такой оборот. О расставании больше говорить не хотелось. Если нечто подобное случится, придет-ся придумать какую-то опасность, чтобы удержать его возле себя. Нет, об этом еще рано беспокоиться, тем более что Эдвард так пристально на меня смот-рит! Хорошо, хоть не знает, что я задумала!

— Пока что, — сухо заметил он.

— Пока что, — согласилась я. Зачем спорить, пусть считает, что опасности поджидают меня на каждом шагу.

— У меня еще один вопрос. — Теперь его лицо было непроницаемо-спокойным.

— Выкладывай!

— Тебе действительно нужно в Сиэтл, или это просто отговорка для поклонников?

Я скорчила рожицу.

— Знаешь, я ведь еще не простила тебе Тайле-ра! — вспомнила я. — Это по твоей вине он решил, что может пригласить меня на выпускной.

Кстати, мне еще нужно разобраться с Кроули!

— Ну, Тайлер и без меня нашел бы способ тебя пригласить! Просто очень хотелось увидеть его лицо... — негромко захихикал Каллен. Если бы смех не звучал так заразительно, я бы точно разозлилась! — А мне бы ты тоже отказала?

— Наверное, нет! — честно призналась я. — Хотя до танцев все равно не дошло бы — пришлось бы симулировать какую-нибудь болезнь или потянуть лодыжку!

— Зачем? — искренне удивился Эдвард.

— Если бы ты хоть раз увидел меня в спортзале, то наверняка бы понял, — грустно вздохнула я.

— Хочешь сказать, что не можешь пройти и трех шагов, чтобы не споткнуться и не упасть?

— Именно.

— Ну, это не проблема, — уверенно заявил Эдвард. — В танцах главное — хороший партнер! — Я собиралась возразить, но он и рта не дал мне раскрыть. — Ты так и не ответила: тебе действительно нужно в Сиэтл, или мы можем заняться чем-нибудь другим?

Если он говорит «мы», то я готова на что угодно!

— Принимаются любые предложения. Только...

— Что такое? — насторожился он, словно ожидая каверзного вопроса.

— Только давай поедем на моем пикапе?

— Это еще зачем?

— Когда я сообщила Чарли, что собираюсь в Сиэтл, он поинтересовался, с кем я еду. В то время попутчика у меня не было, и я так ему и сказала. Если бы он спросил снова, я бы не стала ничего сочинять. Но он не спросит, а если пикап останется у дома, возникнут ненужные вопросы. Это — главная причина, а еще потому, что ты водишь слишком быстро.

Эдвард закатил глаза.

— Единственное, что тебя во мне пугает — это скорость, с которой я езжу! — Он раздраженно покачал головой.

— Итак, поедем на моем пикапе?

— Сколько раз ты попадала в аварию?

— По своей вине? — уточнила я.

— Вот тебе и ответ!

— Главная причина — Чарли, — напомнила я.

— Почему бы тебе не сказать отцу, что собираешься провести день со мной? — В вопросе таился скрытый подтекст, и золотистые глаза смотрели серьезно.

— Скорее всего, Чарли к таким признаниям не готов. Так куда мы поедем?

— По-моему, в выходные будет ясно, значит, мне придется прятаться. Если хочешь, присоединяйся. — Он снова предоставлял мне выбор.

— Я увижу, что с тобой происходит на солнце? — спросила я, радуясь, что смогу узнать о нем что-то новое.

— Да. Но если ты не захочешь... оставаться со мной наедине, то, пожалуйста, не езди в Сиэтл! Боюсь даже представить, какие неприятности могут тебя поджидать в таком большом городе!

— В Финиксе только население в три раза больше, чем в Сиэтле, а уж сам город... — обиженно начала я.

— Судя по всему, — перебил меня Эдвард, — в Финиксе над тобой еще не властвовал рок, или зловещий магнетизм Северного полюса. Как бы то ни было, тебе лучше остаться со мной!

Тигриные глаза снова лишали меня воли.

В таком состоянии спорить я не могла, да и зачем?

— Я не боюсь оставаться с тобой наедине! — заявила я.

— Знаю, — вздохнул Эдвард, — но тебе следует поговорить с Чарли.

— С какой стати?

— Чтобы у меня был стимул привезти тебя обратно! — На меня смотрели страшные глаза зверя.

Я судорожно сглотнула, однако через минуту решилась.

— Пожалуй, я рискну.

Покачав головой, Эдвард отвернулся.

— Давай поговорим о чем-нибудь другом! — предложила я.

— О чем? — спросил он, судя по тону сильно раздосадованный.

Оглядевшись по сторонам, я убедилась, что нас никто не подслушивает. Внезапно я встретилась глазами с Элис Каллен. Эмметт Каллен и Хейлы смотрели на Эдварда. Я быстро отвела взгляд и задала первый пришедший в голову вопрос:

— Зачем в прошлые выходные вы ездили в скалы? Охотиться? Чарли говорил, что это место не для походов. Слишком много медведей.

Эдвард посмотрел на меня так, будто я сморозила глупость.

— Но ведь сезон охоты еще не открыт! — упрямо продолжала я, боясь спросить лишнее.

— Если читать правила внимательно, то станет ясно, что запрещен только отстрел, — равнодушно сообщил Эдвард.

— Медведи, — с благоговейным страхом проговорила я.

— Гризли больше всего любит Эмметт. — В его голосе еще сквозило раздражение, тем не менее он внимательно следил за моей реакцией. Я постаралась взять себя в руки.

— Хмм. — Я опустила глаза, якобы собираясь взять кусок пиццы. Жевала я гораздо дольше, чем требовалось, а потом целую вечность пила колу.

— А кого предпочитаешь ты? — немного успокоившись, спросила я.

— Пум, — коротко ответил он.

— Ясно, — как ни в чем не бывало отозвалась я.

— Конечно, приходится быть осторожными, чтобы у егерей не появились подозрения, — проговорил он таким тоном, будто делал доклад по зоологии или защите окружающей среды. — Мы охотимся в местах массового обитания хищников. Иногда приходится уезжать за сотни миль! Здесь поблизости много лосей и оленей, но какое от них удовольствие? — улыбнулся он.

— В самом деле, какое? — Пришлось взять еще пиццы.

— Любимый сезон Эмметта — как раз ранняя весна. Гризли только отходят от спячки и гораздо злее, чем летом, — усмехнулся Эдвард, словно вспоминая старую шутку.

— Естественно, что может быть лучше разъяренного гризли? — кивнула я.

Он затрясся от смеха.

— Скажи честно, что ты об этом думаешь?

— Пытаюсь представить, как все происходит, но не могу, — призналась я. — Как одолеть медведя без оружия?

— Ну, оружие у нас есть, — Эдвард улыбнулся, обнажая крепкие белоснежные зубы. Я едва справилась со страхом, ледяные клешни которого тянулись к сердцу. — Такое не запрещено охотничьим уставом. Если ты когда-нибудь видела по телевизору, как охотятся медведи, то легко сможешь представить себе решающий бросок Эмметта.

По спине ползли мурашки. Я украдкой взглянула на Эмметта. Слава богу, что он на меня не смотрит. Теперь мне казалось, что от его мускулистых рук и массивного торса исходит опасность.

Эдвард усмехнулся, поняв, за кем я наблюдаю.

— Ты тоже похож на медведя? — с наигранным спокойствием спросила я.

— Скорее на пуму, по крайней мере, так говорят. Наверное, наши предпочтения не случайны.

— Наверное, — выдавила улыбку я. Воображение услужливо рисовало самые чудовищные картины. — Это и предстоит мне увидеть?

— Нет, конечно! — Лицо Эдварда побелело, глаза налились злобой.

Испуганная собственным вопросом, я откинулась на спинку стула. Естественно, я не собиралась наблюдать за процессом охоты, но то, как он воспринял мои слова, меня испугало. Он отстранился, сложив руки на груди.

— Зрелище не для слабонервных? — спросила я, когда ко мне вернулся дар речи.

— Если бы я хотел тебя напугать, то взял бы с собой сегодня. Немного устрашения тебе не помешает!

— Тогда зачем злиться! — не отступала я, не обращая внимания на перекосившееся лицо.

Страшные глаза буравили меня целую минуту.

— Поговорим потом. — Он грациозно поднялся. — Мы опаздываем.

Оглядевшись по сторонам, я с удивлением заметила, что столовая опустела. Когда я с Эдвардом, я начисто теряю счет времени. Я тут же вскочила на ноги.

— Потом так потом. — Пусть не надеется, что я забуду!

Глава одиннадцатая

ОСЛОЖНЕНИЯ

Естественно, когда мы вместе появились в классе, все смотрели на нас разинув рты. От избытка внимания мне стало не по себе, я споткнулась и упала бы, если бы меня не поддержал Эдвард.

— Белла! — устало пробормотал он, и я заметила, что он больше не старается от меня отодвинуться, а наши локти почти соприкасаются.

Прозвенел звонок, и вошел мистер Баннер, толкая перед собой небольшой металлический столик на колесиках, а на нем — старенький телевизор и видеомагнитофон. Вот так пунктуальность! Весь класс ликовал — мы будем смотреть кино! Следующей темой в программе по биологии шла генетика, и в качестве прелюдии к теме «Генетические расстройства» мистер Баннер собирался поставить нам «Масло Лоренцо». Конечно, далеко не комедия, но все же лучше, чем лекция. Этот фильм я уже смотрела несколько лет назад, обливаясь горючими слезами.

Вставляя кассету в магнитофон, Баннер вкратце рассказал о фильме, а потом выключил свет.

Когда в комнате стало темно, я вдруг отчетливо осознала, что Эдвард сидит всего в нескольких сантиметрах от меня. По телу словно прошел электрический разряд, и мне страшно захотелось коснуться его прекрасного лица. Всего раз, а в темноте никто не увидит... Я судорожно скрестила руки на груди и сжала кулаки. Я просто схожу с ума.

На экране появились титры, и в классе стало чуть светлее. Мои глаза, словно обладая собственной волей, тут же перескочили на соседа, и я робко улыбнулась. Его поза полностью повторяла мою: скрещенные на груди руки, сжатые кулаки, искоса наблюдающие за мной глаза. Эдвард грустно улыбнулся, теплый тигриный взгляд прожег меня даже в темноте. Я поспешно отвернулась: еще немного, и мне будет нечем дышать.

Фильм тянулся бесконечно долго. За сюжетом я не следила, не обращала внимания ни на Ника Нолти, ни на Сьюзен Сарандон. Я безуспешно пыталась расслабиться, однако электрический заряд, исходивший от Эдварда, не ослабевал, приводя меня в трепет. Время от времени я поглядывала вбок и видела, что его тело напряжено, как перед прыжком. Мне страшно хотелось до него дотронуться, и в отчаянии я так сильно сжимала кулаки, что пальцы онемели.

Вздохнуть с облегчением я смогла, лишь когда мистер Баннер включил свет. Эдвард усмехнулся, увидев, как я массирую затекшие ладони.

— Отличный фильм, — мрачно пробормотал он.

— Угу, — промычала я.

— Тебе понравилось?

Я тяжело вздохнула — пора идти на физкультуру. Из-за парты я выбиралась осторожно, боясь снова потерять равновесие.

Эдвард проводил меня на физкультуру и у дверей спортзала остановился, чтобы попрощаться. Заглянув в его лицо, я испугалась, — оно было таким усталым и мучительно красивым, что желание прижать его к груди вспыхнуло с неодолимой силой. Слова прощания так и застряли в горле.

Вот он неуверенно поднял руку и — о, чудо! — провел по моей щеке кончиками пальцев. От его прикосновения меня бросило в жар.

Не сказав ни слова, Эдвард быстро удалился.

Я поплелась в раздевалку. К суровой реальности пришлось вернуться, когда мне дали бадминтонную ракетку. Она была легкой, но в моей руке ей явно не место. Парни и девушки оглядывали меня кто снисходительно, а кто с тайным злорадством. Мистер Клапп велел разбиться на команды.

К счастью, Майк по-прежнему считал меня своим другом и тут же пришел на помощь.

— Хочешь играть на моей стороне? — милостиво предложил он.

— Спасибо, Майк, но ты же знаешь, как я играю! — грустно улыбнулась я.

— Не беспокойся, я буду играть за двоих! — заверил он. Иногда Майк такой милый!

Увы! Я старалась не мешать Майку держать волан в игре, но тут подошел физрук и велел мне «проявлять побольше активности». Мало того, мистер

Клапп решил остаться, чтобы посмотреть, как я выполняю его указания.

Тяжело вздохнув, я прошла на место. Девушка, играющая на другой стороне, усмехнулась, — по-моему, именно ее я несколько раз сбивала на баскетболе. Подала она прямо на меня, причем коротко, так, чтобы волан упал у самой сетки. Я бросилась вперед, твердо решив его отбить, однако совершенно забыла о сетке. Ракетка отскочила от нее с огромной силой, вылетела из рук и, проехавшись по моему лбу, ударила по плечу Майка, который подбежал, чтобы меня спасти.

Мистер Клапп кашлянул, пытаясь подавить смешок.

— Бедный Ньютон, — пробормотал он и направился к другой площадке, чтобы мы смогли вернуть игру в прежнее безопасное русло.

— Ты как? — спросил Майк, массируя плечо.

— Ничего, а ты? — тихо спросила я.

— Все отлично! — Он покрутил рукой, чтобы проверить, нет ли болевых ощущений.

Остаток урока прошел без происшествий. Физрук несколько раз к нам подходил, но делал вид, что ничего не замечает. Майк играл отлично и умудрился выиграть. В пылу победы он даже пожал мне руку!

— Итак? — многозначительно начал он, когда мы шли с корта.

— Что итак?

— Белла плюс Эдвард? — с вызовом спросил Майк.

Настроение тут же испортилось.

— Не твое дело! — предупредила я, тихо проклиная нескромность Джессики.

— Мне это не нравится.

— Тебе и не должно нравиться! — раздраженно рявкнула я.

— Он смотрит на тебя так... будто хочет съесть.

Взрыв истерического хохота мне кое-как подавить удалось, но негромкий смешок все же сорвался с губ. Майк недовольно на меня посмотрел, а я решила прервать разговор — ни к чему хорошему это не приведет. Равнодушно махнув рукой, я скрылась в раздевалке.

Быстро переодевшись, я почувствовала, что у меня дрожат колени, и дело было вовсе не в ссоре с другом. Интересно, Эдвард придет за мной к спортзалу или мне ждать его на стоянке? Может, он вообще забыл, что я без машины, и мне придется идти пешком? Что ж, всего-то пара миль. А если на стоянке я столкнусь с его родственниками? Знают ли они, что я обо всем догадалась? Если знают, то как себя с ними вести?

Выходя из спортзала, я уже решила прогуляться до дома пешком. Однако мои опасения оказались напрасными: Эдвард ждал у самого входа. Я подошла к нему — все мои сомнения и тревоги куда-то улетучились.

— Привет, — глупо улыбаясь, выдохнула я.

— Привет, — просиял Эдвард. — Как физкультура? — невинно поинтересовался он.

— Отлично, — мрачнея, отозвалась я.

— Правда? — недоверчиво переспросил он, рассматривая что-то за моим плечом. Оглянувшись, я увидела спину Майка.

— Что такое? — спросила я. Его взгляд стал напряженным.

— Ньютон действует мне на нервы, — признался Эдвард.

— Ты опять подслушивал! — расстроенно воскликнула я. Хорошего настроения как не бывало.

— Лоб болит? — заботливо спросил он.

— Ты просто неисправим! — Я сделала шаг по направлению к стоянке, хотя и сомневалась, что он меня повезет.

Эдвард тут же со мной поравнялся.

— Ты ведь сама сказала, что я никогда не видел тебя в спортзале, вот мне и стало любопытно...

Я обиделась. К стоянке шли молча, буквально в двух шагах от нее я остановилась как вкопанная. Вокруг машины Эдварда собралась группа парней. Присмотревшись, я поняла, что они стоят не вокруг «вольво», а вокруг красного кабриолета, раскрыв рты в немом восторге. Никто из них не заметил, как Каллен, змейкой прошмыгнув мимо них, сел в машину. Последовав его примеру, я, также незамеченная, уселась на пассажирское сиденье.

— Шикарно! — чуть слышно пробормотал он.

— Что это за машина? — спросила я.

— Кабриолет, сто семьдесят лошадиных сил.

— Слушай, я же не механик! — возмутилась я.

— «БМВ», — закатил глаза Эдвард и стал осторожно выезжать, стараясь не задеть поклонников машины Розали. — Все еще злишься?

— А ты как думал!

— Если я извинюсь, ты меня простишь? — робко спросил он.

— Возможно... если ты будешь искренен и пообещаешь больше так не поступать, — заявила я, а золотистые глаза вдруг стали по-кошачьи хитрыми.

— Как насчет серьезного извинения и согласия на поездку в твоем пикапе в субботу? — внес встречное предложение Эдвард.

Тщательно все обдумав, я решила, что стоит согласиться.

— Договорились!

— Тогда очень извиняюсь, что тебя расстроил. — Медовые глаза целую минуту горели неподдельным раскаянием, а потом вновь стали озорными. — В субботу утром я буду у твоей двери.

— А как объяснить Чарли присутствие чужого «вольво» на нашей подъездной аллее?

— Кто сказал, что я приеду на машине?

— А как ты... — начала я, но он не дал мне договорить.

— Не беспокойся, машины не будет.

На этом и порешили, у меня были проблемы и поважнее.

— Может, вернемся к утреннему договору? — многозначительно спросила я.

— Очень может быть, — кивнул Эдвард.

Я старалась придать лицу вежливое выражение.

«Вольво» затормозил, и, удивленно подняв глаза, я увидела, что мы уже на подъездной аллее Чарли. Оказывается, если не глядеть в окно, все не так страшно.

— По-прежнему не понимаешь, почему нельзя смотреть, как я охочусь? — торжественно спросил Эдвард, а в его глазах плясали бесенята.

— Ну, меня больше удивило, как ты отреагировал на мой вопрос.

— Неужели испугалась?

— Конечно, нет, — без запинки солгала я.

— Прости, я не хотел тебя пугать, — продолжал он, улыбаясь, хотя глаза стали серьезными. — Просто представил, что ты увидишь нашу охоту... — Лицо Эдварда помрачнело.

— Это так страшно?

— Очень!

— Почему?

Глубоко вздохнув, он отвел взгляд.

— Когда мы охотимся, — медленно проговорил Эдвард, — то, забывая о разуме, отдаемся инстинктам, особенно обонянию. Если в таком состоянии я почувствую твой запах... — Он покачал головой.

Я старалась ничем не выдать себя. Но вот наши глаза встретились, и я почувствовала, что воздух снова наполняется электричеством, совсем как на биологии. Голова закружилась, стало трудно дышать, а Эдвард все смотрел на меня. Я судорожно вздохнула.

— Белла, тебе пора домой, — велел Эдвард, уставившись на тяжелые облака.

Я неохотно открыла дверцу, холодный ветер привел меня в чувство. Шла я очень медленно и осторожно, боясь поскользнуться и упасть. Твердо решив не оглядываться, я услышала шуршание опускающегося стекла и не удержалась.

— Белла! — позвал Эдвард совершенно спокойным голосом. Высунувшись из окна, он ослепительно улыбнулся.

— Что?

— Завтра моя очередь.

— Что ты имеешь в виду?

— Моя очередь задавать вопросы, — ухмыльнулся он, сверкнув белоснежными зубами.

Машина с ревом сорвалась с места и свернула за угол, прежде чем я собралась с мыслями. Улыбаясь, я вошла в дом. То, что завтра он собирается за мной заехать, совершенно очевидно.

Ночью мне снова приснился Эдвард. Теперь мои сны стали совсем другими, полными напряженного ожидания. Всю ночь я ворочалась с боку на бок и заснула лишь под утро.

Естественно, я не выспалась и встала раздраженной. Доставая из шкафа бежевую водолазку и джинсы, я с тоской вспоминала аризонские сарафаны и шорты. Завтрак прошел спокойно: Чарли поджарил яичницу, а я ограничилась кукурузными хлопьями с молоком. Интересно, папа не забыл про субботу?

Словно прочитав мои мысли, Чарли поднялся и поставил тарелку в раковину.

— Насчет субботы... — начал он, включая воду.

— Да, папа? — с опаской спросила я.

— По-прежнему собираешься в Сиэтл?

— Пока не передумала, — внутренне поморщилась я. Ну зачем он спросил и заставил меня врать?

Чарли выдавил на тарелку немного жидкого мыла и растер его щеткой.

— Ты точно не успеешь на танцы?

— Пап, я не танцую!

— Неужели никто не пригласил? — расстроенно спросил отец, тщательно споласкивая посуду.

— На весенние танцы девушки приглашают парней, — успокоила его я.

— Да? — Чарли нахмурился.

Мне стало его жаль. Наверное, трудно быть отцом и жить в постоянном страхе, что однажды твоя дочь встретит парня своей мечты. Или, наоборот, никогда никого не полюбит. Бедный Чарли, лучше ему не знать, кому принадлежит мое сердце.

Махнув рукой на прощание, Чарли ушел, а я пошла наверх чистить зубы и собирать учебники. Не

успела патрульная машина отъехать, как я бросилась к окну. Серебристый «вольво» уже стоял на
нашей подъездной дорожке! Я сбежала по лестнице, гадая, как долго продлятся наши отношения. Вот
бы они продолжались вечно!..

Эдвард ждал в машине и даже не поднял глаза,
когда я захлопнула входную дверь. Я подошла к машине и нерешительно помедлила, залюбовавшись
его белозубой улыбкой.

— Доброе утро! — поприветствовал он меня
вкрадчивым бархатным голосом. — Как дела? —
Золотистые глаза пристально изучали мое лицо, будто в вопросе был какой-то подтекст.

— Хорошо, спасибо! — Разве может быть иначе,
когда он рядом?

— Ты какая-то усталая, — тактично намекнул он
на темные круги под моими глазами.

— Плохо спала, — призналась я, закрываясь волосами.

— Я тоже, — поддразнил он, поворачивая ключ
зажигания. Я уже привыкла к негромкому урчанию
мощного мотора. Наверное, мне нелегко будет сесть
за руль своего пикапа.

— А чем ты занимался ночью? — полюбопытствовала я.

— Ну уж нет, — усмехнулся Эдвард. — Сегодня
моя очередь задавать вопросы.

— Ладно, что ты хочешь узнать?

— Какой твой любимый цвет? — серьезно спросил он.

— Каждый день по-разному.

— Например, сегодня?

— Наверное, коричневый! — глядя на свою водолазку, ответила я.

— Коричневый? — недоверчиво фыркнул он.

— Конечно, — оправдывалась я, — коричневый — теплый. Я так скучаю по коричневому! А здесь все, что должно быть коричневым: стволы деревьев, скалы, земля, покрыто мхом.

Мои слова чем-то задели Эдварда — он задумчиво смотрел на меня.

— Ты права: коричневый — теплый. — Нерешительно коснувшись моих волос, он заправил выбившуюся прядь за ухо.

Скоро мы уже были в школьном дворе. Выбрав на стоянке место поудобнее, Эдвард вновь повернулся ко мне.

— Какой диск ты сейчас слушаешь? — спросил он таким тоном, будто мне предстояло признаться в убийстве.

В последнее время я слушала только диск, который подарил Фил. Услышав название группы, Эдвард усмехнулся. Открыв небольшое отделение под магнитолой, он вытащил целую стопку дисков и передал мне.

— Неужели Дебюсси хуже, чем это? — Эдвард показал на диск со знакомой обложкой.

И так целый день! Встречая меня с английского, по дороге на испанский и даже во время ленча он выпытывал у меня мелкие подробности моей биографии. Какие фильмы я предпочитаю, какие не смотрю никогда, где бы хотела побывать, что читаю перед сном.

Не помню, чтобы мне когда-нибудь приходилось столько о себе рассказывать. Я очень смущалась, боялась, что ему неинтересно, но искреннее внимание и бесконечная череда вопросов заставляли меня продолжать. В основном, вопросы были простые, лишь некоторые вгоняли меня в краску. Зато когда я краснела, Эдвард тут же выдавал очередную партию вопросов.

Например, когда он спросил, какой мой любимый драгоценный камень, я тут же выпалила «топаз». Вопросы летели с бешеной скоростью; это напоминало психологический тест, где нужно отвечать то, что первым приходит в голову. Наверное, услышав ответ про топаз, Эдвард задал бы мне еще добрую сотню вопросов, но я густо покраснела. Зарделась я потому, что до недавнего времени я больше всего любила гранат. Однако разве я могла ответить иначе, глядя в медово-золотистые глаза? Естественно, заметив мое смущение, он стал выяснять, в чем дело.

— Сегодня твои глаза совсем как топазы, — вздохнула я, теребя свой локон. — Возможно, две недели назад я назвала бы оникс. — Я рассказала больше, чем хотела, и теперь испугалась, что Эдвард разозлится, как случалось всякий раз, когда я показывала, как сильно он мне нравится.

На этот раз Эдвард не разозлился.

— Какие цветы ты любишь?

Вздохнув с облегчением, я безропотно поддалась психоанализу.

На биологии было не легче. Эдвард продолжал расспросы, пока в классе не появился мистер Баннер, который опять привез тележку с телевизором и видеомагнитофоном. Очередной фильм о генетических расстройствах!.. Как только учитель подошел к выключателю, я отодвинулась от соседского стула. Не помогло — свет погас, и мое тело снова пронзил электрический разряд.

Чтобы хоть как-то бороться с желанием, я вцепилась в край стола так, что пальцы побелели. Я честно пыталась сосредоточиться на фильме, но к концу урока так и не разобралась, о чем он. Когда мистер Баннер включил свет, я искоса взглянула на Эдварда.

Вот он поднялся, вышел из-за парты, подождал, пока я соберусь. Как и вчера, к спортзалу мы шли молча. На прощание Эдвард погладил мою щеку, а затем ушел, не сказав ни слова.

Физкультура пролетела на удивление быстро — я вполглаза следила за игрой Майка. Сегодня Майк со мной не разговаривал: то ли видел, что мои мысли витают слишком далеко, то ли злился из-за вчерашней ссоры. Мне было жаль нашей дружбы, но сейчас меня занимали заботы поважнее.

Как только прозвенел звонок, я со всех ног бросилась в раздевалку. От волнения я становлюсь еще более неуклюжей, но, увидев Эдварда, я забыла обо всем и радостно улыбнулась. Золотисто-медовые глаза просияли мне в ответ.

Теперь он задавал совсем другие вопросы, гораздо сложнее и опаснее. Он хотел знать, чего мне больше всего не хватает в Форксе и почему. А затем вообще потребовал подробного описания последнего года жизни в Финиксе. Мы несколько часов просидели в машине перед домом Чарли, не обращая внимания на то, что небо потемнело и начался ливень.

Я, как могла, рассказала о густом смолистом запахе креозота, стрекоте цикад жарким июльским днем, кружевной листве деревьев и бесконечном небе, до которого далеко даже горным вершинам с багрово-черными жерлами потухших вулканов. Труднее всего было объяснить, почему мне дорог этот край, убедить, что красота может скрываться даже в опаленных солнцем долинах и диких, цвета топаза, скалах. Мою любовь к Аризоне трудно передать словами, и я поймала себя на том, что все чаще прибегаю к жестам.

Иногда Эдвард меня перебивал и задавал вопросы. Почему-то с ним я забыла о стеснительности и говорила взахлеб. Наконец, когда я подробно описала свою маленькую заваленную книгами комнату в Финиксе, Эдвард благодарно кивнул и очередного вопроса не задал.

— Ты закончил? — с облегчением спросила я.

— Вообще-то нет, просто твой отец скоро вернется домой.

— Чарли! — вскрикнула я, внезапно вспомнив о его существовании, и взглянула на потемневшее от дождя небо. — Сколько сейчас времени? — поинтересовалась я вслух и посмотрела на часы. Как быстро пролетело время! Чарли действительно скоро подъедет.

— Сумерки, — чуть слышно произнес Эдвард, глядя на затянутое облаками небо. Голос звучал задумчиво, будто его мысли блуждали где-то далеко. Я тайком за ним наблюдала, а он вдруг резко повернулся и заглянул мне в глаза.

— Самое лучшее время суток, — сказал Эдвард, будто прочитав в моих глазах вопрос, — и самое спокойное. Хотя и очень грустное, потому что означает конец дня и приближение ночи. Тебе не кажется, что в темноте маловато таинственности?

— Ночь прекрасна! — возразила я. — Разве днем увидишь звезды? Хотя здесь их вообще не видно...

Эдвард засмеялся, и мне стало так легко и хорошо.

— Чарли приедет через несколько минут. Так что, если ты не решила поделиться с ним планами на субботу...

— Ну, такого желания пока не возникло. — Я поспешно собрала книги, чувствуя, как затекла спина от долгого сидения в одной позе. — Значит, завтра моя очередь?

— Конечно, нет! — поддел меня Эдвард. — Я же предупредил, что еще не закончил!

— О чем же еще спрашивать? — удивилась я.

— Завтра узнаешь. — Он потянулся, чтобы открыть мне дверцу, и его рука почти коснулась моей груди, заставив сердце бешено биться.

Дверцу он так и не открыл.

— Этого еще не хватало! — пробормотал Эдвард.

— Что такое? — испугалась я.

— Очередное затруднение, — мрачно ответил он, отстранился от меня и буквально вжался в сиденье.

Пелену дождя прорезал свет фар, и какая-то темная машина остановилась в нескольких метрах от нас.

Я выскочила из «вольво». Капли дождя тут же забарабанили по куртке. Как я ни старалась, я не смогла рассмотреть, кто сидит в той, другой машине. Вот в свете ее фар четко проступил силуэт Эдварда — он даже не оглянулся на прощание.

Шины скрипнули по мокрому асфальту, и в мгновение ока «вольво» скрылся из вида.

— Привет, Белла! — донесся знакомый хриплый голос.

— Джейкоб? — прищурившись, спросила я. И тут из-за угла выехала патрульная машина, ярко осветив фарами наших гостей.

За рулем черного автомобиля действительно сидел Джейкоб, его ослепительная улыбка могла озарить даже вечернюю мглу. Рядом с ним — грузный мужчина постарше. Его лицо было слишком полным, щеки обвисшими, а подбородок дряблым. Зато глаза — черные, живые, страшные! Отец Джейкоба, Билли Блэк. Я сразу его узнала, хотя в последний раз видела пять лет назад, а в день приезда в Форкс даже не вспомнила по имени. Билли Блэк так и впился в меня взглядом, и в ответ я робко улыбнулась.

Еще одно затруднение, как выразился Эдвард.

«Затруднение» смотрело на меня с тревогой. Неужели Билли узнал Каллена? А если да, то верит ли он в легенды, над которыми смеялся его сын?

Судя по лицу Билли, ответ был очевиден. Верит.

Глава двенадцатая

НА ОСТРИЕ НОЖА

—Билли! — закричал Чарли, выходя из машины.

Повернувшись к дому, я поманила за собой Джейкоба и шмыгнула на крыльцо, слушая радостные приветствия отца.

— Придется сделать вид, что я не заметил тебя за рулем, Джейк! — неодобрительно проворчал Чарли.

— В резервации нам дают права в четырнадцать лет! — быстро проговорил Джейкоб, пока я включала на крыльце свет и открывала дверь.

— Ну, конечно! — рассмеялся Чарли.

— Мне ведь нужно как-то передвигаться.

Слушая звучный голос Билли, я снова ощутила себя маленькой девочкой.

Войдя в дом, я оставила дверь открытой и, прежде чем снять куртку, включила свет. Тем временем Чарли с Джейкобом пересадили Билли из машины в инвалидное кресло и быстро внесли в дом.

— Молодцы, что приехали! — радовался Чарли.

— Давно не виделись, — согласился Билли. — Надеюсь, у вас все в порядке! — Темные глаза снова скользнули по мне колючим взглядом.

— Не жалуемся! Вы останетесь смотреть бейсбол?

— Очень рассчитываем, — кивнул Джейкоб, — наш телевизор сломался на прошлой неделе.

Билли укоризненно взглянул на сына.

— Джейкоб рвался увидеть Беллу! — доверительно сообщил он.

Парень нахмурился и сник, а меня охватило раскаяние. Кажется, в тот день на пляже я перестаралась.

— Поужинаете с нами? — предложила я, надеясь сбежать на кухню.

— Нет, мы дома поели! — ответил Джейкоб.

— А ты, Чарли?

— Да, конечно! — рассеянно отозвался отец, устраиваясь у телевизора.

Я решила приготовить горячие бутерброды и резала помидоры, когда на кухню зашел Джейк.

— Как жизнь? — радостно спросил он.

— Отлично! — улыбнулась я. Парень так и излучал энергию! — А ты как? Собрал машину?

— Пока нет, — помрачнел Блэк. — Не могу найти запчасти. Эту черную мы одолжили у друзей, — он показал на стоящую на нашей подъездной аллее малолитражку.

— Знаешь, я так и не видела то, что ты меня просил, как его...

— Блок цилиндров! — усмехнулся Блэк. — С пикапом что-то не так?

— Да нет, все в порядке!

— Тогда странно, что ты на нем не ездишь!

— Это только сегодня, меня подвез одноклассник! — уклончиво ответила я.

— Здорово гоняет! — восхищенно воскликнул Джейк. — Что-то я его не узнал, хотя в Форксе знаком почти со всеми! А вот папа откуда-то его знает.

— Джейкоб, не мог бы ты подать мне тарелки? Они в шкафчике над раковиной.

— Конечно!

Блэк молча передал мне тарелки. Скорей бы уж выкладывал, что у него на уме!

— Так что это за парень? — не вытерпел Джейк.

— Эдвард Каллен, — с вызовом проговорила я.

Джейкоб рассмеялся, а поймав мой взгляд, смущенно потупился.

— Тогда ясно, — проговорил он. — А я-то думал, почему папа так странно себя ведет!

— Все правильно, — невинным голоском сказала я. — Он ведь не любит Калленов!

— Ох уж эти суеверия! — сквозь зубы пробормотал Джейк.

— Надеюсь, он не поделится ими с Чарли? — против воли вырвалось у меня.

Блэк с подозрением на меня посмотрел.

— Очень сомневаюсь, — наконец ответил он. — В прошлый раз, когда наши не поехали в больницу, Чарли так его отчитал, что с тех пор они почти не разговаривали. Сегодня своего рода примирение. Не думаю, что отец сунется к Чарли с чем-то подобным.

— Ясно, — с наигранным равнодушием сказала я.

Мне стало спокойнее, однако, подав бутерброды, я все же осталась в гостиной, притворясь, что слежу за бейсболом и слушаю болтовню Джейка. Гораздо интереснее мне был разговор отца с Билли; я внимательно прислушивалась, готовая при первой надобности броситься в бой.

Вечер выдался тяжелым, уроки я так и не сделала, но оставлять Билли и Чарли наедине не решалась. Наконец бейсбол закончился.

— Вы с друзьями больше не собираетесь на пляж? — поинтересовался Джейк, проталкивая коляску отца в дверной проем.

— Не знаю, — уклончиво ответила я.

— Спасибо за гостеприимство, Чарли! — сказал Билли.

— Приезжайте еще! — пригласил отец.

— Конечно, обязательно приедем. Спокойной ночи! — Взглянув на меня, Билли перестал улыбаться. — Будь осторожна, Белла, — очень серьезно добавил он.

— Обязательно, — пробормотала я, опуская глаза.

Блэки уехали, а я собралась подняться к себе, когда меня остановил Чарли.

— Белла, подожди!

Я съежилась от страха. Неужели Билли успел что-то рассказать, прежде чем я принесла бутерброды?

Но Чарли был в отличном настроении, неожиданные гости его очень обрадовали.

— Сегодня нам даже не удалось поговорить! Как прошел день?

— Неплохо, — ответила я и, поднявшись на первую ступеньку, лихорадочно соображала, что бы такое рассказать Чарли. — На биологии смотрели «Масло Лоренцо», а на физкультуре мы с партнером выиграли в бадминтон!

— Разве ты играешь в бадминтон? — удивился Чарли.

— Вообще-то нет, но мне повезло с партнером, — призналась я.

— А кто твой партнер?

— Майк Ньютон, — неохотно сказала я.

— Да, ты говорила, что дружишь с Ньютоном, — оживился Чарли, — отличная семья! Что же ты не пригласила его на танцы?

— Папа! — раздраженно простонала я. — Майк встречается с моей подругой Джессикой! И разве ты не знаешь, что я не умею танцевать?

— Да-да, — смутился Чарли, примирительно улыбнувшись. — Раз в субботу тебя не будет, мы с ребятами решили съездить на рыбалку. Обещают тепло... Но если ты останешься дома, я тоже никуда не поеду. Ты и так постоянно одна...

— Папа, ты же очень занят. Я все понимаю! — улыбнулась я и понадеялась, что он не заметит об-

легчения, мелькнувшего в моих глазах. — Тем более
мне нравится быть одной, в этом мы с тобой очень
похожи!

Чарли просиял.

Той ночью сны меня не тревожили.

Следующее утро было пасмурным, жемчужно-се-
рым, но проснулась я в чудесном настроении. Вчерашний вечер прошел вполне безобидно, и я решила поскорее его забыть. Весело насвистывая, я спустилась
на кухню, перепрыгивая через две ступеньки.

— Хорошее настроение? — улыбаясь, поинтересовался Чарли.

— Пятница, — пожала я плечами.

Собиралась я в спешке, чтобы уйти сразу же,
следом за Чарли. Вот рюкзак собран, туфли и зубы
вычищены, и я замерла у входной двери, чтобы выс-
кочить, как только отец завернет за угол. И все же
Эдвард меня опередил! Он ждал в машине, опустив стекла и заглушив мотор.

На этот раз я вела себя увереннее и быстро плюхнулась на переднее пассажирское сиденье. Он улыбнулся, и на секунду мое сердце перестало биться.
Наверное, даже на небесах не найдешь ангела красивее!

— Как спала? — поинтересовался Эдвард, и я еще
раз восхитилась мелодичностью его голоса.

— Отлично, а как ты провел ночь?

— Неплохо, — улыбнулся он, будто смеясь над
какой-то шуткой.

— Могу я спросить, чем ты занимался?

— Нет, — усмехнулся Эдвард. — Сегодня все еще
моя очередь!

На этот раз он расспрашивал о моих близких, в основном, о Рене, ее характере, хобби, наших отношениях. Потом о бабушке, друзьях и, к моему неудовольствию, о мальчиках, с которыми я встречалась. Как здорово, что у меня не было ни одного бойфренда, так что рассказывать было не о ком.

Эдвард мне не поверил, совсем как Джесс и Анжела.

— Значит, ты еще не встретила парня своей мечты?

— В Финиксе не встретила! — неохотно призналась я.

Губы Эдварда сжались в узкую полоску.

Этот разговор состоялся в столовой. Как быстро летит время, когда он рядом!

— Вопросов еще много? — спросила я, воспользовавшись паузой.

— Достаточно, — усмехнулся Эдвард, — но перерыв ты вполне заслужила!

— Интересно, что еще ты хочешь узнать? — удивилась я. — Ведь богатой событиями мою жизнь не назовешь!

— Только не для меня! — искренне проговорил он, и несколько секунд я грелась в тепле его золотистых глаз. Однако блаженство длилось недолго. — Кстати, сегодня тебе было лучше самой сесть за руль.

— Почему? — Такое известие меня ошеломило.

— После ленча мы с Элис уезжаем.

— Ясно, — разочарованно проговорила я. — Ничего страшного, я прогуляюсь, тут недалеко.

Эдвард нахмурился.

— Нет, пешком ты не пойдешь. Мы пригоним твой пикап и оставим на стоянке.

— Я не взяла с собой ключ... Ничего, я с удовольствием прогуляюсь!

Гораздо больше мне жаль времени, которое мы могли бы провести вместе.

Эдвард покачал головой.

— Пикап будет на стоянке, вместе с ключом, — если ты, конечно, не боишься, что кто-нибудь может его украсть!

— Ладно, — кивнула я обиженно. Насколько я помнила, ключи остались в кармане джинсов, которые я надевала в среду, а джинсы — под кучей грязного белья в стиральной машине. Даже если Эдвард проберется в дом, ключей ему не найти!

Кажется, он почувствовал вызов, скрывавшийся в моем согласии, и самодовольно усмехнулся.

— Куда вы уезжаете? — как можно равнодушнее спросила я.

— На охоту, — последовал ответ. — Если завтра я останусь с тобой наедине, следует принять повышенные меры безопасности. — Его лицо помрачнело. — Знаешь, ты ведь еще можешь передумать!

Боясь попасть в плен золотисто-медовых глаз, я изучала свои туфли. Ему не удастся меня запугать! Неважно, я не боюсь! — повторяла я про себя и решительно взглянула в его лицо, словно ища поддержки.

— Нет, я не передумаю.

Из золотисто-медовых глаза стали цвета темной охры.

— Ну что ж... — задумчиво проговорил Эдвард.

— Во сколько мы завтра встречаемся? — спросила я грустно.

— Не знаю... Завтра суббота, разве тебе не хочется выспаться?

— Нет, — слишком поспешно ответила я.

— Тогда встречаемся, как обычно. Чарли будет дома?

— Уедет на рыбалку, — просияла я, вспомнив, как благоприятно сложились обстоятельства.

— А если ты не вернешься домой, что он подумает? — вдруг спросил Эдвард, подавшись вперед.

— Не знаю... Я говорила, что собираюсь стирать, и папа может решить, что я упала в стиральную машину.

Мы буравили друг друга свирепыми взглядами, хотя на самом деле «буравил» только Каллен, а я бездарно его копировала.

— На кого вы сегодня охотитесь? — спросила я, быстро поняв, что не мне сражаться с Эдвардом в «гляделки».

— На того, кого поймаем в ближайшем лесу. Далеко не поедем! — задумчиво проговорил он, как обычно смущенный моим спокойным отношением к тайной стороне его жизни.

— Почему ты едешь именно с Элис?

— Она самая... надежная и понимающая.

— А остальные? — робко поинтересовалась я. — Какие они?

— Скептики!

Я искоса посмотрела на его родственников. Как и в первый мой день в школе, они ничего не ели, не разговаривали и смотрели в разные стороны. Только сейчас их осталось четверо: их брат теперь сидел со мной.

— Я им не нравлюсь, — проговорила я. Все ясно, и к гадалке не ходи!

— Дело не в этом, — возразил он. — Они не понимают, почему я не могу оставить тебя в покое.

— Вот и я о том же.

— Это опасно не только для меня, — с горечью продолжал Эдвард. — Мы ведь не прячемся, и если наши отношения зайдут слишком далеко...

— И что?

— А если все закончится плохо? — Он закрыл лицо ладонями, совсем как в тот вечер в Порт-Анжелесе.

Физически ощущая его боль, я очень хотела его утешить, но не знала как. Рука непроизвольно потянулась к нему, однако я поспешно ее отдернула, боясь, что от моего прикосновения ему будет еще хуже. Наверное, Каллен хотел меня напугать или хотя бы отрезвить, но ничего, кроме сочувствия, я не испытывала.

— Прости, — прошептала я совершенно не к месту.

— За что? — подняв на меня полные боли глаза, спросил Эдвард.

— За то, что делаю тебя несчастным.

— Белла, — бессильно выдохнул он, — ну где же логика?

Я решила обидеться, но быстро взяла себя в руки.

— Тебе, наверное, нужно ехать? — осторожно спросила я.

— Да, — серьезно ответил он, а потом улыбнулся, — самое время. Судя по всему, мистер Баннер снова собирается показывать фильм, а я не уверен, что смогу еще раз пройти такое испытание.

Поняв, что он имеет в виду, я густо покраснела, а потом вздрогнула, увидев задорный ежик темных волос и лицо эльфа. За спиной брата неожиданно появилась Элис. Стройная, как веточка, она двигалась грациозно, как танцовщица.

— Элис! — не сводя с меня глаз, приветствовал сестру Эдвард.

— Да! — приятным сопрано пропела девушка.

— Элис — Белла, — кисло улыбаясь, познакомил нас Эдвард.

— Привет, Белла. — Ее взгляд ничего не выражал, но улыбка была дружелюбной. — Рада наконец с тобой познакомиться!

Эдвард мрачно посмотрел на сестру.

— Привет! — робко ответила я.

— Готов? — поинтересовалась Элис у брата.

— Почти. Подожди меня у машины.

Девушка ушла, не сказав ни слова, легкая, гибкая и изящная. Я почувствовала укол ревности.

— Мне следует пожелать вам удачи, или это неуместно? — поинтересовалась я, поворачиваясь к Эдварду.

— Ну, удача никому не помешает, — ухмыльнулся он.

— Тогда желаю удачи! — Я постаралась скрыть иронию, однако обмануть Эдварда не сумела.

— Очень постараюсь! — подыграл мне он. — А ты, пожалуйста, будь поосторожнее!

— Быть поосторожнее в Форксе — задача непосильная!

— Для тебя это действительно испытание. Дай мне слово!

— Обещаю себя беречь! — поклялась я. — Сегодня вечером собираюсь стирать — наверняка опасностей будет море!

— Не упади в машину! — усмехнулся он.

— Очень постараюсь.

Эдвард встал, и я тоже поднялась.

— Увидимся завтра, — вздохнула я.

— Для тебя это слишком долго?

Я подавленно кивнула.

— Приеду утром, — пообещал он и, потянувшись ко мне, легонько погладил по щеке. Затем пошел за сестрой, ни разу не оглянувшись. Я смотрела ему вслед.

Очень хотелось пропустить остальные уроки, хотя бы физкультуру, но я вовремя одумалась. Если исчезнуть сейчас, то Майк и остальные решат, что я с Эдвардом. А Эдвард и так волнуется, что мы не таимся и все может плохо закончиться... О том, что он имел в виду, думать не хотелось.

Интуиция нам обоим подсказывала, что завтрашний день станет решающим. Наши отношения не могут бесконечно балансировать на острие ножа. Завтра все станет ясно. Моя судьба в руках Эдварда, я сделала выбор и готова идти до конца. Для меня нет ничего страшнее разлуки. Без Эдварда Каллена я просто не смогу жить.

Преисполнившись чувством долга, я побежала на биологию. Мистер Баннер действительно поставил фильм, который я почти не смотрела — все мысли были о завтрашнем дне. В спортзале я встретила Майка. Он решил пойти на мировую: пожелал мне счастливого пути в Сиэтл. Пришлось рассказать, что ни в какой Сиэтл я не еду, потому что с пикапом не все в порядке.

— Значит, ты будешь танцевать с Калленом? — надулся Майк.

— Нет, на танцы я не пойду.

— Тогда чем займешься? — подозрительно спросил он.

— Буду стирать и готовиться к зачету по тригонометрии.

— Каллен уже предложил помощь? — съязвил парень.

— К сожалению, Эдвард не сможет мне помочь, — с подчеркнутым спокойствием заявила я. — На все выходные он куда-то уезжает.

— Правда? — оживился Майк. — Тогда приходи на танцы! Будет очень весело, мы с Эриком с тобой потанцуем.

— Майк, я не иду на танцы. Договорились?

— Ну ладно, — снова скис он. — Мое дело предложить.

Физкультура закончилась, и я отправилась к стоянке, очень сомневаясь, что найду там свой пикап. Идти две мили пешком совершенно не хотелось, но я не представляла, как Эдвард сможет найти ключи и пригнать машину. И все же я по-детски надеялась на чудо. И не прогадала. Пикап стоял на том же самом месте, где утром был «вольво». Недоверчиво покачав головой, я открыла дверцу и увидела в замке зажигания ключ.

На водительском сиденье лежал свернутый пополам листок. Я села в машину и, захлопнув за собой дверцу, развернула записку. Всего два слова, написанных знакомым каллиграфическим почерком: «Будь осторожна!».

Бешеный рев мотора вернул меня к действительности, и я засмеялась.

Входная дверь дома была закрыта только на один замок, именно так я оставила все утром. Войдя в дом, я тут же бросилась к стиральной машине. Никаких следов присутствия посторонних! Откопав джинсы, я порылась в карманах. Может, я оставила ключи на тумбочке у входа? Как же ему это удалось?

Поддавшись внезапному порыву, я позвонила Джессике, якобы чтобы пожелать ей удачи на танцах. Она, в свою очередь, выразила надежду, что поездка в Сиэтл пройдет отлично. Воспользовавшись моментом, я сообщила, что Сиэтл отменяется. Подруга расстроилась чуть ли не до слез, а я сразу повесила трубку.

Чарли за ужином был рассеян и чем-то расстроен — из-за работы или бейсбольного матча, я не знала.

— Папа? — нерешительно прервала я затянувшееся молчание.

— Что, Белла? — Чарли, наконец, оторвал взгляд от тарелки.

— Ты был прав... насчет Сиэтла. Я лучше подожду, пока Джессика или Анжела согласятся со мной поехать.

— Да? — удивился Чарли. — Вообще-то правильно. Мне тоже остаться дома?

— Что ты, ни в коем случае не меняй планы! У меня столько дел: уроки, стирка, потом схожу в библио-

теку, по магазинам пройдусь. Прогуляюсь по Форксу, а ты езжай и как следует отдохни!

— Правда? — сомневался отец.

— Конечно! К тому же у нас кончается рыба. Осталось года на два, не больше!

— Белла, как мне с тобой повезло! — с облегчением воскликнул Чарли.

— Взаимно! — засмеялась я.

После ужина я заложила белье в машину. Один
из недостатков машинной стирки в том, что работа-
ют только руки. Предоставленные полной свободе
мысли выбились из-под контроля. Чего я только не
передумала, то сгорая от предвкушения завтрашне-
го дня, то дрожа от страха. Пришлось напомнить
себе, что я уже приняла решение и отступать не намерена. Вытащив из кармана записку, я прочитала
ее раз сто, вдумываясь в глубинный смысл двух слов.
Он хочет, чтобы со мной все было в порядке, — без
конца повторяла я, стараясь себя убедить. В конце
концов, разве у меня есть выбор? Какой будет моя
жизнь без него? Пустой и бессмысленной!

Однако тоненький голосок здравого смысла подсказывал, что если все закончится плохо, мне будет
очень больно.

Наконец пришло время ложиться спать. Понимая, что заснуть вряд ли удастся, я сделала то, на что
никогда не решалась раньше, — выпила совершенно ненужное лекарство от простуды со снотворным
эффектом. Обычно я не позволяла себе ничего подобного, но завтрашний день обещал быть тяжелым,
даже если мне удастся выспаться. Ожидая, пока
подействует лекарство, я аккуратно расчесала волосы и подумала, что надену завтра.

Когда все было готово, я легла в постель. Спать совершенно не хотелось и, порывшись в коробке с дисками, я вытащила ноктюрны Шопена. Включив плейер, закрыла глаза и стала представлять, как одна за другой все части моего тела расслабляются. Наконец лекарство от простуды подействовало, и я заснула.

Как следует выспавшись, я проснулась полной сил, но в том же нервном возбуждении, что и вчера. Ломая ногти, я кое-как натянула бежевый свитер и джинсы. После непривычно спокойной ночи волосы даже не спутались. Взглянув в окно, я увидела, что Чарли уже уехал. На небе — тонкие перистые облака, значит, день действительно будет ясным.

Я проглотила завтрак так поспешно, что даже не почувствовала вкуса, и вымыла посуду. Почистив зубы, я спустилась по лестнице и, когда раздался стук в дверь, чуть не умерла.

Замо́к открывался с трудом, но вот дверь распахнулась, и я увидела его. Волнение тут же улеглось, и меня охватило всепоглощающее спокойствие. Вчерашние страхи — чистая нелепица.

Каллен был серьезным и мрачным, однако, увидев выражение моего лица, рассмеялся.

— Доброе утро!

— Что-то не так? — Я нервно оглядывала себя, боясь, что забыла надеть что-то важное, например, джинсы или обувь.

— Мы два сапога пара, — снова засмеялся Эдвард, и я поняла, что на нем похожий бежевый свитер и джинсы. Почувствовав укол зависти, я невесело усмехнулась: ну как можно быть таким красивым?

Аккуратно закрыв за собой дверь, я пошла к пикапу. Эдвард ждал у пассажирской двери с мученическим выражением лица.

— Мы обо всем договорились, — напомнила я и, устроившись на водительском сиденье, открыла ему дверцу. Боже, с какой грацией он влез в мою старую машину!

— Куда едем? — поинтересовалась я.

— Сначала пристегнись, а то мне уже страшно.

Окинув его презрительным взглядом, я все же подчинилась.

— Так куда мы едем?

— Шоссе номер сто один на север, — приказал Эдвард.

Следить за дорогой, когда на тебя смотрят золотисто-медовые глаза, совсем непросто. Стараясь быть внимательной, я неспешно ехала по спящему Форксу.

— Думаешь, мы засветло выберемся из города? — с презрением спросил он.

— Этот пикап в дедушки годится твоему «вольво»! Прояви немного уважения! — огрызнулась я.

Каллен был не прав: ехали мы довольно быстро, и скоро дома и аккуратные зеленые лужайки сменил густой подлесок.

— Шоссе номер сто десять — первый поворот направо, — велел Эдвард, прежде чем я успела спросить. — А теперь вперед, пока не кончится дорога!

— А что потом?

— Пойдем пешком!

— Пешком? — испуганно переспросила я. Слава богу, я надела теннисные туфли.

— Какие-то возражения? — поинтересовался Эдвард таким тоном, будто чего-то подобного и ожидал.

— Нет! — как можно категоричнее возразила я. Если он считает, что пикап ползет как черепаха, то пешком мне точно за ним не угнаться...

— Не бойся, это же всего пять миль, а время у нас есть.

Пять миль! Что тут можно ответить? Пять миль по острым камням и древесным корням, на которых я точно вывихну лодыжку или сверну шею!.. Да, прогулка предстоит приятная!

Смакуя предстоящие злоключения, я дрожала от страха.

— О чем ты думаешь? — поинтересовался Эдвард.

— Пытаюсь представить, куда мы едем.

— В одно место, где я люблю бывать в ясную погоду.

Не сговариваясь, мы выглянули в окно и посмотрели на тающие в небе облака.

— По словам Чарли, сегодня должно быть тепло, — пробормотала я.

— Ты сказала отцу, куда собираешься? — недоверчиво спросил Эдвард.

— Нет.

— А Джессика думает, что мы вместе поехали в Сиэтл? — В его голосе звучала надежда.

— Нет, я сказала, что ты передумал.

— Значит, о том, что ты со мной, никто не знает? — разозлился он.

— Ну... думаю, ты рассказал Элис?

— Спасибо за понимание, — пробормотал Эдвард.

Я притворилась, что не расслышала последней фразы.

— Ты же говорил, что у тебя могут быть неприятности из-за того, что нас часто видят вместе.

— Значит, тебя беспокоит, что у меня могут быть неприятности, если ты не вернешься домой? — язвительно спросил он.

Я кивнула, не сводя глаз с дороги.

Эдвард что-то пробормотал сквозь зубы, но так быстро, что я не поняла.

Остаток пути мы ехали молча. Я чувствовала неодобрение, волнами исходящее от него, а что сказать, не знала.

И вот дорога кончилась, сузившись в пешеходную тропу с деревянными указателями. Припарковавшись у обочины, я не сразу решилась выйти из пикапа. Эдвард на меня злится, а теперь, когда не нужно следить за дорогой, разговора не избежать.

Заметно потеплело. Пожалуй, выдался самый погожий день за все время моего пребывания в Форксе. Свитер я повязала на пояс, радуясь, что догадалась надеть майку.

Хлопнула дверца; Эдвард вылез и тоже стаскивал свитер. Он стоял ко мне спиной и смотрел на густой, казавшийся девственным лес.

— Нам сюда.

— По тропинке?

— Я сказал, что в конце дороги тропинка, а вовсе не то, что мы по ней пойдем.

— Как же без тропинки? — в отчаянии воскликнула я.

— Со мной не потеряешься, — насмешливо ответил Эдвард, поворачиваясь ко мне, и я словно приросла к месту. Белая с короткими рукавами рубашка была распахнута на груди, обнажая шею и мускулистый, как у греческой статуи, торс. Разве такой кра-савец может быть моим? И не мечтай!

Эдвард явно не понимал, почему у меня такое лицо.

— Хочешь вернуться домой? — мягко спросил он.

— Нет, — глухо ответила я и подошла поближе, решив, что раз уж мы остались наедине, то нельзя терять ни секунды.

— Тогда что случилось?

— Я человек неспортивный, хожу медленно. Тебе придется быть терпеливым.

— Что же, приложу все усилия, — улыбнулся Эд-вард, стараясь поднять мне настроение.

Я попыталась улыбнуться, но у меня ничего не вышло.

— Не волнуйся, домой я тебя отвезу! — Естествен-но, Эдвард решил, что я умираю от страха. Какое счастье, что он не может читать мои мысли!

— Если хочешь, чтобы до захода солнца я прошла по этим джунглям пять миль, то стартовать лучше прямо сейчас, — съязвила я, и мы направились к лесу.

Все оказалось не так уж и страшно. В основном мы шли под гору, а когда на пути попадались папо-ротники, валуны или поваленные деревья, Эдвард брал меня за руки. Если я падала, а это случалось довольно часто, он тут же помогал подняться.

Я старалась смотреть на безупречное лицо как можно реже, но слишком уж часто падала. Каждый раз его холодная красота острым ножом пронзала мое сердце.

Мы почти не разговаривали. Лишь изредка он за-давал какой-нибудь вопрос, совсем как вчера или позавчера. Как я справляла дни рождения, каких животных держала в детстве...

Пришлось рассказать, как, случайно убив трех золотых рыбок, я так сильно расстроилась, что на домашних животных решила поставить жирный крест. Эдвард рассмеялся, причем гораздо задорнее, чем обычно, и эхо разнесло мелодичный смех по всему лесу.

Переход занял почти все утро. Лес напоминал бесконечный лабиринт, и я испугалась, что мы никогда не найдем обратную дорогу. Эдвард чувствовал себя великолепно, безошибочно ориентируясь среди вековых деревьев.

Через несколько часов через густую листву просочились солнечные лучи, перекрасив мрачные оливковые тона в зеленовато-желтые. Синоптики не ошиблись, день действительно выдался ясным. Впервые с начала нашего похода я почувствовала радостное возбуждение и с нетерпением ждала, что случится дальше.

— Уже пришли? — пошутила я.

— Почти, — улыбнулся Каллен. — Видишь просвет среди деревьев?

Я прищурилась.

— Где?

— Ну, для твоих глаз, наверное, еще рано, — задорно прищурился Эдвард.

— Пора к окулисту, — пробормотала я, а он ухмыльнулся.

Через некоторое время я действительно увидела просвет среди деревьев, и лесная зелень стала еще ярче. Я прибавила шагу, с каждой секундой мое настроение улучшалось. Эдвард шел впереди, двигаясь абсолютно бесшумно.

Наконец деревья расступились, и, осторожно пройдя через папоротник, я оказалась на самой красивой поляне на свете. Каких только цветов здесь не росло: сиреневые, желтые, белые. Где-то неподалеку журчал ручеек. Солнце стояло высоко, озаряя поляну ярким светом. Словно завороженная, я вбирала неброскую красоту трав, диких цветов, теплых солнечных лучей.

Мне захотелось поделиться своими переживаниями с Эдвардом, но его не оказалось рядом. Перепугавшись, я стала оглядываться по сторонам и, наконец, увидела его среди густого папоротника, в тени, на самой границе с поляной. Только тогда я вспомнила о том, что красота солнечного дня окончательно стерла из моей памяти. Эдвард обещал показать, что с ним происходит в ясную погоду.

Я шагнула к нему, понимая, что сейчас между нами станет на одну тайну меньше. В его глазах я увидела недоверие и страх.

Сделав глубокий вдох, Эдвард зажмурился и шагнул на залитую полуденным солнцем поляну.

Глава тринадцатая

ПРИЗНАНИЯ

На ярком солнце он выглядел более чем странно. Я никак не могла привыкнуть, хотя и наблюдала за ним уже несколько часов. Бледная кожа, слегка покрасневшая после вчерашней охоты, сияла, словно усыпанная алмазами. Эдвард неподвижно лежал на траве, а расстегнутая рубашка обнажала сверкающий мускулистый торс и блестящие руки. Мерцающие, цвета бледной лаванды веки были полузакрыты, хотя он, конечно, не спал. Мне казалось, что передо мной статуя, вытесанная из неизвестного людям камня, гладкого, как мрамор, сверкающего, как хрусталь.

Побледневшие губы то и дело двигались, причем очень быстро, словно подергиваясь дрожью. Я его окликнула, и Эдвард сказал, что поет, но слишком тихо, чтобы я могла услышать.

Как хорошо на солнце! Я бы с удовольствием легла на траву рядом с ним, подставив солнцу истосковавшееся по теплу тело. Вместо этого я сидела, упершись коленями в подбородок, и не могла отвести глаз от Эдварда. Легкий ветерок ерошил мои волосы, колыхал цветочные бутоны, обвевал неподвижное тело Каллена.

Поляна, очаровавшая меня своей неброской прелестью, меркла по сравнению с великолепием Эдварда.

Очень неуверенно, боясь, что он растает, словно мираж, я потянулась к нему и робко, одним пальцем, погладила мерцающую руку. Кожа у него гладкая и холодная, как камень. Глаза его были открыты, он наблюдал за мной. После вчерашней охоты они были цвета жженого сахара, светлее и теплее, чем обычно. Губы дрогнули в чуть заметной улыбке.

— Я тебя не напугал?

— Не больше, чем обычно.

Эдвард улыбнулся, и на солнце сверкнули ослепительно-белые зубы.

Я придвинулась ближе и теперь уже всеми пальцами стала водить по его предплечью. Рука дрожала, и я знала, что он это заметил.

— Не возражаешь?

— Конечно, нет, — зажмурившись, проговорил Эдвард.

Следуя за голубоватыми венами, я добралась до локтевого сгиба. Мне захотелось перевернуть его ладонь. Без его помощи у меня ничего не вышло бы, но он, поняв, чего я хочу, перевернул ладонь — так быстро, что я испугалась. Пальцы замерли на его руке.

— Извини, — пробормотал Эдвард, и я заглянула в золотисто-медовые глаза, — с тобой так легко быть самим собой!

Как терпелив был он, позволив мне играть с его рукой. Я вертела ею и так, и эдак, любуясь сиянием солнца на блестящей коже, даже подносила к глазам, чтобы убедиться, что на ней нет бриллиантовой крошки.

— О чем ты думаешь?.. Так странно — не слышать мыслей другого!

— Зато ты знаешь, о чем думают все остальные, — примирительно улыбнулась я.

— Это не всегда удобно. — Неужели в его голосе прозвучало сожаление? — Но ты мне так и не ответила.

— Пыталась угадать, о чем думаешь ты.

— А еще?

— Мечтала, чтобы сегодняшний день длился вечно. И чтобы мне не было так страшно.

— Не хочу, чтобы тебе было страшно! — пробормотал Эдвард. Жаль, он не может сказать, что бояться мне нечего.

— Ну, страх не совсем то, что я испытываю, хотя какие-то опасения, конечно, есть.

Опершись на руку, Каллен с молниеносной скоростью поднялся. Лицо греческого бога оказалось всего в нескольких сантиметрах от моего. Я могла и должна была отстраниться, но не было сил пошевелиться — тигриные глаза подчинили меня своей власти.

— Чего же тогда ты боишься? — шепотом спросил он.

Я даже ответить не смогла. От свежего аромата его кожи рот наполнился слюной. Боже, что он со мной делает! Низко опустив голову, я судорожно сглотнула.

Он отошел, вырвав руку. Пока я приходила в себя, он укрылся в тени раскидистой ели, в десятке метров от меня. Глаза его потемнели и пристально смотрели на меня.

Наверное, на моем лице отразилось разочарование. Руку, только что ласкавшую его предплечье, саднило.

— Прости меня, — тихо сказала я, зная, что он все равно услышит.

— Подожди, — прошелестел он, и я замерла, не решаясь пошевелиться.

Через десять бесконечно долгих секунд Эдвард медленно вернулся на полянку и присел на траву всего в метре от меня. Сделав два глубоких вдоха, он сконфуженно улыбнулся.

— Это ты прости меня, Белла. Жаль, не могу сказать, что я всего лишь человек!

Его шутка меня не рассмешила, я просто кивнула. Кровь бешено забурлила, и впервые за весь день мне стало не по себе. Видимо, он это почувствовал, потому что его улыбка тут же превратилась в усмешку.

— Я самый совершенный хищник на земле, ясно? Тебя привлекает все: мой голос, грация, лицо, даже запах?.. Можно подумать, мне это нужно! — Неожиданно вскочив, Каллен скрылся из вида, а через секунду возник под елью на краю поляны.

— Можно подумать, ты могла бы скрыться! Я бы добился своего и без смазливой физиономии!

Отломив толстую еловую ветку, он быстро обломал ненужные побеги, а потом швырнул в соседнюю сосну с такой силой, что бедное дерево еще долго качалось как на сильном ветру.

И вот он снова в метре от меня — неподвижный, как статуя.

— Можно подумать, ты смогла бы мне сопротивляться...

Я оцепенела от страха. Никогда раньше Эдвард не показывался мне в своем истинном обличии. Зверь, настоящий зверь... но какой красивый! Лицо мертвенно-бледное, глаза блестят... Я чувствовала себя маленькой птичкой, завороженно смотрящей на королевскую кобру.

Глаза, которые я так любила, глаза, горевшие от дикого возбуждения, через секунду потускнели. На бледном лице отразилась вселенская грусть.

— Не бойся, — пробормотал Эдвард, и никогда еще его голос не звучал так соблазнительно. — Я не причиню тебе зла, клянусь!

Мне показалось, что он старался убедить скорее себя, чем меня.

— Не бойся, — повторил он и, подойдя ближе, нарочито медленно опустился на траву. Его движения были плавными и тягучими, и вот, наконец, наши лица оказались на одном уровне сантиметрах в тридцати друг от друга.

— Пожалуйста, прости, — очень серьезно проговорил Эдвард и грустно улыбнулся. — Я в состоянии себя контролировать. Просто ты застала меня врасплох. Впредь обещаю вести себя примерно.

Очевидно, он ждал от меня каких-то слов, однако разговаривать я пока не могла.

— Сегодня мне не хочется ни пить, ни есть, — подмигнул он.

Тут я рассмеялась, резко и хрипло, как истеричка со стажем.

— Все хорошо? — заботливо спросил Эдвард, и его рука осторожно коснулась моей.

Я растерянно посмотрела на гладкую холодную руку, а потом в тигриные глаза: они были теплыми, полными раскаяния. Взяв его за руку, я стала водить по ней кончиками пальцев, а набравшись смелости, улыбнулась.

Золотистые глаза просияли мне в ответ.

— Итак, о чем мы говорили до этого? — спросил Эдвард.

— Не помню, — честно ответила я.

— По-моему, о том, чего ты боишься... ну, кроме самого очевидного, — робко напомнил он.

— Да, верно.

— Так чего же?

Я бездумно водила пальцем по его руке. Эдвард ждал ответа.

— Видишь, как легко выбить меня из колеи? — рассмеялся он.

Заглянув ему в глаза, я вдруг поняла, что сейчас он очень не уверен в себе. Столько лет он мог беспрепятственно читать мысли любого человека, а тут попалась я. От этой догадки мне стало немного легче.

— Мне страшно... потому что скорее всего мы не можем быть вместе. А еще боюсь, что именно этого мне хочется больше всего на свете. — Признание далось мне нелегко.

— Да, — согласился он, — этого точно стоит бояться. Желание быть со мной не к лицу юной девице.

— Знаю. Наверное, стоит попытаться тебя забыть.

— Мне бы очень хотелось тебе помочь. — Судя по выражению лица, Эдвард говорил искренне. — Наверное, мне давно следовало все прекратить, а сейчас лучше уйти, только не знаю, смогу ли.

— Не хочу, чтобы ты уходил, — чуть слышно пробормотала я.

— Именно поэтому мне следует это сделать!.. Но не беспокойся, я эгоист до мозга костей и слишком долго ждал сегодняшнего дня.

— Очень рада.

— Совершенно напрасно! — Эдвард отдернул руку. Даже лишенный обычной вкрадчивости, его голос казался мне самым мелодичным на свете. Я с трудом успевала следить за внезапными переменами его настроения.

— Я хочу быть только с тобой! Никогда об этом не забывай! Помни, что для тебя я опаснее, чем для кого бы то ни было, — объявил он и стал смотреть куда-то вдаль.

— Не совсем понимаю, о чем ты, — после минутного молчания призналась я.

Посмотрев на меня, Эдвард лукаво улыбнулся, — настроение снова изменилось.

— Как же объяснить, чтобы снова тебя не напугать? — задумчиво проговорил он и взял меня за руку. Я так и вцепилась в прохладную мраморную ладонь. — Каким приятным может быть тепло, — вздохнул он.

Несколько секунд Эдвард собирался с мыслями.

— Знаешь, у каждого свои вкусы. Кому-то нравится шоколадное мороженое, кому-то клубничное...

Я кивнула.

— Прости за аналогию с едой, лучшего объяснения не подобрать.

Я улыбнулась.

— То же самое с обонянием. Если запереть алкоголика в комнате со жбаном прокисшего пива, он скорее всего его выпьет. Он мог бы устоять, если бы захотел или обладал силой воли. А теперь представь, что случится, если в ту самую комнату поместить стакан старого бренди или коллекционного коньяка. Как поведет себя наш алкоголик?

Мы сидели, глядя друг другу в глаза и пытаясь читать мысли.

— Ну, может, аналогия не самая удачная, и перед бренди устоять несложно. Наверное, лучше заменить алкоголика на подсевшего на героин наркомана.

— Хочешь сказать, что я и есть твой героин? — поддела я, пытаясь разрядить обстановку.

Оценив мои усилия, Эдвард тут же улыбнулся.

— Да, мой любимый сорт!

— И часто такое случается?

Подыскивая ответ, он всмотрелся в верхушки деревьев.

— Я говорил об этом с братьями... Для Кэри все люди одинаковы. В нашей семье он сравнительно недавно и с трудом приспосабливается к нашим правилам. Кэри пока не чувствует разницы во вкусе и запахе. — Эдвард внезапно замолчал и сконфуженно на меня посмотрел. — Прости!

— Ничего страшного. Пожалуйста, не беспокойся, что можешь меня обидеть или испугать. Ведь именно это тебя тревожит. Я все понимаю. По крайней мере, стараюсь понять. Просто объясняй, как считаешь нужным.

— Ты смелая девушка, — с восхищением проговорил он.

— Вовсе я не смелая. Настоящая трусиха! Если бы я была смелой, то держалась бы от тебя подальше.

— Ты не боишься смотреть правде в глаза.

— К сожалению, ты не прав, но все равно продолжай.

Глубоко вздохнув, Каллен снова посмотрел на небо.

— Так что Кэри не знает, встречал ли когда-нибудь кого-то... к кому бы его тянуло так сильно, как меня к тебе. Значит, не встречал. У Эмметта, если так можно сказать, побольше опыта, так что он сразу понял, о чем я. Брат говорит, что у него было две подобные встречи.

— А с тобой такое случалось?

— Никогда.

Мне показалось, что ответ Эдварда так и разнесся по поляне.

— И как же поступил Эмметт? — поинтересовалась я.

Проявлять любопытство, очевидно, не стоило. Лицо Эдварда потемнело, руки сжались в кулаки. Он потупился, и я поняла, что ответа ждать не следует.

— Кажется, догадалась...

Эдвард поднял на меня уставшие, полные страдания глаза.

— Даже у самых сильных есть маленькие слабости.

— Чего ты ждешь? Моего согласия? — спросила я гораздо резче, чем собиралась. Наверное, откровения дались ему нелегко, и я смягчилась. — Значит, нет никакой надежды?

Как спокойно я обсуждаю собственную смерть!

— Нет, нет! — закричал Каллен. — Надежда, конечно же, есть! То есть я точно не стану... У нас ведь все по-другому! Для Эмметта те женщины были чужими, и это случилось давно, когда он еще не был таким... опытным и осторожным, как сейчас.

— Значит, если бы мы встретились в темной аллее... — не решилась договорить я.

— В тот день я ценой огромных усилий сдержался, чтобы не вскочить и на глазах у всего класса не... — он снова отвел глаза. — Когда ты прошла мимо, я был готов разрушить то, что годами создавал для нас Карлайл.

Эдвард мрачно на меня посмотрел, легко догадавшись, о чем я думаю.

— Ты наверняка подумала, что я ненормальный!

— Я просто ничего не поняла. Как ты мог так быстро меня возненавидеть?

— Мне казалось, что ты демон, явившийся из ада, чтобы меня уничтожить. А запах! Он сводил меня с ума! За час я придумал десятки предлогов, чтобы выманить тебя из класса и завести куда подальше. Я смог побороть все соблазны, думая о семье и горе, которое причинит им моя несдержанность.

Эдвард с любопытством наблюдал, как я пытаюсь осмыслить услышанное. Медовые глаза так и сверкали из-под опущенных ресниц.

— Уверен, мне удалось бы увести тебя из школы, — задумчиво сказал он.

— Вне всякого сомнения.

— Потом я попробовал изменить расписание, чтобы не сидеть с тобой за одной партой. Но ты тоже пришла в административное здание. В той маленькой теплой комнатке у меня голова пошла кругом от твоего запаха. Я едва не поддался соблазну, ведь кроме нас там была только одна женщина, с которой бы я справился без труда.

Представив события прошлого в его восприятии, я испугалась. Бедная администраторша, она чуть не погибла из-за меня!

— Но я вытерпел. Сам не понимаю, как я заставил себя не караулить на улице и не идти по твоим следам до дома. На свежем воздухе мне стало легче, и я смог принять верное решение. Откровенничать с Эмметтом и Кэри не хотелось, поэтому я отправился прямо в больницу к Карлайлу и заявил, что уезжаю.

Я удивленно взглянула на Эдварда.

— Мы поменялись машинами — у Карлайла был полный бак бензина, а мне не хотелось останавливаться. Заходить домой было страшно — Эсми наверняка устроила бы сцену и упросила никуда не ездить. Следующим утром я уже был на Аляске. Два дня провел среди старых знакомых, но очень скучал по дому. Страшно не хотелось огорчать Эсми и остальных родственников, а чистый горный воздух выветрил последние воспоминания о твоем запахе. Я убедил себя, что убегать глупо. Я ведь и раньше сталкивался с соблазном, однако никогда не уступал! Разве можно позволить простой девчонке, — зло улыбнулся он, — сгонять себя с насиженного места?

Эдвард задумчиво смотрел вдаль, а я молчала.

— Прежде чем вернуться в школу, я несколько дней охотился, ел и пил больше, чем обычно. Изо всех сил старался убедить себя, что смогу относиться к тебе как ко всем остальным людям. Судя по всему, я был слишком самонадеян.

Несомненную трудность представляло то, что я не могу читать твои мысли. Пришлось действовать окольными путями: внедряться в сознание Джессики и выискивать то, что хоть как-то связано с тобой. Джессика — девушка недалекая, мыслит примитивно, так что копаться в ее мыслях — занятие не из приятных. Тем более что ты далеко не всегда откровенна.

Эдвард поморщился.

— Мне хотелось, чтобы ты поскорее забыла о случившемся в первый день, и я решил сам начать разговор. Нужно было разобраться в твоих мыслях, но ты оказалась гораздо сложнее и интереснее. И снова этот запах, исходящий от твоей кожи и волос...

А потом на моих глазах тебя чуть не переехал фургон. Позднее я подумал, что все сложилось как нельзя лучше: если бы я тебя не спас и твоя кровь растеклась по асфальту, не думаю, чтобы смог сдержаться, и тайна нашей семьи была бы раскрыта. Но все это пришло мне в голову потом. Когда я увидел неуправляемый фургон Тайлера Кроули, единственной моей мыслью было: «Только не она!»

Эдвард закрыл глаза, будто признание забрало слишком много сил. Я внимательно слушала, понимая, что мне должно быть страшно. Вместо этого я чувствовала облегчение — наконец-то все встало на свои места — и даже сочувствие — он ведь так страдал и все же нашел в себе силы признаться, что хотел лишить меня жизни.

— А потом мы попали в больницу, — подсказала я.

— Мне было безумно страшно, — признался Каллен. — Ведь я вел себя безответственно и подверг семью риску. А потом я поругался с Розали, Эмметтом и Кэри, когда они заявили, что сейчас самое время... Ссора получилась ужасная, мы столько друг другу наговорили! Зато Карлайл меня поддержал, и Элис тоже. — Назвав имя сестры, Каллен нахмурился. — А Эсми сказала, что я могу делать, что хочу, лишь бы никуда не уезжал!

Весь следующий день я подслушивал мысли твоих собеседников и понял, что ты меня не выдала. Логическому объяснению это не поддавалось! Я понимал, что больше рисковать нельзя и от тебя следует держаться подальше. Но каждый день запах твоих волос, кожи, свежесть дыхания терзали меня так же, как и в первый.

Теплые тигриные глаза смотрели так нежно!

— Но, в конце концов, — продолжал Эдвард, — лучше бы я выдал семью в самый первый день, чем причинить тебе боль сегодня, здесь, когда меня ничто не останавливает.

Любопытная, как все девушки, я не удержалась от вопроса:

— Почему?

— Изабелла, — Эдвард шутливо взъерошил мои волосы. Я затрепетала от его прикосновения. — Белла, я не смогу жить, если причиню тебе боль. Ты вообразить не можешь, что я чувствую, когда представляю тебя, бледную, холодную, неподвижно лежащую на земле... — Каллен пристыженно опустил глаза. — Не видеть твоего румянца, блеска в глазах, когда ты разгадываешь глубинный смысл моих слов... Ради чего тогда жить? — В печальных глазах застыл вопрос. — На всем свете для меня нет никого дороже тебя. Отныне и навсегда.

У меня голова шла кругом. От невинного обсуждения моей гибели мы плавно перешли к взаимным признаниям. Эдвард ждал, и я, трусливо разглядывая руки, понимала, что он ждет моего ответа.

— Мои чувства тебе прекрасно известны. Ну... в общем, я лучше умру, чем соглашусь жить без тебя. Знаю, я идиотка!

— Ты правда идиотка! — рассмеялся он. Наши глаза встретились, и я тоже рассмеялась. Ну и ситуация, мы оба смеемся над моей глупостью.

— Значит, пума, или в моем случае, лев, влюбился в бедную овечку! — радовался Эдвард, а мне стало не по себе.

— Какая глупая овечка! — вздохнула я.

— А лев — ненормальный мазохист! — поддержал Эдвард и снова рассмеялся. Интересно, о чем он сейчас думает?

— Почему?.. — начала я, не зная, как продолжать.

— Что почему? — улыбнулся Каллен.

— Объясни, почему ты раньше убегал от меня?

— Ты знаешь, почему. — Радостная улыбка погасла.

— Просто хочу понять, что именно я делала не так. Нужно же мне знать, что можно, а что нельзя ни при каких обстоятельствах.

— Белла, мне не в чем тебя упрекнуть, — снова улыбнулся Эдвард. — Все недоразумения произошли по моей вине.

— Но я же хочу помочь, чтобы тебе было легче.

— Ну, — нерешительно начал Эдвард, — мне не по себе, когда ты подходишь слишком близко. Люди стараются держаться от нас подальше, инстинктивно чувствуя опасность... Когда ты совсем рядом, я чувствую запах твоего горла, — выпалил он, напряженно вглядываясь в мое лицо.

— Тогда ясно, — легкомысленно произнесла я, пытаясь разрядить обстановку. — Горло больше не показываю!

— Да нет, все не так страшно, — рассмеялся Эдвард. — Просто меня удивили собственные ощущения.

Он поднял руку и осторожно положил мне на шею. Я не шелохнулась, и ничего похожего на страх не испытала.

— Видишь, какая гладкая и нежная...

Кровь бешено неслась по жилам, и мне бы очень хотелось как-нибудь замедлить ее бег. Ведь Эдвард, очевидно, слышал, как стучит мое сердце.

— Румянец тебе идет, — вкрадчиво проговорил он и, нежно коснувшись щеки, взял мое лицо обеими руками, бережно, словно хрустальную вазу.

— Не двигайся, — попросил Эдвард.

Очень медленно, не сводя с меня глаз, он наклонился ко мне. Резкое движение, и холодная щека легла на мою яремную впадину. Пошевелиться я не могла, даже если бы очень захотела. Я застыла, слушая легкий звук его дыхания, наблюдая, как солнечные лучи играют на бронзовых кудрях.

Медленно, очень медленно его руки скользили вниз по затылку. Эдвард затаил дыхание и остановился, лишь опустив ладони мне на плечи. Холодное лицо скользнуло по ключице и прижалось к груди.

Он слушал, как стучит мое сердце.

Как долго мы сидели без движения, я не знала; возможно, несколько часов. Постепенно сердце забилось спокойнее, я не шевелилась и молчала, пока Эдвард держал меня в объятиях. Я понимала, что могу умереть в любую минуту, так быстро, что и заметить не успею. Почему же мне не было страшно?

И тут он меня отпустил, в золотистых глазах воцарился покой.

— В следующий раз будет легче.

— А в этот раз было непросто?

— Ну, примерно так, как я себе представлял. А тебе?

— Все в порядке.

Эдвард засмеялся.

— Ты же знаешь, о чем я!

Я робко улыбнулась.

— Вот, — он взял мою руку и прижал к своей щеке. — Чувствуешь, как тепло?

Бледная кожа, обычно холодная как лед, действительно казалась теплой. Однако меня мало волновали такие тонкости — моя мечта исполнилась, и я могу прикоснуться к его лицу.

— Не шевелись, — прошептала я.

Никто на свете не может замирать, как Эдвард. Закрыв глаза, он тут же превратился в неподвижную мраморную статую.

Очень хотелось растянуть удовольствие, мои пальцы двигались неспешно. Я провела по его щеке, аккуратно коснулась век и синеватых кругов под глазами. Вот я нежно обвожу контур носа и красиво очерченного рта. Губы раскрылись, и тыльной стороной ладони я почувствовала его дыхание. Тянуло наклониться поближе, ощутить вкус его поцелуя, чтобы между нами не осталось никаких преград... Но, не желая спешить, я отдернула руку.

Эдвард открыл голодные глаза, — и вот уже в который раз вместо страха я почувствовала, как внизу живота образуется узел, а кровь бешено несется по венам.

— Как бы мне хотелось, чтобы ты поняла всю сложность и запутанность моего положения, — прошептал он.

— Объясни, — выдохнула я.

— Вряд ли получится. С другой стороны, я рассказал тебе о своих потребностях и предупредил, что от такого мерзкого существа лучше держаться подальше... Думаю, в какой-то степени ты способна меня понять. Хотя, не страдая пагубными пристрастиями, ты не сумеешь представить себя на моем месте. Однако, — холодные пальцы легонько коснулись моих губ, заставляя меня дрожать, — есть и другие потребности и желания. Те, о которых я ничего не знаю.

— Вот *это* я понимаю лучше, чем ты думаешь.

— К подобным переживаниям я не привык. Уж слишком по-человечески! Интересно, так всегда происходит?

— Не могу сказать, — призналась я. — Со мной такое впервые!

Эдвард взял меня за руки. Мои ладони казались такими слабыми и безжизненными!

— Я ведь не знаю, что такое близость, как духовная, так и физическая. Может быть, я даже не способен на нечто подобное!

Стараясь не делать резких движений, я наклонилась вперед и прижалась щекой к его груди. Все остальные звуки исчезли, я слышала лишь удары его сердца.

— Этого мне достаточно, — вздохнула я, закрывая глаза.

Эдвард обнял меня и зарылся лицом в мои волосы. Сейчас он вел себя как самый обычный парень.

— Видишь, надежда есть, — проговорила я.

— Во мне живут человеческие инстинкты. Возможно, они запрятаны слишком глубоко, но они здесь. — Грудь затряслась от смеха.

Мы снова смеялись вместе, но я заметила, что солнечный свет потускнел, а тени сгустились.

— Тебе пора.

— Я думала, ты не умеешь читать мои мысли!

— Ну, если я очень стараюсь, то иногда получается, — хитро улыбнулся Эдвард. — Позволь кое-что тебе показать...

— Что именно? — осторожно переспросила я.

— Ты увидишь, как я передвигаюсь по лесу. Ничего не бойся, — взглянув на мое вытянувшееся лицо, попросил он, — и через несколько минут мы доберемся до твоего пикапа. — Его губы изогнулись в моей любимой кривоватой улыбке.

— Ты превратишься в летучую мышь? — поинтересовалась я.

Эдвард засмеялся:

— С летучей мышью меня никогда не сравнивали!

— Подожди, то ли еще будет!

— Ладно, трусиха, садись мне на спину.

Я надеялась, что Эдвард шутит, но тут же поняла, что ошиблась. Сердце тут же заколотилось, и, хотя мои мысли были для него закрыты, дикий пульс выдавал меня с головой. Вот я действительно сижу на спине Каллена, так крепко обхватив руками его шею, что любой человек на его месте сразу же задохнулся бы.

— Я потяжелее, чем школьный рюкзак! — предупредила я.

— Ха! — фыркнул Эдвард и наверняка закатил глаза. Раньше я не видела его в таком хорошем настроении.

Потом он схватил меня за руку, прижал мою ладонь к лицу и глубоко вдохнул.

— С каждым разом все легче...

И побежал.

Никогда в жизни мне не было так страшно...

Быстрее пули он несся по темнеющему лесу, двигаясь совершенно бесшумно, как настоящий призрак, будто его ноги не касались земли. Как на такой скорости он не сшибал деревья, оставалось для меня загадкой.

Закрыть глаза я не решалась, хотя холодный лесной воздух заставлял их слезиться, словно я по дурости высунула голову в иллюминатор самолета. Меня замутило.

Внезапно все кончилось. Мы шли к поляне несколько часов, а обратно вернулись минут за пять.

— Здорово, правда? — радостно воскликнул Каллен.

Он остановился. Я попробовала встать на землю, однако мышцы затекли, а голова кружилась.

— Белла?

— Мне нужно прилечь, — пролепетала я.

— Прости, — тихо сказал он, ожидая, пока я спущусь.

— Кажется, мне нужна помощь, — не в силах пошевелиться, призналась я.

Негромко рассмеявшись, Эдвард разомкнул мои объятия. Разве я могла сопротивляться его железной силе? Вот он взял меня на руки, словно ребенка, и осторожно положил на упругий мох.

— Как ты себя чувствуешь?

— Голова сильно кружится, — промямлила я, чувствуя, как распухает язык во рту.

— Опусти голову между коленей.

К сожалению, не помогло. Я дышала полной грудью, стараясь не делать резких движений. Через несколько минут я наконец смогла поднять голову. В ушах звенело.

— По-моему, зря я поспешил, — задумчиво проговорил Эдвард.

— Что ты, было очень интересно, — как можно бодрее проговорила я.

— Знаешь, — рассмеялся он, — ты, конечно, очень бледная, но все же не такая, как я!

— Наверное, стоило закрыть глаза!

— В следующий раз напомню.

— В следующий раз! — простонала я и зажмурилась.

Эдвард засмеялся.

— Хватит выпендриваться! — пробормотала я.

— Открой глаза, Белла! — тихо попросил он.

Его лицо оказалось совсем близко. Как же он красив... слишком красив, чтобы я могла спокойно на него смотреть.

— На бегу я думал...

— Надеюсь, о том, чтобы не врезаться в деревья?

— Глупенькая! — усмехнулся Эдвард. — О таких мелочах я и не думаю!

— Хватит выпендриваться, — повторила я.

Он снова захихикал.

— Мне бы хотелось кое-что попробовать...

Эдвард колебался. Наверное, ни один парень на свете так не нервничает, прежде чем поцеловать девушку. Хотя, возможно, он старался растянуть удовольствие, ведь предвкушение поцелуя всегда лучше, чем сам процесс. Хотел проверить себя, убедиться, что все в порядке и он по-прежнему контролирует ситуацию.

Наконец, холодные губы нежно прикоснулись к моим.

То, как я отозвалась на его прикосновение, оказалось неожиданным для нас обоих. Горячая кровь моим губам, дыхание стало прерывистым, пальцы запутались в бронзовых волосах. Губы раскрылись — я жадно вдыхала пьянящий запах его кожи.

В ту же секунду тело Эдварда превратилось в холодную каменную статую, а руки осторожно, но настойчиво меня оттолкнули. Открыв глаза, я увидела его настороженное лицо.

— Упс! — выдохнула я.

— Это еще мягко сказано. Ничего, подожди секунду.

Я внимательно наблюдала, как золотистые глаза становятся спокойнее, а дикий блеск угасает. Наконец его губы растянулись в лукавой улыбке.

— Все.

— Терпимо? — спросила я.

— Я сильнее, чем думал. Очень приятно!

— Жаль, что не могу то же самое сказать о себе.

— Ты ведь просто человек, — усмехнулся Эдвард.

— Ну, спасибо большое, — съязвила я.

Легко поднявшись, он протянул мне руку. Я так привыкла к отсутствию физического контакта, что немало удивилась. Поддержка сильной холодной руки оказалась мне нужна больше, чем я предполагала: мне еще трудно было стоять на ногах.

— По-прежнему мутит? Или все дело в поцелуях?

Каким беззаботным, беспечным и веселым выглядел Эдвард! На ангельском лице никаких признаков волнения. Таким я его еще не видела, и с каждой минутой увлекалась им все больше и больше. Как же я раньше без него жила?

— Не знаю, в голове полная каша. Наверное, дело и в том и в другом.

— Хочешь, я сяду за руль?

— Ты что, с ума сошел?

— Я вожу в сто раз лучше, чем ты, — поддразнил Эдвард. — С реакцией у тебя явно не все в порядке!

— Не спорю. Боюсь только, твое вождение не по зубам ни моему пикапу, ни мне.

— Пожалуйста, Белла!

Рука уже залезла в карман и коснулась ключа. Но тут я набралась смелости, поджала губы и покачала головой.

— Нет, даже не думай.

Я шагнула к водительскому сиденью, однако неловко покачнулась.

— Разве можно позволить другу садиться за руль в нетрезвом состоянии? — насмешливо спросил Эдвард, крепко обняв меня за талию.

Вдохнув дурманящий аромат его кожи, я снова потеряла голову.

— В нетрезвом состоянии?!

— Ты пьяна моим присутствием, — усмехнулся он.

— С этим трудно поспорить, — вздохнула я. Ну как ему сопротивляться? Я собиралась бросить ключ на землю, но Эдвард молниеносно его поймал. — Осторожнее, мой пикап — настоящий пенсионер.

— Постараюсь.

— А тебя, значит, мое присутствие совсем не волнует? — раздраженно спросила я.

Лицо Эдварда неожиданно смягчилось. Он не ответил и нежно провел губами по моей щеке от подбородка к уху. Я затрепетала.

— И все же, — пробормотал Эдвард, — реакция у меня получше.

Он уже устроился на водительском сиденье, а моя щека все еще горела от прикосновения его губ. Лишь скрип открывающейся дверцы вернул меня к реальности.

Глава четырнадцатая

ПОБЕДА ДУХА НАД ПЛОТЬЮ

Нужно признать, что, за исключением превышения скорости, вел Эдвард отлично и без особых усилий. Управлял он одной рукой, а второй крепко сжимал мою ладонь. Иногда смотрел на садящееся солнце, иногда — на меня и наши переплетенные пальцы.

Он включил радио, поймал музыку в стиле ретро и стал напевать песню, которую я ни разу не слышала.

— Тебе нравится музыка пятидесятых?

— В пятидесятые музыка была что надо. Гораздо лучше, чем в шестидесятые и тем более семидесятые! — тоном знатока изрек Эдвард. — Восьмидесятые еще куда ни шло!

— Когда-нибудь скажешь, сколько тебе лет? — осторожно спросила я, боясь испортить ему настроение.

— А это важно? — с безмятежной улыбкой поинтересовался Эдвард.

— Вообще-то нет, просто любопытно. Ничто так не мешает спать по ночам, как неразгаданная тайна.

— А вдруг испугаешься?

— Давай попробуем! — не выдержала я.

Он вздохнул и, заглянув мне в глаза, на время забыл о дороге. Похоже, то, что он увидел, придало ему смелости. Алые лучи заходящего солнца озарили бледное лицо.

— Я родился в Чикаго в 1901 году. — Старательно изображая невозмутимость, я терпеливо ждала продолжения рассказа. — Летом 1918 года Карлайл нашел меня в больнице. Мне было семнадцать, и я умирал от испанки.

Эдвард наверняка услышал мой судорожный вздох.

— Я не очень хорошо помню, как все произошло, ведь это случилось очень давно. Зато никогда не забуду, как Карлайл меня спас.

— А твои родители?

— Они умерли от испанки, я остался один. Именно поэтому меня выбрал Карлайл. Кстати, врачи даже не заметили моего исчезновения!

— Как же он тебя спас?

Каллен ответил не сразу, сначала обдумав ответ.

— Это оказалось весьма непросто. Далеко не у каждого хватило бы самообладания совершить нечто подобное. Но Карлайл всегда был самым гуманным из нас... Мне очень повезло, и, кроме боли, я почти ничего не чувствовал.

По выражению его лица я поняла, что эту тему можно считать закрытой. Любопытство пришлось на время подавить, хотя я узнала далеко не все, что хотела. Очень многого я в принципе не понимала, и, вне всякого сомнения, Каллен это использовал.

— Думаю, Карлайл устал от одиночества, — не-громкий голос Эдварда вторгся в мои мысли. — Я был первым в его семье, а вскоре после этого он нашел Эсми. Она упала со скалы. Удивительно, но когда Карлайл принес ее из морга, сердце еще билось.

— Значит, только умирающий может стать... — Мы никогда не употребляли это слово, и я снова не решилась.

— Нет, дело в Карлайле! Он никогда не забирает тех, у кого есть выбор. — В голосе Эдварда звучало огромное уважение. — С другой стороны, гораздо легче, когда кровь слабая, и человек не сопротив-ляется. — Он перевел взгляд на дорогу, и я поняла, что и эта тема закрыта.

— А Эмметт и Розали?

— Розали была следующей в нашей семье. Лишь гораздо позднее я понял, что Карлайл надеялся сде-лать ее моей партнершей. Сам отец очень делика-тен и ни о чем подобном не заговаривал. — Эдвард нервно хихикнул. — Но Розали всегда была мне толь-ко сестрой и через два года нашла Эмметта. Во вре-мя охоты в Аппалачах она поймала медведя и вместо того, чтобы прикончить самой, принесла Карлайлу. Розали тащила его несколько сотен миль, представ-ляю, как ей было тяжело!

— Однако Розали справилась, — подсказала я, пытаясь оторвать взгляд от прекрасного лица.

— Да, она разглядела в Эмметте что-то такое, что придало ей сил. С тех пор они неразлучны и иногда живут отдельно от нас, как семейная пара. Однако чем младше мы кажемся, тем дольше можем про-жить на одном месте. Форкс подходит идеально, и, думаю, через пару лет нам предстоит в очередной раз погулять на их свадьбе.

— А Элис и Кэри?

— Элис и Кэри совершенно особенные. Они пришли к нам по собственной воле. Кэри вообще-то из другой семьи, совсем непохожей на нашу. После какой-то размолвки он впал в депрессию, некоторое время жил один. Элис его разыскала и привела к нам. Кстати, она, как и я, обладает некоторыми весьма необычными способностями.

— Ты же говорил, что один умеешь читать чужие мысли!

— Все верно. У Элис другой талант — она видит будущее, хотя и очень субъективно. Мы ведь сами создаем свое будущее, так что оно зависит от конкретных поступков каждого.

Эдвард многозначительно на меня посмотрел.

— Что же она видит?

— Элис увидела Кэри и заранее знала, что он ее ищет. Она увидела Карлайла, меня и Эсми, и они вместе с Кэри нас нашли. Она, как никто другой, чувствует приближение нам подобных и знает, представляют ли они опасность.

— А таких, как вы, много? — удивилась я. Неужели вампиры незамеченными живут среди нас?

— Нет, совсем немного, и большинство кочует с места на место. Более-менее оседлый образ жизни только у тех, кто не охотится на людей, — коварно взглянул на меня Эдвард. — Мы встретили лишь одну подобную семью, в маленькой деревушке на Аляске.

— А остальные?

— В основном бродяги. В свое время многие через это прошли. Очень утомительно, хотя постоянно кого-нибудь встречаешь, ведь все мы предпочитаем север.

— Почему?

Пикап остановился перед домом Чарли. Было очень тихо и темно, даже луна скрылась за тучами. Свет на крыльце не горел, значит, отец еще не вернулся.

— Разве ты еще не поняла? Ты же видела, каким я был сегодня. Думаешь, я смог бы спокойно ходить по улицам?.. Именно поэтому мы выбрали полуостров в штате Вашингтон — одно из самых пасмурных мест на земле. Здесь можно выходить на улицу даже в светлое время суток! Ты поняла бы меня, если бы восемьдесят с лишним лет не видела солнечного света.

— Выходит, в легендах есть доля правды?

— Выходит, так.

— А Элис, как и Кэри, пришла из другой семьи?

— Нет, здесь скрывается тайна. Элис не помнит своей прежней жизни и не знает, как стала такой, как мы. Она проснулась одна. Тот, кто сделал ее иной, просто ушел, и если бы Элис не встретила Кэри и Карлайла, то со временем совсем одичала бы.

Мне хотелось еще столько всего узнать, столько всего осмыслить, но тут, как назло, заурчало в желудке. За весь день о еде я даже не вспомнила и теперь почувствовала, как сильно проголодалась.

— Тебе, наверное, пора ужинать, — проговорил Эдвард.

— Все в порядке.

— Никогда не проводил столько времени в компании человека и вот забыл.

— Не хочу с тобой расставаться! — В темноте проще быть откровенной.

— Можно войти? — спросил он.

— Хочешь? — удивилась я, с трудом представляя его на обшарпанной кухоньке Чарли.

— Конечно, если ты не возражаешь! — Эдвард вышел на подъездную дорожку, а через секунду открыл дверцу с моей стороны.

— Очень по-человечески! — похвалила я.

— Видишь, кое-что осталось!

В темноте Эдвард больше походил на обычного парня, только двигался бесшумно, так что приходилось то и дело проверять, не исчез ли он.

Потом он галантно распахнул входную дверь, и я так и застыла от изумления.

— Я оставила дверь открытой?

— Нет, я взял ключ под карнизом.

Я вошла в дом, включила свет на крыльце и удивленно посмотрела на гостя: я была уверена в том, что никогда не говорила ему, где лежит ключ.

— Любопытство не порок, — сконфуженно произнес Эдвард.

— Ты шпионил? — Мой вопрос прозвучал недостаточно сердито, мне льстил его интерес к моей персоне.

— А что еще делать ночью?

Ничего не ответив, я прошла на кухню. Странно, но она преобразилась от его присутствия.

Достав из холодильника вчерашнюю лазанью, я выложила небольшую порцию на тарелку и поставила в микроволновку. Тарелка начала вращаться, запахло сыром и орегано.

— И часто ты это делаешь? — поинтересовалась я, не сводя глаз с лазаньи.

— Что? — Его мысли витали где-то далеко.

— Ты часто приходишь сюда?

— Почти каждую ночь.

От такого ответа я начисто забыла о лазанье.

— Зачем? — Удивление в моем голосе было неподдельным.

— Когда ты спишь, за тобой очень интересно наблюдать, — объявил Эдвард будничным тоном. — Ты разговариваешь!

— О нет, — простонала я, заливаясь краской. Голова закружилась, и мне пришлось ухватиться за кухонный стол. О том, что я разговариваю во сне, я, конечно же, знала. Мама частенько меня дразнила. Просто мне и в голову не могло прийти, что здесь это кого-то заинтересует.

На лице гостя тут же отразилась досада.

— Ты очень злишься? — настороженно спросил он.

— Пока не знаю, — хрипло пробормотала я.

— Не знаешь?

— Смотря что ты слышал!

В следующую секунду Эдвард уже стоял рядом и держал меня за руку.

— Пожалуйста, не плачь! — Он присел, и его лицо оказалось на одном уровне с моим. Мне стало так неловко, что я попыталась отвести взгляд. — Ты скучаешь по маме и очень за нее беспокоишься. Дождь мешает тебе спать. Раньше ты постоянно говорила о Финиксе, сейчас пореже. Знаешь, что ты однажды кричала? «Слишком много зеленого!» — Он негромко рассмеялся, надеясь, что я не обижусь.

— Только это?

— Еще ты зовешь меня, — чуть слышно проговорил Эдвард, понимая, что я расстроюсь.

— Часто? — обреченно вздохнула я.

— Что в твоем понимании часто? И вообще, почему ты расстраиваешься? Если бы я мог спать, все мои сны были бы о тебе. И стыдно бы мне не было!

Затем мы оба услышали скрип шин, а в окне сверкнули фары. Я так и застыла в его объятиях.

— Хочешь познакомить меня с Чарли? — как ни в чем не бывало поинтересовался Эдвард.

— Даже не знаю...

— Значит, в следующий раз! — отозвался он и исчез.

— Эдвард! — зашипела я.

Ответом мне был призрачный хохот, а в замочной скважине уже поворачивался ключ.

— Белла? — позвал отец. Боже, ну кого еще он ожидает здесь увидеть? Хотя сегодня его вопрос вполне обоснован.

— Я здесь!

Надеюсь, Чарли не заметит, в каком я состоянии. Вытащив лазанью из микроволновки, я как раз усаживалась за стол, когда отец вошел на кухню.

— Угостишь лазаньей? А то я с ног валюсь. — Он снимал ботинки, держась за стул, на котором только что сидел Эдвард.

Поспешно проглотив кусок лазаньи, я стала разогревать новую порцию. Похоже, я обожгла язык! Пока отцовский ужин грелся, я налила два стакана молока и тотчас осушила один, чтобы потушить полыхающий во рту пожар. Чудо, что молоко не расплескалось — мои руки дрожали мелкой дрожью. Ничего не замечая, Чарли уселся за стол, и мне стало казаться, будто Эдварда на нашей кухне никогда не было...

— Спасибо, — поблагодарил папа, когда я подала лазанью.

— Как прошел день? — спросила я, рассчитывая при первой же возможности сбежать в свою комнату.

— Отлично! И улов неплохой... А ты как? Купила все, что хотела?

— Если честно, то нет. Погода была отличная, и я просто гуляла.

— Значит, день удался! — резюмировал Чарли. «И это мягко сказано!» — подумала я.

Поспешно проглотив последний кусок лазаньи, я подняла ко рту стакан, где почти не осталось молока.

— Торопишься? — совершенно некстати проявил наблюдательность Чарли.

— Да нет, просто очень устала и хочу пораньше лечь спать.

— Ты чем-то взволнована, — заметил Чарли. Ну почему он вдруг стал таким заботливым?!

— Правда? — выдавила из себя я, быстро вымыла свою тарелку и поставила на полотенце обтекать.

— Сегодня же суббота, — напомнил Чарли.

Я угрюмо молчала.

— Никуда не собираешься?

— Нет, папа, хочу как следует выспаться.

— Неужели в Форксе не нашлось достойного парня? — Чарли говорил спокойно, однако в его голосе звучало подозрение.

— Нет, — категорично ответила я. — Пока никто не приглянулся. — На слове «парни» я старалась не заострять внимания: лгать отцу совершенно не хотелось.

— А Майк Ньютон? Он же вроде тебе нравился?

— Папа, мы просто друзья.

— Ну, для большинства местных парней ты слишком хороша. В колледже все будет по-другому. — Как и любой отец, Чарли мечтал сбыть доченьку с рук, прежде чем начнут бурлить гормоны.

— Очень надеюсь, — проговорила я и направилась к себе.

— Спокойной ночи, милая! — пожелал папа. Наверняка весь вечер он будет прислушиваться, не пытаюсь ли я выскользнуть из дома.

— Увидимся утром, — ответила я. Да нет, до встречи в полночь, когда ты придешь проверить, не сбежала ли я.

Старательно изображая усталость, я неторопливо поднялась по лестнице и так, чтобы услышал отец, закрыла дверь моей комнаты. Затем я на цыпочках подошла к окну, распахнула его настежь и пристально вгляделась в ночной мрак.

— Эдвард? — шепотом позвала я. Как глупо, наверное, я выгляжу со стороны!

— Что? — послышался за спиной насмешливый голос.

Крайне обескураженная, я обернулась.

Каллен развалившись лежал на кровати, руки скрещены на груди — воплощение расслабленности и покоя.

— Боже! — выдохнула я.

— Прости, — с издевкой проговорил он.

— Минутку, дай мне прийти в себя!

Стараясь меня не напугать, Эдвард медленно сел. Потянувшись ко мне, взял меня на руки и, как маленького ребенка, посадил рядом с собой.

— Неужели боишься?

— А сам не догадываешься? — съязвила я. — Разве не слышишь, как бьется сердце?

Он захохотал так, что затряслась кровать.

Мы вместе ждали, когда сердце немного успокоится. Боже, Чарли ведь дома и может в любой момент подняться сюда!

— Я отлучусь на минутку?

— Конечно, — вежливо проговорил Эдвард.

— Сиди тихо! — велела я.

— Да, мэм! — по-военному ответил он.

Я схватила пижаму и туалетные принадлежности и, не погасив свет, выскользнула из комнаты.

Из гостиной доносились звуки бейсбольного матча. Войдя в ванную, я сильно хлопнула дверью, чтобы Чарли услышал.

Долго задерживаться в ванной я не собиралась: тщательно почистила зубы и включила душ. Теплая вода помогла расслабиться. Знакомый запах шампуня напомнил мне, что я та же девушка, что и сегодня утром. Чтобы не нервничать, я старалась не думать об Эдварде, сидящем на моей кровати. Наконец я выключила воду, наскоро вытерлась полотенцем и натянула рваную футболку и тренировочные брюки. Жаль, что я не захватила шелковую пижаму, которую два года назад подарила мама. Даже не потрудившись оборвать бирки, я оставила ее в дальнем ящике комода.

Промокнув волосы полотенцем, я быстро провела по ним щеткой и сложила туалетные принадлежности в несессер. Скатившись по лестнице в гостиную, я продемонстрировала Чарли домашний наряд и мокрые волосы.

— Спокойной ночи, Чарли!

— Спокойной ночи, Белла!

Кажется, мое появление его напугало. Что ж, может, это и к лучшему!

Перепрыгивая через две ступени, я поднялась в свою комнату и плотно закрыла дверь. Эдвард сидел в той же позе, в какой я его оставила — эдакий Адонис на стареньком одеяле. Я улыбнулась. Эдвард окинул меня оценивающим взглядом, задержавшись на драной футболке и влажных волосах.

— Здорово!

Я недовольно поморщилась.

— Нет, тебе очень идет, правда!

— Спасибо, — поблагодарила я и, присев рядом с ним на кровать, принялась изучать разводы на деревянном полу.

— Зачем ты уходила?

— Чарли думает, что я собираюсь на ночное свидание.

— Ничего себе! — воскликнул Каллен. — А почему?

Можно подумать, он не читает мысли моего отца!

— Наверное, я выгляжу чересчур возбужденной!

Взяв меня за подбородок, Эдвард заглянул мне в глаза.

— Сейчас ты спокойная и такая теплая!

Вот он медленно наклонился и прижался ко мне прохладной щекой.

— Ммм!

Разве могла я в таком состоянии сказать что-нибудь умное? Пришлось целую минуту собираться с мыслями.

— Кажется, вторжение в твое физическое пространство тебя больше не пугает?

— Ты думаешь? — проворковал Эдвард, скользнув щекой по моему подбородку. Нежно приподняв волосы, он прижался губами к ямке за правым ухом.

— По-моему, так, — заявила я, стараясь дышать ровно.

— Хмм.

— Только вот... — начала я, но холодные пальцы, скользнувшие по ключице, не позволили мне договорить.

— Что? — чуть слышно спросил он.

— Почему так произошло? — дрожащим голосом спросила я. — Как ты считаешь?

— Победа духа над плотью. — Почувствовав на шее прерывистое дыхание, я поняла, что Каллен смеется.

Не разобравшись, что он имеет в виду, я отстранилась.

Несколько секунд мы озадаченно смотрели друг на друга, и первым пришел в себя Эдвард.

— Я сделал что-то не так? — недоуменно спросил он.

— Наоборот, ты сводишь меня с ума.

Обдумывая мои слова, он ответил не сразу, зато когда заговорил, в голосе слышалось удовлетворение.

— Правда?

— Ждешь бурных и продолжительных аплодисментов? — съязвила я.

Эдвард ухмыльнулся.

— Я приятно удивлен. За последние сто лет со мной ничего подобного не случалось. Просто невероятно, что я способен вызывать такие чувства! Но вот мы встретились, и тебе со мной хорошо...

— Ну, у тебя все получается здорово, — напомнила я.

Он пожал плечами, и мы оба тихо засмеялись.

— Но почему все изменилось? — не отставала я. — Ведь всего несколько часов назад...

— Мне и сейчас нелегко, — вздохнул он. — Сегодня днем я был слишком нерешителен. Прости, мне не следовало так себя вести.

— Все в порядке.

— Спасибо, — улыбнулся Эдвард и уставился в пол. — Видишь ли, еще днем я не был уверен, что смогу... А пока оставался шанс, что я... поддамся... — Он жадно вдохнул запах моего запястья. — Я не мог себе доверять, пока не решил, что ни при каких обстоятельствах не стану... и не уступлю...

Прежде я не видела его таким нерешительным. Совсем как человек!

— Значит, сейчас все под контролем?

— Победа духа над плотью, — улыбаясь, повторил он, и белоснежные зубы сверкнули в темноте.

— Видишь, как все просто!

Эдвард искренне рассмеялся.

— Просто для тебя, — поправил он, легонько щелкнув меня по носу. А в следующую секунду посерьезнел. — Я очень стараюсь. Если станет совсем невмоготу, уверен, что смогу уйти. — Прекрасное лицо исказила гримаса боли. — Прости, что подвергаю тебя такой опасности.

Я нахмурилась — разговоры об уходе мне совсем не нравились.

— Завтра будет сложнее, — продолжал Эдвард. — Сегодня я наслаждался твоим запахом целый день и стал менее восприимчивым. Однако стоит нам расстаться хотя бы на час, и все придется начинать снова. Ни дня без борьбы!

— Тогда не уходи! — предложила я, не в силах совладать со своими чувствами.

— Отлично! Принеси наручники, я буду твоим пленником! — При этом он сам схватил меня за запястья так сильно, будто в наручники заковал, и снова засмеялся. Сегодня он смеялся больше, чем за все время нашего знакомства.

— Настроение у тебя, похоже, отличное, — осторожно проговорила я. — Никогда тебя таким не видела!

— Разве не так и должно быть? Первая любовь творит чудеса. Совсем не похоже на то, что пишут в книгах или показывают в кино!

— Да уж, гораздо сильнее, чем мне казалось, — кивнула я.

— Например, ревность, — увлеченно продолжал Эдвард. — Сколько раз я читал о ней в книгах, видел, как актеры изображают ее в театре и кино. Вроде бы все яснее ясного, но когда дело коснулось меня самого... — он невесело улыбнулся. — Помнишь, как Майк пригласил тебя на танцы?

— В тот день ты снова начал со мной разговаривать.

— Вспышка негодования, даже ярости застала меня врасплох, и сначала я не понял, в чем дело. — Эдвард раздраженно покачал головой. — Еще хуже было оттого, что я не мог разобраться в мотивах. Почему ты ему отказала? Только ради подруги, или здесь замешан кто-то еще? Я понимал, что меня это не касается, и очень старался не переживать. А потом у меня появилась идея... — захихикал он.

Я нахмурилась.

— Я с нетерпением ждал, что ты скажешь, и каким тоном. Знаешь, какое облегчение я испытал, увидев на твоем лице досаду и раздражение? Хотя полной уверенности все равно не было. В ту ночь я впервые пришел сюда и очень долго разрывался между тем, что считал правильным и чего действительно хотел. Ведь очевидно, что если продолжать тебя избегать или на пару лет уехать, в один прекрасный день ты скажешь «да» такому, как Майк, — горестно проговорил Эдвард. — Ты спала, как ангел... и вдруг позвала меня, даже не проснувшись! Неведомое чувство завладело всем моим существом. Однако ревность — чувство странное и гораздо более сильное, чем я предполагал. Даже сегодня, когда Чарли спросил тебя о мерзком Майке Ньютоне... — Эдвард гневно покачал головой.

— Значит, ты подслушивал, — поморщилась я.

— Конечно.

— Неужели ты правда ревнуешь?

— Ты возрождаешь во мне человека! Как же не переживать, если я испытываю все впервые?

— Знаешь, мне нелегко тебе верить! — поддразнила я. — По твоим словам, Розали, воплощение красоты и изящества, первоначально предназначалась тебе. Теоретически у нее есть Эмметт, но практически разве я могу с ней соперничать?

— Никакого соперничества нет, — ослепительно улыбнулся Эдвард, прижимая меня к груди. От волнения у меня дыхание перехватило.

— Естественно, какое тут может быть соперничество! — пробормотала я. — В этом-то вся и проблема.

— Розали очень красивая, однако я отношусь к ней, как к сестре. Эмметт тут вообще ни при чем, для меня она не значит и сотой доли того, что значишь ты.

Мое сердце забилось так, будто собиралось вырваться из груди. Эдвард тотчас же это услышал и рассмеялся.

— Потому что она не в меню? — решила уточнить я.

— Именно поэтому!

— Приму к сведению.

— Почти девяносто лет я живу в новой ипостаси среди людей, — задумчиво проговорил он. — Все это время мне было вполне комфортно одному. Я никого не искал, потому что не мог найти в принципе — ведь ты еще не родилась.

— По-моему, это несправедливо, — прошептала я, уткнувшись ему в грудь. — Мне-то не пришлось так долго ждать! Почему тебе должно быть тяжелее?

— Ты права, — удивленно согласился Эдвард. — Я добавлю тебе проблем. Хотя тебе и так приходится каждую секунду рисковать жизнью, жертвовать своим естеством, человечностью... А ради чего?

— Ради того, чтобы быть счастливой!

— Нет! — с болью в голосе воскликнул он.

Я попыталась вырваться, заглянуть ему в глаза, но Эдвард железной хваткой держал мои запястья.

— Что слу... — хотела спросить я, почувствовав, как напряглось его тело, но Эдвард внезапно отпустил мои руки и исчез.

— Ложись! — неизвестно откуда донесся его голос.

Я послушно заползла под одеяло и повернулась на бок. Скрипнула дверь, и в комнату заглянул Чарли, проверяя, не сбежала ли дочка. Я притворилась, что сплю.

Казалось, время остановилось. Я прислушалась, не зная, закрылась ли дверь. Вот меня обняла холодная рука Эдварда, и в темноте он прошептал:

— Ты чудесная актриса! Тебя ждет сцена!

— К черту сцену! — пренебрежительно воскликнула я. Как же я была рада, что он вернулся!

Каллен стал напевать какую-то незнакомую песенку.

— Хочешь колыбельную?

— Думаешь, я смогу заснуть, когда ты здесь?

— Прежде у тебя это отлично получалось, — напомнил он.

— Я же не знала, что ты шпионишь.

— Чем тогда займемся? — усмехнулся Эдвард.

— Не знаю, — после минутного молчания призналась я.

— Скажи, когда решишь, — рассеянно попросил он, жадно вдыхая запах моей кожи.

— Ты же стал менее восприимчивым!

— Ну, раз уж не пью вино, то хотя бы букетом могу насладиться... Ты пахнешь цветами: лавандой или фрезией. Чудо, как приятно!

— Ничего удивительного! В Форксе что ни день, то у меня новый поклонник, и все делают комплименты...

Эдвард рассмеялся так, что кровать задрожала.

— Ну и шутки у тебя! Ты очень смелая.

— Смелая или ненормальная?

— И то и другое!

— Хочу побольше о тебе узнать, — сказала я, когда он наконец успокоился.

— Спрашивай!

— Почему ты это делаешь? — поинтересовалась я. — Тебе же трудно подавлять свои желания... Пожалуйста, пойми меня правильно, я очень рада, что ты стараешься. Просто не понимаю зачем?

Эдвард ответил не сразу.

— Хороший вопрос, и ты не первая его задаешь. Другие, даже те, кто вполне доволен своей долей, часто думают, почему все вышло именно так. Почему бы не изменить свою судьбу и не подняться над существующими условностями? Я, например, для начала пытаюсь сохранить то человеческое, что еще во мне осталось.

Признаюсь, подобного ответа я не ожидала.

— Ты спишь? — через несколько минут прошептал он.

— Нет.

— Это все, что ты хотела узнать?

— Не совсем, — кисло ответила я.

— Что еще?

— Почему только ты умеешь читать мысли? А Элис видит будущее... почему так получается?

Эдвард пожал плечами.

— Мы точно не знаем. У Карлайла есть одна теория... Ему кажется, что в нынешней ипостаси проявляются основные качества, которыми мы обладали в бытность людьми. И проявляются не просто,

а многократно усилившись, равно как ощущения
и интеллект. Отец считает, что человеком я неплохо
разбирался в людях, а Элис отличалась проницатель-
ностью.

— А что принесли из прошлой жизни другие чле-
ны семьи?

— Карлайл — сочувствие и сострадание, Эсми —
всепоглощающую любовь к ближним, Эмметт —
физическую силу, а Розали — красоту.

Я тяжело вздохнула, а Эдвард захихикал.

— Кэри гораздо интереснее, — продолжал он. —
Еще в прошлой жизни он обладал определенной ха-
ризмой и даром убеждения. Теперь он не просто уп-
равляет, а манипулирует сознанием окружающих.
Например, он может успокоить беснующуюся толпу или поднять дух отчаявшимся. Карлайл очень его
ценит.

Пытаясь осознать удивительные вещи, я подавленно молчала.

— С чего же все началось? Тебя создал Карлайл,
его тоже кто-то создал, и так далее...

— А как появились люди? В результате эволю-
ции или как результат божественного творения?
Разве нас нельзя назвать отдельным видом, предста-
вителями класса хищников? Знаешь, мне с трудом
верится, что наш мир развивался самостоятельно!
Но я не представляю, какая сила могла параллельно
создавать хищников и их жертв: морского ангела
и акулу, котиков и касаток.

— Давай сразу уточним, морской котик — это я?

— Да, такая беззащитная... — Эдвард нежно поцеловал мои волосы, — ...прелестная, наивная, без-
рассудная. Ну чем не морской котик?

Очень хотелось повернуться, чтобы увидеть, действительно ли он касается моих волос губами. Однако лучше играть по правилам и не создавать лишних проблем.

— Теперь будешь спать? Или еще остались вопросы?

— Всего пара миллионов!

— У нас есть завтра, послезавтра и послепослезавтра, — напомнил он.

— Слушай, а утром ты точно не исчезнешь? — уточнила я.

— Никуда я не денусь.

— Тогда еще один вопрос... — начала я и густо покраснела. Даже темнота не помогала, наверняка Эдвард чувствовал исходящий от меня жар.

— Что?

— Да так, ничего... Я передумала.

— Белла, спрашивай о чем угодно!

Я не ответила, и он застонал.

— Мне казалось, что со временем я привыкну к тому, что не слышу твои мысли. Однако становится все хуже и хуже.

— Хорошо хоть так! Разве того, что ты подслушиваешь, как я разговариваю во сне, мало?

Эдвард засмеялся и тяжело вздохнул.

— Ну пожалуйста! — взмолился он.

Я покачала головой.

— Если не скажешь, значит, это что-то страшное!.. Прошу тебя, Белла!

— Ладно, — кивнула я, радуясь, что он не видит моего лица.

— Так в чем дело?

— Ты сказал, что Эмметт и Розали скоро поженятся... Семейная жизнь... она означает то же, что и у людей?

Эдвард захохотал, а я нервно заерзала.

— Так вот что тебя волнует!

Я угрюмо молчала.

— Да, суть одна, — вдоволь насмеявшись, сообщил он. — Говорю же, в нас живут все человеческие страсти, просто они глубоко спрятаны.

— Ясно, — только и смогла ответить я.

— Это ведь не праздное любопытство?

— Ну, я подумала, что однажды ты и я...

Эдвард моментально посуровел, и я испугалась, почувствовав, как напряглось его тело.

— Не думаю, что для нас возможно... нечто подобное.

— Потому что ты не сможешь быть со мной настолько близок?

— Отчасти, но главная проблема не в этом. Ты такая хрупкая и ранимая, что мне постоянно приходится себя сдерживать и контролировать.

— Жалкий морской котик! — вздохнула я.

— Именно.

Эдвард задумался.

— А ты когда-нибудь...

— Нет, — зарделась я. — По-моему, я говорила, что подобных чувств никогда ни к кому не испытывала.

— Знаю, но ведь сейчас все проще. Любить совершенно необязательно...

— Только не для меня. Хотя разве я способна разобраться в таких тонкостях? Я же невинный морской котик!

— Замечательно. Хоть в этом мы сходимся, — удовлетворенно проговорил Эдвард.

— Возвращаясь к человеческим страстям... Ты считаешь меня привлекательной? Я имею в виду физически?

Засмеявшись, он взъерошил мои почти высохшие волосы.

— Возможно, я не человек, однако был и остаюсь мужчиной.

Я невольно зевнула.

— Теперь спи, я ответил на все вопросы!

— Не уверена, что смогу.

— Мне уйти?

— Нет! — тут же возразила я.

Улыбнувшись, Эдвард снова стал негромко напевать незнакомую колыбельную.

Совершенно обессиленная после долгого дня, я быстро заснула в его холодных руках.

Глава пятнадцатая
КАЛЛЕНЫ

На следующее утро меня разбудил неяркий свет солнца, пробивающийся сквозь тучи. Какие-то тревожные мысли мешали полностью расслабиться. Застонав, я перевернулась на бок, пытаясь снова заснуть. Не тут-то было! Внезапно я вспомнила события вчерашнего дня.

— О боже! — вскрикнула я и села так резко, что закружилась голова.

— Твои волосы похожи на солому! Но ничего, мне даже нравится, — послышался спокойный голос из стоящего в углу кресла-качалки.

— Ты не ушел! — Я тут же бросилась к нему на колени. Лишь через секунду я поняла, что сделала, и, устыдившись своего порыва, нерешительно взглянула на Эдварда. А вдруг я зашла слишком далеко?

К счастью, он рассмеялся.

— Ну конечно же! — ответил Эдвард, довольный моим замешательством, и ободряюще похлопал по спине.

Я жадно вдохнула запах его тела.

— Я так боялась, что это сон!

— Ну и примитивные у тебя сны!

— Чарли! — вспомнила я и, вскочив с его колен, бросилась к двери.

— Уехал час назад, предварительно проверив аккумулятор пикапа. Должен признаться, я немного разочарован. Он что, совсем тебя не контролирует? — с притворным гневом вопросил Эдвард.

Я снова собиралась броситься к нему на колени, но тут же подумала, что вид у меня не очень-то привлекательный. Лучше сначала умыться.

— Обычно по утрам ты так не суетишься, — заметил Эдвард и гостеприимно раскрыл объятия. Устояла я ценой нечеловеческих усилий.

— Дай мне минутку!

— Хорошо!

В полном смятении чувств я понеслась в ванную. Из зеркала на меня смотрела незнакомка — дико горящие глаза, пылающие щеки. Тщательно почистив зубы, я кое-как пригладила волосы, побрызгала лицо холодной водой и постаралась хоть немного успокоиться. Без особого успеха! Я поспешно вернулась в комнату.

Чудо: Эдвард ждал, по-прежнему с распростертыми объятиями. Устыдившись своего утреннего порыва, я скромно присела на краешек кресла. Холодные руки обняли меня за плечи, и мое сердце неистово забилось.

— С возвращением! — промурлыкал он, прижимая меня к себе.

Несколько минут мы так и сидели, прижавшись друг к другу, пока я не заметила, что Эдвард переоделся и уложил волосы немного иначе.

— Ты отлучался? — недовольно спросила я, разглаживая ворот свежей рубашки.

— Разве можно ходить в одном и том же виде два дня подряд?! Что скажут соседи! Когда я отлучился, ты спала, как ангел. — Тигриные глаза задорно сверкнули. — Все интересное произошло чуть раньше.

Я застонала.

— Что ты слышал?

Вся нежность мира воплотилась во взгляде золотистых глаз.

— Ты сказала, что любишь меня.

— Ты и так это знал, — робко проговорила я.

— Все равно мне было очень приятно.

— Я тебя люблю, — положив голову ему на плечо, призналась я. Голос звучал слабо и неуверенно; скорее вопрос, чем утверждение.

— Теперь ты — моя жизнь, — просто ответил Эдвард.

Слова стали излишни. Мы тихо качались в кресле, а на улице тем временем немного посветлело.

— Пора завтракать, — будничным тоном проговорил Эдвард, стараясь показать, что помнит о моих маленьких слабостях.

Решив пошутить, я испуганно схватилась руками за горло. Он растерялся.

— Шутка! — захихикала я. — Ты же сам говорил, что я прекрасная актриса.

— Не смешно, — с отвращением произнес он.

— Еще как смешно, и ты сам это знаешь! — На всякий случай я внимательно посмотрела в тигриные глаза, чтобы убедиться, что меня простили.

— Может, я неясно выразился? *Тебе* пора завтракать!

— Ладно, ладно, — согласилась я.

Не успела я и пикнуть, как меня посадили на спину и понесли вниз по лестнице. На мои протесты Эдвард не обращал никакого внимания. Похоже, для него я действительно пушинка!

К моему удовольствию, на кухне было по-праздничному солнечно. Эдвард аккуратно опустил меня на стул.

— Что на завтрак? — в шутку спросила я.

Такого вопроса он точно не ожидал.

— Честно говоря, не знаю. А что ты любишь?

Усмехнувшись, я поднялась со стула.

— Все в порядке, я большая девочка и способна позаботиться о себе.

Выбрав кукурузные хлопья с медом и орешками, я насыпала их в тарелку и залила молоком. Эдвард не сводил с меня глаз, и мне стало неловко.

— Может, съешь что-нибудь? — нерешительно предложила я.

Он закатил глаза.

— Белла!..

Под его пристальным взглядом я взялась за хлопья. Ну зачем так внимательно смотреть, как человек жует? Так и подавиться недолго!.. Я решила начать разговор.

— Чем займемся сегодня?

— Хмм... Хочешь познакомиться с моей семьей?

Тут я и правда чуть не подавилась хлопьями.

— Неужели боишься? — с надеждой спросил Эдвард.

— Да, — призналась я. Зачем притворяться, если ответ ясно виден в моих глазах?

— Не беспокойся, — усмехнулся он. — Я смогу тебя защитить!

Теперь пришла моя очередь поднимать глаза к потолку.

— Я боюсь не твоих родственников, а того, что могу им не понравиться, — объяснила я. — Разве они не удивятся, если ты приведешь в гости... кого-то вроде меня? Они знают, что мне известно про...

— Они давно уже все знают. Вчера мои милые родственнички заключили пари на то, привезу ли я тебя обратно. — Эдвард улыбался, но его голос звучал серьезно. — Не понимаю, как можно делать ставки против Элис. Так или иначе, у нас нет секретов друг от друга. Какие секреты, если я читаю мысли, а Элис видит будущее?

— А Кэри способен любого уговорить выйти на улицу нагишом, — подсказала я.

— Ты очень внимательна, — похвалил он.

— Стараюсь. Значит, Элис знает, что я приду.

Эдвард более чем странно воспринял мои слова.

— В общем, да, — неохотно проговорил он и отвернулся, чтобы я не видела его лица. Мне стало любопытно.

— Вкусно? — поспешил сменить тему Эдвард, с подозрением поглядывая на мои хлопья. — На вид не очень аппетитно.

— Ну, это, конечно, не весенний гризли... — пробормотала я, не обращая внимания на его недовольный вид. Интересно, почему он так смутился, когда я упомянула Элис? Сгорая от любопытства, я быстро доела хлопья.

Снова превратившись в статую Адониса, Эдвард молча стоял посреди кухни и рассеянно смотрел в окно. Затем повернулся ко мне с обаятельной улыбкой.

— Думаю, ты должна представить меня отцу.

— Он тебя знает, — напомнила я.

— Но не как твоего друга.

— Зачем?

— Разве так не полагается? — невинно поинтересовался Каллен.

— Не знаю, — честно ответила я, сожалея, что в подобных вопросах не имею собственного опыта. Да и разве обычные правила применимы к нашим отношениям? — Это необязательно. Я не жду, что ты... Тебе не нужно притворяться!

Эдвард улыбнулся.

— Я и не притворяюсь!

Я закусила губу, нервно гоняя по тарелке остатки хлопьев.

— Так ты скажешь Чарли, что я твой бойфренд?

— А ты мой бойфренд? — Я поежилась, представляя разговор Эдварда и Чарли.

— Ну, у этого слова много определений.

— Честно говоря, мне казалось, что ты больше, чем просто бойфренд, — призналась я, не поднимая глаз.

— Нам необязательно посвящать твоего отца во все подробности, — уверенно проговорил Каллен, касаясь моего подбородка пальцем. — Нужно же как-то объяснить мое присутствие, и вовсе не хочется, чтобы шеф полиции Свон отказал мне от дома.

— А ты правда хочешь быть со мной? — обеспокоенно спросила я. — И действительно будешь приходить в гости?

— Пока тебе это нравится, — серьезно ответил Эдвард.

— Хочу, чтобы ты всегда был со мной, — мрачно заявила я.

Эдвард медленно подошел к столу и нежно коснулся моей щеки. Что он при этом думал, я не знала — по лицу понять было невозможно.

— Это тебя огорчает? — решилась я.

Он долго-долго смотрел мне в глаза, потом сменил тему:

— Доела?

— Да, — тут же вскочила я из-за стола.

— Одевайся, я подожду здесь!

Я побежала по лестнице, но на полпути остановилась.

— Правда подождешь?

Эдвард засмеялся, и его глаза просветлели.

— Честное скаутское!

Одевалась я быстро, то и дело выбегая на лестницу. Причин сомневаться в Эдварде у меня не было, однако уж слишком он непредсказуем!

Что же мне надеть? Вряд ли существуют какие-то рекомендации относительно того, как одеться на первую встречу с семьей вампиров. Странно, что это слово само пришло на ум, я ведь всеми силами старалась его не употреблять даже наедине с собой.

Свой выбор я остановила на длинной юбке цвета хаки и темно-синей блузке. Мельком взглянув в зеркало, я поняла, что все попытки пригладить волосы оказались тщетными, и собрала их в хвост. Осталось выбрать туфли. Я снова вышла на лестницу и негромко позвала Эдварда, уверенная, что он меня услышит.

— Кто сядет за руль?

— Что за вопрос? — рассмеялся Эдвард. — Я, конечно.

Значит, надену туфли-лодочки!

— Готова! — объявила я, скатившись по лестнице. — Надеюсь, прилично?

Он схватил меня за руки и несколько секунд удерживал на расстоянии, а потом прижал к себе.

— Ты как всегда ошиблась... Разве прилично выглядеть так соблазнительно?

— В каком смысле соблазнительно? — осторожно спросила я. — Может, переодеться?

Эдвард вздохнул и покачал головой.

— Ну как можно быть такой глупой? — Он осторожно поцеловал меня в лоб, и мне показалось, что комната поплыла перед глазами. — Объяснить, чем ты меня соблазняешь?

Тонкие пальцы, словно крылья бабочки, ласкали мои руки, спину... Ладони вспотели, и мне стало трудно дышать. Наши губы встретились, словно два цветка в букете.

Тут я потеряла сознание.

— Белла? — испуганно позвал не позволивший мне упасть Эдвард.

— Из-за тебя мне стало плохо!

— Ну что мне с тобой делать! — Странно, когда он растерян, он больше всего похож на человека. — Вчера после поцелуя ты вцепилась мне в волосы, а сегодня потеряла сознание!

Я рассмеялась и, к своему ужасу, не смогла остановиться. Эдвард гладил меня по спине, пока безумный смех не превратился в икоту.

— У тебя истерика?

Я покачала головой, хотя и опасалась, что он прав: кажется, членораздельной речи конец — либо смех, либо икота!

Тяжело вздохнув, Эдвард сгреб меня в охапку и усадил на диван. Сам он куда-то исчез, а через секунду я услышала, как он гремит посудой на кухне, что-то бормоча себе под нос.

Неуловимый миг, и Эдвард снова в гостиной и бормочет так быстро, что я не могу разобрать ни слова. Оказывается, он принес стакан воды, который теперь подталкивал к моим губам. Несколько маленьких глотков — и я снова могу дышать.

— Вот что получается, когда целуешься слишком хорошо, — вздохнул Эдвард.

— В этом-то вся и проблема, — пробормотала я. — Ты все делаешь слишком хорошо. Видишь, чем это для меня оборачивается!

— Тебя мутит? — обеспокоенно спросил он, памятуя о том, что случилось вчера.

— Нет, на обморок не похоже. По-моему, я забыла, как дышать!

— В таком состоянии ты никуда не поедешь.

— Все в порядке! — возразила я. — Твоя семья все равно подумает, что я сумасшедшая, поэтому терять нечего!

— Если они так подумают, значит, у них есть основания.

— Ну, спасибо...

Эдвард окинул меня подозрительным взглядом.

— Знаешь, тебе очень идет темно-синий! — неожиданно сказал он, и я зарделась.

Целую минуту мы смотрели друг другу в глаза.

— Слушай, я изо всех сил стараюсь не терять присутствие духа, так что, может, поедем?

Быстрый оценивающий взгляд тигриных глаз.

— Ты переживаешь не из-за того, что собираешься в гости к вампирам, а потому что боишься им не понравиться?

— Именно.

— Ты потрясающая девушка! — покачал головой Эдвард и шагнул к двери.

— А не лучше ли... — начала я, но он поднял руку, показывая ключи от пикапа. Тяжело вздохнув, я вышла на крыльцо и, как обычно, поднялась на цыпочки, чтобы достать лежащий под карнизом ключ. Эдвард нетерпеливо схватил меня за руку.

Я так и замерла с раскрытым ртом, а он, будто устав от моей недоверчивости, бессильно кивнул.

— Ладно, проверь, если сомневаешься.

Дверная ручка не поворачивалась!

— Черт знает что! — пробормотала я.

Эдвард потащил меня к пикапу.

— Мне тоже нравится водить! — попробовала намекнуть я, но он уже открыл дверцу у пассажирского сиденья.

— Белла, я и так потратил слишком много сил, чтобы спасти твою жизнь, и не позволю сесть за руль сейчас, когда ты даже идти не в состоянии.

— Я хорошо вожу!

— Я-то гораздо лучше, — ответил с водительского места Эдвард.

— Если бы ты так не делал, я бы забыла, что ты не человек, — проговорила я.

— Как не делал?

— Не вырастал, словно из-под земли.

— Не могу же я постоянно ползать, как улитка!.. Да и лучше тебе не забывать.

Я смотрела на его бледную кожу, невероятно красивое лицо, гибкое тело хищника, такое упругое и холодное, как мрамор...

— Нет, точно не забуду, — пробормотала я.

Только когда мы выехали из центральной части Форкса, я поняла, что не знаю, где живут Каллены. Река Калавах осталась позади, дорога повернула на север, а дома попадались все реже, пока не исчезли совсем. Пикап петлял по туманному лесу, и вскоре асфальтированное шоссе кончилось. Эдвард уверенно гнал вперед по лесной дороге, едва заметной среди папоротников. Лес становился все гуще.

А потом через несколько миль деревья расступились, и мы выехали на поляну... или это была лужайка? Вокруг по-прежнему клубилась зеленоватая дымка, скорее всего из-за шести древних кедров, растущих вокруг дома. Могучие лапы упирались в стены и заглядывали в окна, а уж верандой, наверное, вообще невозможно пользоваться.

Почему-то дом Калленов я представляла себе иначе. Он оказался величественным, стильным и очень древним. Светло-бежевого цвета, трехэтажный, дом свидетельствовал об отличном вкусе хозяев.

Я не заметила ни одной машины, зато где-то невдалеке журчала река. Настоящая глушь!

— Вау!

— Нравится? — улыбнулся Эдвард.

— Очень своеобразно...

Он дернул меня за хвост и усмехнулся.

— Готова?

— Конечно, нет, но давай пойдем!

— Храбрый морской котик!

Я попыталась улыбнуться, однако губы не слушались. Кое-как пригладив волосы, я судорожно вздохнула.

— Прекрасно выглядишь, — похвалил Эдвард. Мы прошли на террасу. Он наверняка почувствовал мое волнение и ободряюще сжал руку.

Тяжелая дверь открылась, и я так и застыла очарованная. Ничего похожего на мрачное обиталище вампиров: очень просторно, светло и уютно! Судя по всему, на первом этаже когда-то было несколько комнат, потом стены снесли, и получился большой холл. Южная стена оказалась прозрачной, и я смогла увидеть раскидистые кедры и лужайку, спускающуюся к неторопливой реке. Главным украшением западной части дома была широкая лестница, ведущая на верхние этажи. Да уж, в отсутствии вкуса Калленов не упрекнешь: высокий сводчатый потолок, оштукатуренные стены, пушистые палевые ковры на деревянном полу...

Слева от входа на небольшом возвышении у рояля нас ждали родители Эдварда.

С доктором Калленом я уже встречалась, но разве это помешало мне еще раз восхититься его молодостью и красотой? Рядом с ним, должно быть, Эсми, единственная, кого я еще не видела. Очень бледная и красивая, как и все Каллены: тонкое лицо с высокими скулами и волны светлых кудрей — как похожа на актрис немого кино! Она пополнее, чем остальные, и держится попроще. Одеты Эсми и Карлайл довольно изысканно, в светло-бежевой гамме, сочетающейся с цветом стен и ковров. Оба приветливо улыбнулись, но не приблизились к нам ни на шаг. Наверное, боятся меня испугать!

— Карлайл, Эсми, — прервал неловкое молчание Эдвард, — это Белла.

— Добро пожаловать, Белла. — Карлайл шагнул ко мне и неуверенно протянул руку, и я тотчас ее пожала.

— Здравствуйте, доктор Каллен.

— Пожалуйста, зови меня просто Карлайл.

— Карлайл, — улыбнулась я, удивленная собственной смелостью. Стоящий рядом Эдвард вздохнул с облегчением.

Радушно улыбаясь, ко мне подошла Эсми. Маленькая изящная рука оказалась сильной.

— Очень рада наконец с тобой познакомиться, — искренне проговорила она.

— Спасибо, я тоже рада встрече. — И это действительно было так. Похоже, я попала в сказку и пожимаю руку Белоснежке.

— А где Элис и Кэри? — поинтересовался Эдвард.

Родители не успели ответить, потому что парочка появилась на лестнице.

— Эй, Эдвард! — радостно позвала Элис и, скатившись по ступенькам, остановилась прямо передо мной. Судя по взглядам Карлайла и Эсми, они хотели, чтобы девушка вела себя поприличнее, но мне нравилась ее непосредственность.

— Привет, Белла! — Элис проворно подскочила ко мне и обняла за плечи. Карлайл и Эсми онемели от удивления, а я, когда прошло первое потрясение, обрадовалась, что Элис принимает меня за свою. Мне показалось, что Эдвард чем-то недоволен, однако когда я к нему повернулась, его лицо было непроницаемым.

— Слушай, ты потрясающе пахнешь! — заявила девушка, вогнав меня в краску.

Возникла неловкая пауза, но тут к нам спустился Кэри, высокий, стройный, величавый. Настоящий король! Мне стало так спокойно и уютно... Случайно взглянув на Эдварда, я заметила в тигриных глазах недовольство. Значит, я уже успела попасться на крючок!

— Здравствуй, Белла, — чопорно кивнул Кэри, а потом незаметно подмигнул. Почему-то мне показалось, что на неожиданное панибратство его подвигла Элис. Так или иначе, с этим парнем нужно быть настороже.

— Здравствуй, Кэри, — отозвалась я, застенчиво улыбнувшись. — Очень приятно познакомиться со всеми вами. У вас обалденно красиво и уютно, — вежливо добавила я.

— Спасибо, — улыбнулась Эсми, очевидно приняв меня за бесстрашную особу. — Мы рады видеть тебя в гостях.

Так, значит, Эмметт с Розали не желают со мной знакомиться! Мне сразу вспомнился уклончивый ответ Эдварда, когда я заявила, что эти двое меня не любят.

От неприятных мыслей меня отвлек Карлайл, многозначительно смотревший на Эдварда. Краем глаза я заметила, как Каллен-младший кивнул.

Я сделала вид, что ничего не вижу, а сама принялась разглядывать красавец рояль, стоявший на небольшом возвышении. Неожиданно вспомнились детские мечты — я страстно хотела выиграть на скачках или в лотерее, чтобы купить маме рояль. Рене очень любила музыку, но играла только для себя и довольно посредственно. Пианино у нас было самое дешевое, однако я любила смотреть, как она играет. Мама казалась такой счастливой и безмятежной, будто приплывала из далекой страны, где нет ни горя, ни забот. Меня отдали в музыкальную школу; увы, я занималась откровенно плохо и очень скоро бросила.

Столь явный интерес не остался незамеченным для Эсми.

— Ты играешь? — спросила она, кивнув в сторону рояля.

— К сожалению, нет. А вы?

— Нет, — засмеялась Эсми. — Это рояль Эдварда. Разве он не рассказывал тебе, что очень любит музыку?

— Нет, — я обиженно взглянула на Эдварда.

Эсми удивилась.

— Кажется, Эдвард умеет все, верно? — наивно поинтересовалась я.

Кэри захохотал, а Эсми укоризненно взглянула на Эдварда.

— Надеюсь, ты не слишком выставлялся, это невежливо, — строго проговорила она.

— Только чуть-чуть, — усмехнулся Эдвард, и лицо Эсми смягчилось. Они многозначительно переглянулись, будто о чем-то договариваясь.

— Может, сыграешь для Беллы? — предложила Эсми.

— Ты же сама сказала, что выставляться невежливо, — упирался Эдвард.

— Из всех правил есть исключения!

— Я бы с удовольствием послушала, — решила вмешаться я.

— Значит, договорились, — обрадовалась Эсми, подталкивая сына к инструменту. Я села на скамеечку рядом с Эдвардом.

Он бросил на меня свирепый взгляд... а потом заиграл, и просторный холл заполнили звуки такой дивной красоты, что казалось, за роялем не один музыкант, а двое. Даже моих примитивных знаний хватило, чтобы понять, что этюд очень и очень сложный. Я сидела, боясь пошевелиться, как вдруг услышала сдавленный смешок.

Продолжая играть, Эдвард посмотрел на меня и весело подмигнул.

— Нравится? — небрежно спросил он.

— Ты сам написал? — в восхищении пролепетала я.

— Любимый этюд Эсми, — кивнул Эдвард.

Закрыв глаза, я бессильно покачала головой.

— Что-то не так?

— Просто чувствую себя полным ничтожеством.

Мелодия полилась медленнее и мягче, незаметно превратившись в уже знакомую мне колыбельную. Я, не отрываясь, смотрела на тонкие пальцы, с такой легкостью порхающие по клавишам.

— Эта часть посвящается тебе, — прошептал Эдвард.

Никогда не думала, что из рояля можно извлечь такие звуки. Наверное, все дело в мастерстве играющего и его чувствах.

— Знаешь, ты им понравилась, — заговорщицки прошептал Эдвард. — Эсми особенно!

Машинально оглянувшись, я увидела, что холл опустел.

— Почему они ушли?

— Наверное, решили, что нам нужно побыть вдвоем.

— С чего ты взял, что я им понравилась?

— Ну кто мне запретит читать мысли?

— Да уж! А Розали и Эмметт... — нерешительно начала я.

Каллен нахмурился.

— За Розали не беспокойся, она придет, — уверенно заявил он, увидев, что я настроена скептически.

— А Эмметт?

— Братец, конечно, считает меня ненормальным. Однако не пришел он потому, что утирает слезы Розали.

— Что ее так расстроило? — спросила я, вовсе не уверенная, что хочу услышать ответ.

— Ну, Розали меньше всех устраивает... ее нынешняя ипостась. А оттого, что секрет узнал кто-то посторонний, ей еще больше не по себе. К тому же она ревнует.

— Розали ревнует? — в замешательстве переспросила я. Как ни старалась, я не могла подобрать ни одной причины, по которой такая красавица, как Розали, могла бы мне завидовать.

— Ты человек, женщина, — пожал плечами Эдвард, — поэтому она и ревнует.

— Боже! — ошеломленно прошептала я. — Ведь даже Кэри...

— Тут, скорее, виноват я, — мрачно усмехнулся Эдвард. — Помнишь, я говорил, что в нашей семье он относительно недавно? Ему было велено держать себя в руках!

Я содрогнулась, подумав о возможных причинах такого приказа.

— А Эсми и Карлайл? — быстро спросила я, надеясь, что Эдвард не заметил моего испуга.

— Они довольны, если доволен я. Эсми приняла бы тебя, даже окажись ты хромой и косоглазой. Она жутко волновалась, что Карлайл изменил меня слишком юным, и я не успел стать цельной личностью... Да она в восторге и просто млела каждый раз, когда я брал тебя за руку!

— Элис, кажется, тоже рада...

— Ну, у нее свой интерес!

Целую минуту мы молча смотрели друг на друга. Эдвард что-то скрывает. Ладно, потерплю, а со временем постараюсь все выяснить.

— О чем вы договорились с Карлайлом? — как ни в чем не бывало спросила я.

— Значит, ты заметила!

— Конечно, — по-прежнему спокойно проговорила я.

Эдвард ответил не сразу.

— Он хотел рассказать мне кое-что и не знал, захочу ли я поделиться с тобой.

— А ты захочешь?

— Я вынужден, потому что в следующие несколько дней или недель мне придется быть... еще более осторожным и внимательным. А выглядеть в твоих глазах тираном и деспотом совершенно не хочется.

— Ты и есть тиран, — безмятежно сказала я, — но меня это вполне устраивает. Что особенного?

— В общем, ничего. Элис чувствует приближение гостей. Они знают про нашу семью и, скорее всего, хотят познакомиться.

— Гости?

— Да, они не похожи на нас и охотятся иначе. Скорее всего, в город они вообще не сунутся, однако до самого их отъезда я не спущу с тебя глаз.

На этот раз он точно заметил, что я трясусь от страха.

— Ну наконец-то нормальная реакция! — усмехнулся Эдвард. — А я уж подумал, что ты совсем утратила инстинкт самосохранения.

Я понемногу успокаивалась, оглядывая просторный холл.

— Что, твои ожидания не оправдались? — самодовольно поинтересовался Эдвард.

— Не совсем, — призналась я.

— Ни гробов, ни черепов по углам! Вроде бы даже паутины нет, какая жалость!

— Очень просторно и много света, — не обращая внимания на его ерничество, проговорила я.

— Домом мы всегда гордились!

Колыбельная, которую играл Эдвард, моя колыбельная, приближалась к концу, но финальные аккорды оказались неожиданно грустными. Последняя резкая нота, и в холле повисла тишина.

— Спасибо, — пробормотала я, только сейчас почувствовав, что на глаза навернулись слезы. Смутившись, я стала вытирать их платком.

Одну слезинку я все же пропустила, и ее аккуратно стер Эдвард. Подняв влажный палец, он внимательно на него посмотрел и быстро поднес к губам.

Я не знала, что сказать, а Эдвард мечтательно закатил глаза и улыбнулся.

— Хочешь посмотреть другие комнаты?

— А гробов правда нет? — уточнила я, надеясь, что за сарказмом не слышно беспокойства.

Улыбнувшись, он взял меня за руку и повел к лестнице.

— Никаких гробов, обещаю!

По высоким ступеням мы поднялись на второй этаж. Деревянные перила были гладкие, как шелк. Так, значит, цветовая гамма второго этажа совсем иная — стены обшиты деревянными панелями медового цвета, того же оттенка, что и половицы.

— Комната Розали и Эмметта, кабинет Карлайла, комната Элис, — показывал на закрытые двери Эдвард.

В конце коридора я остановилась как вкопанная и уставилась на деревянное украшение на стене. Заметив мое смущение, он улыбнулся.

— Можешь смеяться. Вот уж действительно парадокс!

Я и не думала смеяться; более того, рука непроизвольно потянулась к большому деревянному кресту, темнеющему на фоне светлой стены. Однако дотронуться до него я не решилась — просто хотелось узнать, действительно ли крест такой гладкий, каким кажется.

— Наверное, он очень старый...

— Середина семнадцатого века, — пожал плечами Эдвард.

— Зачем вы его здесь держите? — поинтересовалась я.

— Ностальгия, крест принадлежал отцу Карлайла.

— Он коллекционировал антиквариат?

— Нет, — тихо засмеялся Эдвард, — он вырезал его сам. Когда-то крест висел на стене в приходе, где он служил.

Не знаю, отразилось ли на моем лице удивление, но на всякий случай я перевела взгляд на древний крест. Применив элементарную арифметику, я поняла, что кресту более трехсот пятидесяти лет. Я молчала, пытаясь осмыслить такой огромный временной промежуток.

— О чем ты думаешь? — спросил Эдвард.

— Сколько лет Карлайлу? — промолвила я, по-прежнему глядя на крест.

— Он недавно отпраздновал трехсот шестьдесят второй день рождения.

Наконец-то оторвавшись от креста, я посмотрела на Эдварда. В голове уже теснились вопросы.

Задать их я не успела, он без труда понял, что я хочу узнать.

— Карлайл родился в Лондоне примерно в 1640 году, незадолго до правления Кромвеля. Точнее сказать невозможно, даты рождения простолюдинов тогда не записывали.

Понимая, что Эдвард за мной искоса наблюдает, я старалась не показать волнения. Обдумать все можно потом, дома, в спокойной обстановке.

— Он был единственным сыном англиканского священника. Мать умерла при родах, и Карлайл остался с отцом, человеком крайне нетерпимым. Когда протестанты пришли к власти, священник участвовал в гонениях католиков и представителей других религий. А еще он твердо верил в существование зла и возглавлял облавы на ведьм, оборотней и... вампиров.

Услышав это слово, я замерла, однако Эдвард, похоже, ничего не заметил и рассказывал дальше.

— Они сожгли сотни невинных людей, потому что тех, на кого устраивались облавы, поймать куда труднее. Состарившись, пастырь поставил во главе рейдов своего послушного сына. Сначала Карлайл приносил одни разочарования: он не умел обвинять невинных и видеть дьявола в душах праведных. Зато он оказался настойчивее и умнее отца. Он нашел настоящих вампиров, которые жили среди нищих и выходили на охоту по ночам. Даже в те времена, когда чудовища существовали не только в легендах, выжить им было непросто. Итак, вооружившись факелами и горячей смолой, — зловещим тоном продолжал Эдвард, — люди собрались у логова вампиров, которое обнаружил Карлайл. Наконец появился первый.

Он заговорил тише, и я с трудом разбирала слова.

— Это был обессилевший от голода старик. Почуяв людей, он тут же предупредил остальных и бросился бежать, петляя среди трущоб. Карлайл, на тот момент двадцатитрехлетний, возглавил погоню. Старик мог легко оторваться от преследователей, но, по мнению Карлайла, он был голоден, поэтому внезапно развернулся и бросился в атаку. Сначала он напал на Карлайла, однако противников было слишком много, и вампиру пришлось обороняться. Убив двоих, старик убежал с третьим, а истекающего кровью Карлайла бросил на улице.

Эдвард замолчал, подбирая слова.

— Карлайл знал, что сделает его отец. Тела сожгут, сожгут и всех раненых. Чтобы спасти свою жизнь, мой отец доверился интуиции. Пока толпа гналась за вампиром, он полз в противоположном направлении. Карлайл нашел погреб с гнилой картошкой и скрывался целых три дня. Он сидел тихо, и его никто не обнаружил. Лишь когда жизни ничего не угрожало, отец понял, кем стал.

Не знаю, что отразило мое лицо, но Эдвард внезапно остановился.

— Ты нормально себя чувствуешь?

— Конечно, — успокоила его я, однако Эдвард был слишком внимателен, чтобы не разглядеть любопытства, горевшего в моих глазах.

— У тебя еще остались вопросы, — улыбнулся он.

— Ну, несколько.

— Пойдем, — проговорил Эдвард, взяв меня за руку, — сейчас ты сама все узнаешь.

Глава шестнадцатая

КАРЛАЙЛ

Он подвел меня к кабинету Карлайла и на секунду помедлил у двери.

— Входите, — проговорил доктор Каллен.

Я в изумлении посмотрела на Эдварда.

— Ты дышишь громче, чем думаешь, — насмешливо прошептал он. Я обиделась.

Мы вошли в комнату с высокими потолками и выходящими на запад окнами. Обшитые темным деревом стены были почти полностью скрыты за высокими полками, а столько книг я не видела ни в одной библиотеке.

Доктор Каллен сидел в кожаном кресле за тяжелым столом из красного дерева и читал толстую книгу в потертом переплете. Комната идеально соответствовала моим представлениям о кабинете декана университета, вот только Карлайл был слишком молод, чтобы занимать эту должность.

— Чем могу вам помочь? — вежливо спросил доктор, поднимаясь с кресла.

— Я хочу, чтобы Белла кое-что о нас знала, и как раз начал рассказывать твою историю, — заявил Эдвард.

— Мы не хотели вам мешать, — извинилась я.

— Вы и не помешали, — тепло улыбнулся Карлайл. — На чем ты остановился?

— На перерождении, — отозвался Эдвард и, дотронувшись до моего плеча, заставил повернуться к двери, в которую мы только что вошли. От каждого его прикосновения сердце начинало бешено биться, что в присутствии Карлайла особенно смущало. Стена, на которую мы теперь смотрели, отличалась от других. Вместо книжных полок ее украшали картины самых разных размеров и цветов: яркие, пастельные и монохромные. Я попыталась определить, что общего может быть у всех этих картин, но логического объяснения найти не смогла.

Эдвард подтолкнул меня к написанной маслом миниатюре в квадратной рамке. Выдержанная в светлых терракотовых тонах, она как-то терялась среди дру-

гих картин. Присмотревшись, я разглядела городс-
кой пейзаж с остроконечными крышами и высокими
шпилями. На переднем плане — река и мост, укра-
шенный скульптурами.

— Лондон середины семнадцатого века, — пояснил Эдвард.

— Лондон моей юности, — добавил Карлайл. Он
подошел к нам так неслышно, что я вздрогнула. Каллен-младший ободряюще сжал мне руку.

— Может, сам все расскажешь? — спросил Эдвард, и я обернулась, чтобы увидеть, как воспримет
эти слова Карлайл.

— Я бы с удовольствием, — дружелюбно улыбнулся доктор, — но мне нужно бежать. С утра звонили из
клиники, доктор Сноу снова взял больничный. Кроме того, эту историю ты знаешь ничуть не хуже меня.

Ну и ситуация! Повседневные потребности современного Форкса прерывают рассказ о жизни сред-
невекового Лондона.

Немного неприятно было оттого, что вслух доктор
Каллен говорил специально для меня.

Улыбнувшись мне на прощание, Карлайл неслышно вышел из кабинета и притворил за собой дверь.

Целую минуту я рассматривала город на миниатюре.

— Что же случилось потом? — спросила я, поднимая глаза на Эдварда. — Когда Карлайл понял, что
с ним происходит?

Эдвард задумчиво смотрел на картины, и я решила угадать, какая именно привлекла его внимание.
Судя по всему, это большой осенний пейзаж, изоб-
ражающий пожелтевшую лесную поляну, а на заднем плане — скалы.

— Поняв, кем стал, папа не смирился, — тихо проговорил Эдвард. — Он решил себя уничтожить. Правда, это оказалось не так-то просто.

— Что он сделал? — Вопрос вырвался сам собой, таким сильным было изумление.

— Прыгал с горных вершин, бросался в океан... Карлайл был слишком молод и силен, чтобы погибнуть, — невозмутимо рассказывал Эдвард. — Удивительно, как долго он смог выдержать без... еды! Как правило, у... новообращенных голод слишком силен, чтобы сопротивляться. Однако отвращение к самому себе было столь велико, что папа решил себя погубить.

— Разве это возможно? — чуть слышно спросила я.

— Вообще-то да, хотя способов нас убить не так уж много.

Мне захотелось уточнить, но Эдвард не дал мне и рта раскрыть.

— Папа совсем ослаб от голода и старался держаться как можно дальше от людей, понимая, что сила воли вовсе не безгранична. Сколько ночей он скитался по пустошам, отчаянно презирая самого себя!.. Как-то раз на его логово набрело стадо оленей. Карлайл умирал от жажды и, недолго думая, растерзал все стадо. Силы вернулись, и отец понял, что становиться монстром совсем не обязательно. Разве в прошлой жизни он не ел оленину? Так родилась новая философия. Отец решил, что и в такой ипостаси можно оставаться самим собой. Решив не терять времени попусту, Карлайл снова начал учиться. Времени для занятий теперь стало вдвое больше. Он поплыл во Францию и...

— Поплыл во Францию? — с сомнением спросила я.

— Белла, люди пересекали Ла-Манш и в семнад-
цатом веке, — напомнил мне Эдвард.

— Не сомневаюсь, просто ты сказал «поплыл»...
Продолжай!

— Плавание для нас вовсе не проблема...

— Для вас вообще нет проблем, — проворчала я.

Эдвард ухмыльнулся.

— Перебивать больше не буду, обещаю!

Он продолжал:

— ...потому что нам фактически не нужно дышать.

— Что?

— Ты ведь обещала! — укоризненно воскликнул
Эдвард и приложил к моим губам холодный палец. —
Хочешь узнать, чем все кончилось, или нет?

— Нельзя же огорошить меня подобной новостью
и рассчитывать, что я никак не отреагирую!

Холодная рука неожиданно коснулась моей клю-
чицы. Сердце забилось сильнее, но я постаралась
держать себя в руках.

— Тебе не нужно дышать?

— Совершенно необязательно. Дышим мы скорее по привычке.

— И как долго вы можете... не дышать?

— Наверное, бесконечно, точно не знаю. Жить,
не чувствуя запахов, немного скучно.

— Немного скучно, — глухо повторила я.

Уж не знаю, что отражалось на моем лице, но Эдвард почему-то расстроился. Отдернув руку, он так
и впился в меня взглядом. Мне стало неловко.

— Что такое? — чуть слышно спросила я, касаясь
его неподвижного лица.

— Какая нелепая пара, ты и я, — вздохнул он.

— По-моему, мы это уже обсуждали.

— Разве тебе не страшно?

— Нет, — честно ответила я.

Эдвард смотрел на меня во все глаза.

— Самый сильный хищник на планете заботится о моей безопасности. Чего мне бояться?

Он фыркнул и если не развеселился, то хотя бы хмуриться перестал.

— Ну, ты загнула! Эмметт намного сильнее меня.

— Приходится верить тебе на слово.

— Когда-нибудь сама убедишься.

— Итак, продолжай! Карлайл поплыл во Францию...

Эдвард кивнул, возвращаясь к своей истории. Золотистые глаза метнулись к другой картине в богато украшенной раме, самой большой из висящих на стене. Картина была не только самой большой, но и самой пестрой: яркие фигурки в пышных балахонах прижимаются к каким-то столбам и свешиваются с балконов. Мне показалось, что это либо какие-то герои греческой мифологии, либо библейские персонажи.

— Карлайл приплыл во Францию и обошел все европейские университеты. Не зная отдыха, он изучал музыку, точные науки, медицину, пока не понял, что его призвание — спасать человеческие жизни. Другие подобные нам люди, более цивилизованные, чем призраки лондонских трущоб, отыскали его в Италии.

Тонкий палец показал на степенную четверку на самом высоком балконе, снисходительно взирающую на царящий внизу бедлам. Присмотревшись к фигуркам, я с удивлением узнала золотоволосого мужчину.

— Друзья Карлайла вдохновили Солимену*, и он часто изображал их богами, — Эдвард усмехнулся. — Аро, Марк, Кай, — представил он остальных, — ночные ангелы-хранители науки и искусства.

— Что же с ними стало? — вслух поинтересовалась я, с благоговением глядя на фигурки.

— Они по-прежнему в Италии, — пожал плечами Эдвард, — где прожили бесчисленное множество лет. А вот Карлайл долго среди них не задержался, пару десятилетий, не больше. Каждому нужны друзья, тем более такие образованные и утонченные, но они пытались вылечить его от отвращения к тому, что называли «естественным источником силы». Карлайл попытался склонить их на свою сторону... Безрезультатно. Почувствовав себя чужим среди своих, папа решил отправиться в Америку. Представляю, как он был одинок!

Однако и в Новом Свете ему долго не удавалось найти близких по духу. Шли годы, вампиров и оборотней стали считать бабушкиными сказками, и Карлайл понял, что вполне может общаться с людьми, не раскрывая своей сущности. Со временем он стал врачом и приобрел обширную практику. Вот только друзей по-прежнему недоставало: сходиться с людьми слишком близко было опасно.

Эпидемия испанки застала отца в Чикаго. Несколько лет он вынашивал одну идею и уже решил

---

* *Франческо Солимена* (1657—1747) — итальянский живописец позднего барокко. Жил и работал в Неаполе.

действовать. Раз не удалось найти семью, он создаст ее сам. Останавливало лишь то, что Карлайл не до конца представлял, как будет происходить перерождение. Лишать человека жизни, как когда-то поступили с ним, он не желал. Раздираемый внутренними противоречиями, он нашел меня. Как безнадежно больной, я лежал в палате для умирающих. Мои родители скончались на руках Карлайла, поэтому он знал, что я остался сиротой, и решил попробовать.

Голос Эдварда превратился в чуть слышный шепот, а потом и вовсе затих. Невидящий взгляд молодого Каллена блуждал где-то далеко. Интересно, о чем он сейчас думает: о прошлом Карлайла или своем собственном? Спросить я не решилась.

Когда Эдвард повернулся ко мне, его лицо было безмятежно спокойным.

— Остальное ты знаешь, — проговорил он.

— С тех пор ты постоянно жил с Карлайлом?

— Почти. — Эдвард обнял меня за талию и подтолкнул к двери.

Я с тоской оглянулась на картины, не испытывая никакого желания уходить из гостеприимного кабинета.

Пришлось брать инициативу в свои руки.

— Что значит «почти постоянно»? — настырно поинтересовалась я.

Эдвард вздохнул.

— Ну, лет через десять после моего создания — или перерождения, называй, как хочешь, — у меня случился обычный кризис подросткового возраста. Постоянное воздержание, которое проповедовал Карлайл, меня совсем не устраивало, я бунтовал и некоторое время жил один.

— Правда? — И снова я была скорее заинтригована, чем испугана.

Эдвард разочарованно покачал головой и повел меня на третий этаж. Находясь под впечатлением рассказа, я едва обращала внимание на обстановку.

— Неужели это тебя не отталкивает?

— Нисколько.

— Почему?

— Ну... у меня тоже были подростковые проблемы.

Он захохотал, на этот раз громко и заразительно.

— Ты хоть понимаешь, какой необычный у тебя характер?

Вопрос прозвучал риторически, и отвечать я не стала. Тем временем мы поднялись в холл третьего этажа, обшитый темной древесиной, и Эдвард смотрел на меня до тех пор, пока я застенчиво не отвела глаза.

— У меня было преимущество. С момента моего перерождения я научился читать мысли живых существ: и людей, и себе подобных. Именно поэтому я не мог оторваться от Карлайла — в нем было столько искренности и убежденности в своей правоте!

Лишь через несколько лет я вернулся к отцу и вновь принял его мировоззрение. Теоретически я не должен был испытывать угрызений совести. Читая мысли своих жертв, я мог отпускать невинных и уничтожать только злых. Однажды я убил черного парня, который преследовал девушку, желая над ней надругаться. Убийство компенсировалось спасением невинности, и мне было не так плохо.

Я содрогнулась, представив себе темный переулок и девушку, убегающую от насильника. И Эдварда на охоте... Такого молодого, прекрасного... и беспощадного. Интересно, та девушка была ему благодарна или только смертельно испугана?

— Однако со временем я разглядел в себе монстра! Цена человеческой жизни слишком высока, и убийству не может быть оправданий! Я вернулся к Карлайлу и Эсми, и они приняли меня с распростертыми объятиями.

— А потом Карлайл привел Розали... — проговорила я.

Эдвард неожиданно рассмеялся.

— Ты думаешь только об одном!

Возразить было нечего.

— Моя комната, — объявил он, пропуская меня вперед.

Огромное, во всю стену, окно выходило на юг, комната была просторной и светлой. Значит, вся южная стена дома из какого-то прозрачного материала! Передо мной как на ладони была извивающаяся лесная река, девственный лес, скалистые горы.

Западную стену занимали стеллажи с компакт-дисками. Похоже, их у Эдварда больше, чем в любом магазине. В углу стояла стереоустановка, настолько сложная, что я не решалась к ней прикоснуться — вдруг сломаю. Ни малейшего намека на кровать, только широкая кожаная софа. На полу ковер густого золотистого цвета, а на стенах обивка из тяжелой ткани на тон темнее.

— Хорошая акустика? — предположила я.

Эдвард усмехнулся и кивнул, а потом с помощью дистанционного управления включил стереоустановку. Комнату заполнили рваные аккорды джаза, и мне показалось, что я слышу живой звук.

— Диски как-то систематизированы? — спросила я, подойдя к стеллажу. Явно не в алфавитном порядке и не по тематике!

— Ну, по годам и личным предпочтениям, — рассеянно пробормотал Эдвард.

Обернувшись, я увидела, что он заинтересованно за мной наблюдает.

— Что такое?

— Я надеялся, что когда расскажу тебе все и между нами не останется секретов, я почувствую облегчение. Большего не ожидал... Так вот, выходит, я ошибся. Теперь, когда ты узнала все, я не просто доволен. Я счастлив, — тихо сказал он.

Я так и просияла в ответ.

— Как здорово!

— Конечно, полное отсутствие страха с твоей стороны меня совсем не радует. Это просто неестественно! — нахмурился Эдвард.

— Ты вовсе не такой жуткий, каким себе кажешься. Можно сказать, я вообще не считаю тебя страшным и опасным, — беззаботно врала я.

Эдвард печально улыбнулся. Он мне не поверил.

— Вот это ты зря сказала! — кровожадно заявил он. И, глухо зарычав, обнажил ровные нижние зубы. Тело сжалось в пружину — настоящая пума перед прыжком.

Я испуганно пятилась.

— Не уйдешь!

Как он бросился на меня, я не увидела — уж слишком быстрым было движение. Просто в следующую секунду я полетела на софу, которая придвинулась к стеклянной стене. Сильные руки сжали меня в объятиях, хотя я и не пыталась сопротивляться. Мне просто хотелось сесть...

«Пума» не позволила мне и этого, всем телом прижав к софе. Я не на шутку перепугалась, а Эдвард злорадно улыбался.

— Что ты сказала?

— Ты страшное зубастое чудовище! — прохрипела я, но не с сарказмом, как хотела, а робко и испуганно.

— Вот так-то лучше!

— Ладно, — примирительно проговорила я.

— Можно нам войти? — послышался из коридора тихий голос.

Теперь я сопротивлялась изо всех сил, однако Эдвард лишь ослабил хватку и посадил меня на колени.

Дверь приоткрылась, и я увидела Элис и Кэри. Мои щеки густо покраснели, а вот Эдвард ничуть не смутился.

— Заходите, — гостеприимно пригласил он.

Судя по всему, Элис не находила ничего странного в том, что мы сидим, обнявшись. Покачивая бедрами, она вышла на середину комнату и грациозно опустилась на пол. Кэри в смущении застыл в дверном проеме. Парень пристально смотрел на Эдварда, будто спрашивая, что происходит.

— Звуки были такие, будто ты решил съесть Беллу на обед, вот мы и пришли, надеясь на угощение! — весело сказала Элис.

Я оторопела, но краем глаза заметила, что Эдвард улыбается. Интересно, что его развеселило: замечание сестры или мой испуг?

— Простите, делиться нечем, самому мало! — подыграл Каллен, крепко прижимая меня к себе.

— На самом деле, — невольно улыбаясь, вмешался Кэри, — Элис хотела сказать, что, во-первых, сегодня ночью будет гроза, а во-вторых, Эмметт предлагает поиграть в мяч. — Нехотя отлепившись от двери, парень подошел к своей подруге. — Эдвард, ты к нам присоединишься?

Вроде бы слова безобидные, но отчего-то мне стало не по себе. Так, значит, Элис Каллены доверяют больше, чем прогнозам метеорологов.

Глаза Эдварда вспыхнули, однако он промолчал.

— Естественно, можешь взять с собой Беллу, — щебетала девушка.

— Хочешь пойти?

— Конечно! — Разве могла я обмануть его ожидание? — Куда и когда?

— Придется подождать грозы, без нее нельзя... Хотя ты сама все увидишь! — пообещал Эдвард.

— Мне понадобится зонт?

Все трое рассмеялись.

— Так как насчет зонта, Элис? — переспросил Кэри.

— Думаю, на поляне будет сухо, — уверенно проговорила мисс Каллен.

— Вот и отлично, — радостно подхватил Кэри Хейл.

И снова я поняла, что не на шутку заинтригована, а вовсе не испугана.

— Давайте пригласим Карлайла! — предложила Элис и порхнула к двери так легко и грациозно, что позавидовала бы любая балерина.

— Будто ты не знаешь, что отца вызвали в больницу! — подначил девушку Кэри.

— В какую игру мы будем играть? — поинтересовалась я, как только мы остались вдвоем.

— Ты будешь смотреть, а мы — играть в бейсбол.

Я закатила глаза.

— Вампиры любят бейсбол?

— Ну, мы же американские вампиры! — с напускной серьезностью проговорил Эдвард.

Глава семнадцатая

ИГРА

Мелкий дождь начал моросить, когда Эдвард свернул на мою улицу. К тому моменту я уже не представляла, как прожила без Каллена и его семьи целых семнадцать лет.

Однако, увидев на подъездной аллее Чарли знакомую машину — старенький черный «форд» , я спустилась с небес на землю. Эдвард пробормотал что-то нечленораздельное.

Пытаясь укрыться от холодных дождевых капель, на нашем узком крыльце стоял Джейкоб Блэк, а рядом — его отец в инвалидном кресле. Билли невозмутимо наблюдал, как Эдвард паркует мой пикап у обочины, а вот Джейку было явно не по себе — он беспокойно дергался и подавленно на меня смотрел.

— Это переходит все границы, — гневно процедил Эдвард.

— Блэки приехали предупредить Чарли, — догадалась я.

Эдвард кивнул и, прищурившись, стал смотреть на Билли сквозь пелену дождя.

Очевидно, отец еще не вернулся.

— Я сама с ними разберусь, ладно? — предложила я.

К моему удивлению, Эдвард согласился.

— Наверное, так будет лучше, — кивнул он. — Будь осторожна, мальчишка тут ни при чем.

Слово «мальчишка» показалось немного обидным.

— Джейкоб чуть младше меня, — напомнила я.

Как ни странно, гнев Эдварда смягчился.

— Да, знаю, — усмехнулся он.

Тяжело вздохнув, я нажала на ручку дверцы.

— Пригласи их в дом, — велел Эдвард, — тогда я смогу беспрепятственно уехать. Вернусь к вечеру.

— Хочешь взять пикап? — великодушно предложила я, не представляя, что скажу Чарли.

— Спасибо, я пешком быстрее доберусь!

— Тебе вообще не нужно уезжать, — задумчиво проговорила я.

— Еще как нужно, — усмехнулся Эдвард, заметив, что я скисла. — Когда избавишься от этих, — он кивнул в сторону Блэков, — придется подготовить Чарли к встрече с твоим новым бойфрендом.

— Ну спасибо, — простонала я.

— До скорого, — улыбнулся Эдвард и, метнув быстрый взгляд на крыльцо, чмокнул меня в подбородок.

Обуреваемая противоречивыми чувствами, я тоже посмотрела на гостей. Лицо Билли исказилось, сильные руки так и вцепились в подлокотники кресла.

— До скорого, — промолвила я, открыла дверцу и вышла под дождь.

Поспешно пробираясь к крыльцу, я ощущала спиной пристальный взгляд Эдварда.

— Привет, Билли, привет, Джейкоб! Чарли уехал на целый день... Надеюсь, вам не пришлось слишком долго ждать?

— Да нет, — мрачно проговорил Блэк-старший, буравя меня темными глазами. — Мы просто хотели кое-что завезти. — Он показал на коричневый бумажный пакет, который держал на коленях.

— Спасибо, — машинально ответила я, даже не представляя, что они принесли. — Может, зайдете на секунду и обсохнете?

Открывая дверь, я делала вид, что не замечаю пристального взгляда Билли.

— Давайте ваш пакет, — предложила я и в последний раз взглянула на Эдварда. Он стоял, не шелохнувшись, и мрачно на меня смотрел.

— Лучше положить в холодильник, — проговорил Билли. — Любимое блюдо Чарли — рыбное жаркое. Хотя в холодильнике оно высохнет...

— Спасибо, — поблагодарила я, на этот раз искренне. — Рыбу я умею только жарить, а каждые выходные папа привозит отличный улов.

— Сегодня он тоже поехал рыбачить? — В глазах индейца загорелись огоньки. — Наверное, на обычное место?

— Нет, — без запинки соврала я, внезапно нахмурившись, — он говорил, что поедет куда-то подальше... Куда именно, я не знаю.

Билли продолжал буравить меня взглядом.

— Джейк, может, принесешь из машины последнюю фотографию Ребекки? Хочу подарить ее Чарли.

— Где она? — равнодушно поинтересовался парень. Вид у него был очень недовольный.

— В багажнике. Поищи!

Сгорбившись, Джейк побрел к машине.

Мы с Билли молча смотрели друг на друга, пока наконец он не передал мне пакет с рыбой. Кивнув, я понесла его на кухню, Билли катил следом, не отставая ни на шаг.

Положив пакет в морозилку, я решительно повернулась к мистеру Блэку.

— Чарли придет еще не скоро, — заявила я резко, почти грубо.

Билли молча кивнул.

— Еще раз спасибо за жаркое, — с намеком сказала я.

Он продолжал кивать, совсем как китайский болванчик! Тяжело вздохнув, я скрестила руки на груди.

Кажется, до Блэка дошло, что болтать я совсем не в настроении.

— Белла... — начал он и тут же осекся. — Белла, Чарли — мой лучший друг.

— Знаю.

Когда Билли заговорил снова, его голос звучал весьма решительно.

— Вижу, ты подружилась с одним из Калленов...

— И что?

Темные глаза сузились.

— Может, это не мое дело, но мне кажется, зря.

— Вы правы, — раздраженно сказала я, — действительно не ваше!

Задетый моей невежливостью, Блэк мрачно улыбнулся.

— Возможно, ты не в курсе, но в нашей резервации Калленов не любят.

— Вообще-то в курсе, — холодно проговорила я, наслаждаясь его изумлением. — Только не понимаю за что. Ведь Каллены никогда не пересекают границы ваших земель, верно?

Судя по всему, Блэку не нравилось вспоминать соглашение, которое одновременно связывало и защищало его племя.

— Да, — нехотя согласился Билли. — А ты, похоже, отлично осведомлена об истории этой семьи. Гораздо лучше, чем я думал.

— Наверное, гораздо лучше, чем все квилеты и вы в том числе, — похвасталась я.

Блэк недовольно поджал губы.

— Очень может быть, — признал он, а в его глазах загорелись странные огоньки. — Надеюсь, Чарли так же хорошо информирован?

Чертов индеец все же нашел брешь в моей броне!

— Чарли очень уважает Калленов, — уклончиво ответила я.

Неловкая увертка не прошла незамеченной, и Билли огорченно кивнул.

— Если это не мое дело, то Чарли оно точно касается.

— Надеюсь, вы позволите мне самой решать, что рассказывать отцу, а что нет?

Не знаю, прозвучал ли мой вопрос убедительно, ведь меня загнали в тупик, а грубить не хотелось.

Мы замолчали, будто оба прислушивались к стуку дождевых капель.

— Да, — наконец уступил Блэк, — решать тебе.

Я вздохнула с облегчением.

— Спасибо, Билли.

— Просто подумай о том, что ты делаешь!

— Хорошо! — быстро согласилась я.

Индеец нахмурился.

— Подумай очень серьезно, прошу тебя!

Заглянув в темные глаза, я увидела столько беспокойства и заботы, что резкие слова застыли у меня на губах.

Тут входная дверь хлопнула так громко, что я чуть не подпрыгнула.

— В машине нет фотографии, — послышался обиженный голос Джейка, а потом на кухне появился он сам с мокрыми от дождя волосами.

— Хмм, — равнодушно проворчал Билли, поворачиваясь к сыну, — значит, я оставил ее дома.

— Чудесно! — воскликнул Джейк, картинно закатывая глаза.

— Ладно, Белла, передай отцу, что мы заходили.

— Обязательно, — сухо сказала я.

— Разве нам уже пора? — удивился Джейкоб.

— Чарли придет поздно, — объяснил сыну Билли и выехал с кухни.

— Ясно, — разочарованно протянул Блэк-младший. — Тогда поболтаем в следующий раз? — спросил он меня.

— Конечно, — рассеянно кивнула я.

— Будь осторожна! — предупредил меня Билли.

Джейк помог отцу выехать на крыльцо. Я махнула им рукой и, быстро взглянув на пустой пикап, захлопнула дверь.

Постояв в коридоре, я услышала, как взревел мотор черного «форда». Все, Блэки уехали! От волнения я даже пошевелиться не решалась. Немного успокоившись, я пошла наверх переодеваться.

Так, достаточно юбок с блузками! Я примерила несколько топов, не зная, чего ожидать от сегодняшнего вечера. Хватит думать о Блэках, бейсбол гораздо важнее!

Лишь теперь, вдали от гипнотизирующих глаз Эдварда и Кэри, мне стало страшно. Даже одежду выбирать расхотелось, и я вытащила из шкафа старую клетчатую рубаху и джинсы. Все равно сверху будет плащ.

Услышав, как подъехала машина Чарли, я взглянула на часы. Чуть-чуть не успела... Хлопнула входная дверь, и отец зашумел на первом этаже, убирая снасти под лестницу. Что ж, пора спускаться на кухню.

— Привет, папа! А где рыба?

— Привет, ребенок! Улов в морозилке!

— Тогда мне нужно скорее достать жаркое! Представляешь, Билли Блэк привез рыбное жаркое! — Я постаралась, чтобы в голосе было побольше восторга.

— Вот здорово!

Пока отец мылся, жаркое разогревалось, и через несколько минут мы уже сидели за столом. Билли не ошибся: Чарли работал вилкой, словно золотоискатель киркой. А я гадала, как завести нужный разговор.

— Как прошел день? — ни с того ни с сего поинтересовался отец, прерывая мои размышления.

— Ну, после обеда я была дома... — с легким сердцем солгала я, хотя это ведь не совсем ложь... Теперь самое трудное! — А утром ездила в гости к Калленам.

Чарли выронил вилку.

— К доктору Каллену? — изумленно переспросил он.

— Ну да.

— И что ты там делала? — Отец забыл про жаркое.

— Вообще-то я встречаюсь с Эдвардом Калленом, и сегодня он решил познакомить меня со своей семьей... Папа, ты что?

Кажется, у него сердечный приступ.

— Ты встречаешься с Эдвардом Калленом?! — загрохотал отец.

Так, только этого мне не хватало!

— Тебе же нравятся Каллены, — пискнула я.

— Он слишком взрослый для тебя!

— Мы ровесники, — поправила я. Бедный папа даже не подозревает, насколько он прав!

— Погоди, — засомневался отец, — который из братьев этот твой Эдвин?

— *Эдвард* — самый младший, — ответила я. Да нет, на самом деле он старший! — Высокий, худощавый, волосы такие рыжеватые и вьющиеся... самый обаятельный из Калленов и Хейлов, красивый, как греческий бог!

— Ну, это уже лучше, — неохотно признал Чарли. — Мне не нравится тот здоровяк, настоящий громила! Может, он и славный парень, но для тебя слишком... зрелый!

— У Эмметта уже есть девушка.

— Этот Эдвин — твой бойфренд?

— Папа, его зовут Эдвард.

— Так как?

— Наверное, да.

— Ты же только вчера сказала, что форксские парни тебе не по вкусу! — Чарли снова взялся за вилку. Значит, самое страшное позади.

— Так ведь Эдвард не живет в Форксе!

Чарли бросил на меня укоризненный взгляд, но жевать не перестал.

— А самое главное, мы только начали встречаться, — уверенно продолжала я. — Так что не надо меня смущать, ладно?

— Сегодня он за тобой придет?

— Да, должен приехать через минуту.

— Куда вы собираетесь?

— Папа, с каких пор ты записался в инквизиторы? — возмутилась я. — Мы играем в бейсбол с семьей Эдварда.

Чарли захихикал.

— С каких пор ты играешь в бейсбол? — скептически усмехнулся он.

— Я буду просто смотреть.

— Похоже, тебе правда нравится этот парень, — заметил Чарли, подозрительно меня разглядывая.

Услышав, что к дому подъехала машина, я вскочила и принялась мыть посуду.

— Не суетись, я сам все уберу. А то ты меня избаловала!

В дверь позвонили, и Чарли пошел открывать. Я бросилась следом.

Оказывается, на улице настоящий ливень! В ореоле неяркого света лампы Эдвард был похож на одного из манекенщиков Ральфа Лорена. Больше всего на свете мне хотелось выбежать на крыльцо, чтобы всем телом прижаться к этому божеству!.. Увы, в присутствии Чарли об этом не могло быть и речи, и я ограничилась полным обожания взглядом.

— Заходи, Эдвард.

Слава богу, что он не назвал его Эдвином!

— Благодарю вас, шеф Свон! — почтительно проговорил Каллен.

— Называй меня Чарли. Давай, я повешу твою куртку.

— Спасибо, сэр.

— Вот стул, садись!

Эдвард опустился на стул, а мне пришлось сесть с отцом на диван. Я скорчила недовольную гримасу.

— Значит, ты ведешь мою дочь на бейсбол!

Только в штате Вашингтон проливной дождь не считается помехой для игры на свежем воздухе!

— Да сэр, мы собираемся на бейсбол. — Эдварда не удивило, что я сказала отцу правду. Впрочем, он наверняка подслушивал!

— Ну, от Беллы помощи не жди! — усмехнулся Чарли.

— Ладно, пошутили и хватит. Нам пора! — Решительным шагом я прошла в прихожую и надела плащ. Эдвард поднялся вслед за мной.

— Только не слишком долго, Белла! Завтра в школу.

— Не беспокойтесь, Чарли, обещаю лично привезти ее домой.

— Надеюсь, ты как следует о ней позаботишься!

Я недовольно застонала, но мужчины не обращали на меня внимания.

— С ней все будет в порядке, сэр, даю слово.

Думаю, Чарли был рад: слова Эдварда прозвучали очень искренно.

Я вышла на крыльцо и буквально приросла к месту от изумления. На подъездной аллее красовался огромный джип! Колеса мне по пояс, на фарах — металлические щитки. Настоящий танк, но красный!

Чарли восхищенно присвистнул.

— Только пристегнитесь, — сдавленным голосом проговорил он.

Эдвард обошел машину вместе со мной и открыл дверцу. Прикинув на глаз расстояние до сиденья, я приготовилась прыгать. Обреченно вздохнув, Каллен обхватил меня за талию и помог подняться. Надеюсь, Чарли ничего не заметил!

Пока Эдвард, не спеша, шел к своему месту, я решила пристегнуться, однако ремней было слишком много!

— Что это? — поинтересовалась я, когда он устроился на водительском сиденье.

— Обычная экипировка внедорожника!

— Ясно...

С ремнями я так и не разобралась. Пришлось обратиться за помощью к Эдварду. Хорошо, что шел сильный дождь и Чарли не видел, как его пальцы скользят по моей шее, ключицам, гладят мою кожу!.. Забыв обо всем, я блаженно закрыла глаза.

Эдвард завел мотор, и мы выехали с подъездной аллеи.

— Ну и джип!

— Тачка Эмметта! Мне показалось, ты не захочешь идти всю дорогу пешком.

— А где вы его держите?

— Приспособили одну из надворных построек под гараж.

— А сам пристегиваться не будешь?

Эдвард посмотрел на меня так, будто я сморозила глупость.

Внезапно меня осенило.

— Идти пешком? Хочешь сказать, что часть пути нам все же придется пройти пешком? — Я едва не сорвалась на визг.

— Естественно, ты пешком не пойдешь!

Полная дурных предчувствий, я откинулась на сиденье.

Эдвард чмокнул меня в макушку и застонал. Я удивленно на него посмотрела.

— В дождь твой запах еще сильнее!

— Это хорошо или плохо? — осторожно спросила я.

— И то и другое, как всегда!

Мне хотелось пододвинуться поближе, но мешал ремень безопасности.

— Пристегиваться обязательно? — спросила я.

— Конечно! Я же обещал шефу Свону, что с тобой все будет в порядке.

Неизвестно, как и что видел Эдвард среди мглы и дождя, однако через некоторое время мы выехали с шоссе на горную дорогу. Разговаривать было невозможно: я подпрыгивала на сиденье, как отбойный молоток. Зато Эдварду езда доставляла огромное удовольствие, он улыбался, наслаждаясь скоростью мощного джипа.

А затем мы в буквальном смысле оказались у конца дороги. Дождь почти перестал, небо с каждой минутой светлело.

— Прости, Белла, отсюда придется идти пешком.

— Знаешь, я лучше останусь здесь!

— Где же твоя хваленая храбрость? Сегодня утром ты держалась превосходно.

— Просто помню, как все случилось в прошлый раз... — проговорила я. Неужели это было только вчера?

Через мгновение Эдвард уже вышел из машины, подошел ко мне и начал расстегивать ремни.

— Ты иди, я сама отстегнусь.

— Хмм... — задумчиво проговорил он, все-таки завершая задуманное. — По-моему, придется отформатировать твою память.

Прежде чем я успела ответить, Эдвард вытащил меня из джипа и поставил на землю. Элис оказалась права, дождь превратился в густую дымку.

— Отформатировать память? — испуганно переспросила я.

— В общем, да. — Он внимательно присматривался ко мне, в его тигриных глазах горели задорные огоньки. Сильные руки взяли меня в тиски, пригвоздив к блестящей красной кабине. Эдвард наклонился ко мне так, что наши лица разделяла всего пара сантиметров. Бежать мне было некуда да и не очень-то хотелось.

— Так, — начал он, и чарующий аромат его тела тут же спутал все мои мысли. — Чего именно ты боишься?

— Ну... врезаться в дерево и умереть, — судорожно сглотнула я. — А еще боюсь, что мне опять будет плохо.

Подавив улыбку, Эдвард наклонил голову и прижался холодными губами к моей шее.

— И теперь боишься? — прошептал он.

Лаская мою кожу, губы двинулись к подбородку.

— И сейчас?

— Деревья, — вздохнула я. — Меня замутит.

— Белла, ты же не думаешь, что я врежусь в дерево? — Теперь он целовал мои веки.

— Ты нет, а я могу, — мой голос звучал неуверенно, и Эдвард почувствовал победу.

— Разве я позволю деревьям причинить тебе боль? — спросил он, целуя меня в губы.

— Нет... — Вообще-то я продумала второй вариант защиты, вот только вспомнить его не могла.

— Ну видишь, — заурчал Эдвард, не отрываясь от моих губ. — Ты понимаешь, что бояться нечего?

— Вижу, — со вздохом сдалась я.

Он обхватил мое лицо ладонями и стал целовать по-настоящему, страстно, отдавшись своим чувствам.

Наверное, моему поведению нет оправдания, ведь я уже знала, что можно, что нельзя. Однако и на этот раз вовремя остановиться не удалось. Вместо того чтобы не совершать лишних движений, я обняла Каллена за шею и притянула к себе. С моих губ сорвался стон, а язык скользнул в рот Эдварду.

Он тут же отшатнулся и без труда разомкнул мои объятия.

— Черт подери, Белла! В один прекрасный день ты меня погубишь!

— Тебя невозможно погубить, — прошептала я, пытаясь восстановить дыхание.

— Я тоже так думал, пока не встретил тебя. А теперь давай выберемся отсюда, пока я не наделал глупостей.

Как и раньше, Эдвард посадил меня на спину, и я успела заметить, что лишь с огромным трудом ему удается быть осторожным и аккуратным. Обвив ногами его талию, я мертвой хваткой вцепилась Каллену в шею.

— Не забудь закрыть глаза, — сурово напомнил он.

Я опустила лицо и крепко зажмурилась.

Далеко не сразу я поняла, что мы начали двигаться. Мышцы работали, словно отлаженный механизм, с такой легкостью, будто Эдвард спокойно шел по улице. Страшно хотелось проверить, действительно ли мы несемся по лесу, но я удержалась. Ни одна проверка на свете не стоит дурноты, которая мне грозит. Пришлось довольствоваться ровным дыханием, которое я могла слышать, не открывая глаз.

Эдвард осторожно погладил меня по голове, показывая, что путешествие закончилось.

— Приехали, Белла! — По голосу не было ясно, вернулось ли к нему хорошее настроение.

Я отважилась открыть глаза и убедилась, что мы действительно стоим. Кое-как отделившись от тела Эдварда, я, словно куль с мукой, упала на бок.

— Ох! — захрипела я, ударившись о влажную от дождя землю.

Он скептически смотрел на меня, по-видимому, не зная, можно ли мне доверять. Однако мой смущенный вид и комичность ситуации сделали свое дело, и он рассмеялся.

Не обращая внимания на его хохот, я поднялась и стала стряхивать с плаща налипшую грязь и ветки папоротника. Эдварда это рассмешило еще больше. Окончательно разобидевшись, я зашагала обратно в лес.

Сильная рука тут же обвила мою талию.

— Белла, ты куда?

— На бейсбол.

— Не туда идешь!

Развернувшись, я отправилась в противоположном направлении и была тут же схвачена за шиворот.

— Слушай, не злись! Я просто не мог сдержаться! Жаль, что ты не видела свое лицо.

— Значит, только тебе можно злиться? — буркнула я.

— Я вовсе на тебя не злился.

— «Белла, в один прекрасный день ты меня погубишь!» — передразнила я.

— Простая констатация факта!

Я снова попыталась вырваться, однако Эдвард крепко меня держал.

— Ты злился, — упрямо повторяла я.

— Да, злился.

— Но ты же сказал...

— Я сказал, что не злился на тебя. Белла, ты что, не чувствуешь разницы? — Внезапно он стал серьезным. — Неужели ты не понимаешь?

— Не понимаю чего? — спросила я, смущенная внезапной сменой его настроения и резким тоном.

— Я никогда на тебя не злюсь! Как можно, если ты такая храбрая, доверчивая... любящая?

— Тогда в чем проблема? — прошептала я.

Эдвард обхватил мое лицо ладонями.

— Я злюсь на себя, — тихо проговорил он, — из-за того, что постоянно подвергаю тебя опасности. Иногда я так себя ненавижу! Мне нужно быть сильнее, нужно...

Я легонько прижала руку к его губам.

— Не надо!

Словно греясь, он приложил мои пальцы к щеке.

— Я тебя люблю! Наверное, моим поступкам нет оправдания, и тем не менее это — правда.

Эдвард признался мне в любви, в первый раз! Возможно, сам он не отдает себе в этом отчет, зато я точно не забуду!

— А теперь, пожалуйста, будь хорошей девочкой! — попросил он, целуя меня в губы.

Кое-как справившись с учащенным сердцебиением, я тяжело вздохнула.

— Ты обещал шефу Свону вовремя доставить меня домой, помнишь? Так что нам лучше поторопиться.

— Да, мэм!

Грустно улыбнувшись, Эдвард взял меня за руку и провел через влажный папоротник по бархатистому мху, сквозь густые заросли квелого болиголова к огромному полю у самого подножия скал. Естественная площадка для игры в бейсбол, раза в два больше любого стадиона.

Вся семья была в сборе: ближе всех к нам, примерно в сотне ярдов на голых камнях сидели Эмметт, Эсми и Розали. Гораздо дальше, примерно в четверти мили к северу я увидела Кэри и Элис. Кажется, они что-то друг другу перекидывали, но ни мяча, ни летающей тарелки я не разглядела. Карлайл, судя по всему, отмечал базы. Но разве они могут быть так далеко?

Стоило нам приблизиться, как сидящая на камнях троица поднялась навстречу. Первой — Эсми, следом — Эмметт, предварительно переглянувшийся с Розали. Сама девушка, грациозно вспорхнув с камней, ни с того ни с сего зашагала обратно к полю, не удостоив меня взглядом. Мне стало не по себе.

— Эдвард, это твой смех мы слышали? — поинтересовалась Эсми.

— Мы испугались, что у голодного гризли начались колики! — пояснил Эмметт.

— Да, это был Эдвард, — робко улыбнулась я.

— Белла меня рассмешила, — не остался в долгу Эдвард.

С легкостью лани к нам неслась Элис, решившая оставить Кэри одного.

— Пора начинать! — объявила она, останавливаясь около нас, словно конькобежец на катке.

Тут вдруг над лесом загрохотал гром, и где-то далеко на западе, как раз над городом начался ливень.

— Жутко, правда? — подмигнул мне Эмметт.

— Пошли, хватит болтать! — Элис схватила брата за руку.

Они понеслись по огромному полю. Элис — легко и непринужденно, а Эмметт — почти так же быстро и грациозно, хотя на оленя совсем не походил.

— Готова к игре? — возбужденно спросил Эдвард.

— Вперед, команда! — Я постаралась вложить в свой возглас побольше энтузиазма.

Усмехнувшись, он взъерошил мне волосы и помчался за братом и сестрой. Больше похожий на голодного гепарда в африканской саванне, он бежал резче и энергичнее и скоро их нагнал. Поджарое тело неслось по полю так стремительно, что у меня захватило дух.

— Пойдем? — раздался тихий мелодичный голос Эсми, и я поняла, что, раскрыв рот, смотрю вслед Эдварду. Я постаралась улыбнуться.

Эсми шла на некотором расстоянии, наверное, боясь меня напугать. Похоже, ее не раздражала моя медлительность.

— Вы не играете? — робко спросила я.

— Я буду судить, а то все они любят жульничать!

— Неужели?

— Еще как! Слышала бы ты их перебранки... Хотя хорошо, что не слышала, иначе бы подумала, что попала к диким неандертальцам!

— Вы говорите точь-в-точь как моя мама! — удивилась я.

Эсми засмеялась.

— Ну, я действительно считаю их детьми. Видимо, во мне до сих пор жив материнский инстинкт. Эдвард говорил тебе, что я потеряла ребенка?

— Нет, — ошеломленно пробормотала я, пытаясь понять, какую жизнь она имеет в виду.

— Да, это был мой единственный ребенок, мальчик. Бедный малыш прожил всего несколько дней, — вздохнула она. — У меня началась депрессия, и я бросилась со скалы.

— Эдвард сказал, что вы упали...

— Джентльмен до мозга костей, — улыбнулась женщина. — Эдвард стал самым первым из моих сыновей. Я всегда считала его сыном, хотя в нынешней ипостаси он даже старше меня. — Эсми тепло улыбнулась. — Счастье, что он встретил тебя, милая! Все не мог найти себе пару... Я так волновалась!

— Значит, вы не возражаете? — неуверенно спросила я. — Вам не кажется, что я ему... не подхожу?

— Не возражаю, — задумчиво ответила она. — Ему нужна как раз такая, как ты. У вас все получится!

Очередной раскат грома сотряс темнеющее небо.

Мы остановились, очевидно, дойдя до края поля. Так, семья уже разбилась на команды. Эдвард стоял на левой стороне поля, Карлайл между первой и второй базой, а Элис на горке, она собралась подавать.

Эмметт махал тяжелой алюминиевой битой, так и свистевшей в воздухе. Играющий за другую команду Кэри стоял в нескольких футах от него. Перчаток никто из них не надел.

— Внимание! — закричала Эсми так громко, что слышал даже стоящий на противоположной стороне поля Эдвард. — Мяч в игре!

Пассивность Элис была обманчивой. Девушка держала мяч у груди обеими руками, а потом резким движением швырнула его Хейлу.

— Это был страйк?

— Если Кэри не попал по мячу, тогда будет страйк.

Хейл швырнул мяч прямо в протянутую руку Элис. Мисс Каллен ухмыльнулась и тут же сделала очередной пас.

Бита стремительно завертелась, отбивая невидимый мяч. Раздался оглушительный треск, который эхо разнесло по скалам. Теперь я поняла, почему матч мог состояться только в грозу.

Мяч метеором пронесся над полем и улетел в лес.

— Попал, — тихо пробормотала я.

— Подожди! — предупредила Эсми и настороженно подняла руку. Эмметт пулей летал среди баз, за
ним тенью следовал Карлайл. Я поняла, что Эдвард
не попал.

— Аут! — громко закричала Эсми.

С удивлением я смотрела, как Эдвард с мячом
в руке выскакивает из густого подлеска. Он довольно улыбнулся.

— Сильнее всех по мячу бьет Эмметт, зато Эдвард
быстрее передвигается.

Еще одна подача, и я перестала следить за игрой — мяч летал слишком быстро, тела игроков так
и мелькали перед глазами.

Когда Кэри, опасаясь перехвата Эдварда, послал
низкий мяч Карлайлу, я уяснила еще одну причину,
по которой для бейсбола требовалась гроза. Доктор
Каллен поймал пас и одновременно с молодым Хей-
лом побежал к первой базе. Когда они столкнулись,
грохот был такой, будто в горах сходит лавина. Я испуганно вскочила на ноги, но, к счастью, все обо-
шлось.

— Все в порядке, — спокойно проговорила Эсми.

Команда Эмметта вышла вперед после того, как
Розали, порхая между базами, ловко поймала его пас.
Однако не прошло и пяти минут, как Эдвард срав-
нял счет, осадив Кэри зажатым в руке мячом. С блестящими от восторга глазами он подбежал ко мне.

— Ну, как впечатления?

— Одно ясно: на бейсболе мне больше скучать не
придется!

— Кажется, ты настоящий эксперт, — рассмеялся он.

— Ваша игра меня немного разочаровала.

— Почему? — удивился Эдвард.

— Ну, было бы здорово узнать, что вы хоть что-то делаете так же или хуже, чем люди!

— Тогда все ясно, — засмеялся он, направляясь к «дому».

Эдвард очень умно вел игру, наносил длинные стелящиеся удары, которые не удавалось ловить даже вездесущей Розали. Он обежал две базы, прежде чем Эмметт сумел вернуть мяч в игру! Карлайл послал мяч в аут, и снова послышался грохот — Эдвард бросился на помощь отцу, и они на бегу столкнулись! Восхищенная Элис пожала обоим руки.

По ходу игры счет постоянно менялся; поочередно выходя вперед, Каллены и Хейлы радовались, словно дети. Эсми то и дело приходилось призывать их к порядку. Над Форксом грохотал гром, но на поле не упало ни единой капли.

Итак, Карлайл стоял на подаче, Эдвард в защите, когда Элис громко застонала. Я, как обычно, не отрываясь следила за Эдвардом и заметила, как он резко поднял голову и встретился глазами с сестрой. Очевидно, между ними произошел немой диалог, потому что Каллен подлетел ко мне раньше, чем остальные спросили, что случилось.

— В чем дело, Элис? — испугалась Эсми.

— Ну почему я вижу их только сейчас? — расстроенно вопрошала девушка.

К этому времени подоспели остальные.

— Что случилось? — настойчиво спросил Карлайл.

— Они передвигались гораздо быстрее, чем я думала! Как же я могла ошибиться? — раздосадованно бормотала Элис.

Кэри склонился над подругой, готовый защитить ее от любых горестей.

— Что же изменилось? — ласково спросил он.

— Они услышали, как мы играем, и пошли быстрее, — покаянным тоном ответила Элис.

Семь пар пронзительных глаз буравили меня взглядами.

— Когда они здесь будут? — резко спросил Карлайл, поворачиваясь к Эдварду.

Лицо, которое я так любила, исказилось от страха.

— Менее чем через пять минут. Они очень торопятся, хотят увидеть игру.

— Ты успеешь? — поинтересовался доктор Каллен, пронзая меня взглядом.

— Только не с... Они ведь могут почуять запах и начать охоту!

— Сколько их? — обратился к сестре Эмметт.

— Трое.

— Трое? — презрительно хмыкнул он. — Пусть идут! Эмметт заиграл внушительными бицепсами.

— У нас только один выход, — хладнокровно молвил Карлайл. — Продолжим игру, Элис же сказала, что им просто любопытно.

Весь этот разговор не занял и нескольких секунд, но, к своему удивлению, я четко расслышала каждое слово.

Конечно, я не поняла, что одними губами спросила у сына Эсми, зато увидела, как он отрицательно покачал головой. На бледном лице женщины отразилось облегчение.

— Эсми, мы поменяемся ролями, теперь ты будешь кетчером, — проговорил Эдвард, опускаясь на землю рядом со мной.

Остальные нерешительно повернулись к полю, то и дело бросая настороженные взгляды на лес. Судя по всему, Элис и Эсми не собирались уходить слишком далеко.

— Распусти волосы, — спокойно попросил Эдвард.

Я послушно сняла резинку, и длинные пряди рассыпались по плечам.

— Они скоро придут, — озвучила очевидную истину я.

— Сиди как можно тише, не разговаривай и, пожалуйста, не отходи от меня. — Эдвард старался говорить спокойно, но волнение все же звучало в его голосе. Он осторожно наклонил мою голову, чтобы волосы свесились на лицо.

— Не поможет, — мягко заметила Эсми. — Они почувствуют ее даже с другого конца поля.

— Знаю, — разочарованно отозвался Эдвард.

Карлайл встал у «дома», а остальные без особого желания включились в игру.

— О чем тебя спросила Эсми? — спокойно спросила я.

— Интересовалась, голодны ли они, — неохотно ответил Эдвард.

Медленно текли секунды, игра шла вяло. Нанося каждый по удару, Эмметт, Розали и Кэри кружили по полю. Несмотря на отупляющий страх, я то и дело ловила на себе взгляд Розали. Красивые глаза казались пустыми, но, присмотревшись внимательнее, я решила, что она злится.

Эдварда игра вообще не интересовала, он с тревогой смотрел на лес.

— Прости, Белла. Мне не следовало подвергать тебя такой опасности!

Внезапно мне почудилось, что он перестал дышать, а глаза так и впились в край поля.

Карлайл, Эмметт и остальные, отложив биты и ловушки, смотрели в том же направлении. Очевидно, они слышали звуки, недоступные для моих ушей.

Глава восемнадцатая

ОХОТА

Один за другим они появлялись на лесной опушке, двигаясь на расстоянии примерно десяти метров друг от друга.

Первый мужчина, едва выйдя из леса, тут же шагнул обратно, уступая дорогу высокому бородачу, который, по всей вероятности, и являлся лидером группы. Третьей шла женщина; даже на большом расстоянии я разглядела морковно-рыжие волосы.

Сбившись в кучку, незнакомцы настороженно приближались к Калленам, словно группа хищников, вторгающаяся на территорию стаи покрупнее.

Троица приблизилась, и я поняла, как сильно они отличаются от семьи, к которой я уже привыкла. Двигались они как-то по-кошачьи, словно в любую минуту готовые прижаться к земле. Одежда как у обычных туристов: джинсы, потертые футболки, ветровки, зато обувь отсутствовала напрочь! Мужчины были коротко стрижены, а в блестящих прядях женщины запутались листья и сухие ветки.

Непрошеные гости так и впились глазами в холеного Карлайла и Эмметта с Кэри, стоящих возле приемного отца, словно адъютанты.

Предводителя гостей без всякой натяжки можно было назвать очень красивым мужчиной: оливковая кожа, блестящие, цвета воронова крыла волосы. Высокий, он мог бы считаться мускулистым, но только не рядом с Эмметтом. Зато улыбался он здорово: очень задорно и заразительно.

Женщина казалась совсем дикой, глаза беспокойно бегали по лицам Эмметта и Кэри. Волосы языками пламени трепетали на легком ветерке, а позу, в которой замерла незнакомка, иначе, как кошачьей, назвать было сложно. Второй мужчина, невысокий и худощавый, скромно стоял сзади. На первый взгляд — серость и посредственность, однако с настороженным и внимательным взглядом.

Даже глаза у гостей были совсем другие: вместо золотого и черного — зловещий оттенок бургундского вина.

Дружелюбно улыбаясь, высокий брюнет шагнул к Карлайлу.

— По-моему, здесь играют в бейсбол? — с легким французским акцентом спросил он. — Меня зовут Лоран, а это Виктория и Джеймс.

— Я Карлайл, а это моя семья: Э... Эсми, Розали, Элис, Эдвард и Белла... лен представил всех сразу, намере... внимания к каждому отдельно. ... но удивилась, услышав свое ...

— Возьмете нас в игру? — вежливо спросил Лоран.

— Вообще-то мы уже закончили. Может, в другой раз? Вы надолго в наши края?

Как непринужденно держался доктор Каллен!

— Мы идем на север... Просто решили узнать, кто здесь живет. Давненько мы не встречали себе подобных.

— Все правильно, в этом штате живем только мы.

Напряжение спало, завязалась дружеская беседа. Наверное, благодаря усилиям Кэри, сумевшего успокоить гостей и разрядить обстановку.

— Где и на кого охотитесь? — поинтересовался Лоран.

Карлайл сделал вид, что расслышал только первую часть вопроса.

— Здесь в скалах и иногда на побережье. Мы ведь больше не кочуем... Я знаю еще одну такую семью, они живут возле Денали на Аляске.

Лоран задумчиво переступал с пятки на носок.

— Неужели вам не надоело на одном месте?

— Может, лучше поговорим у нас дома? Тогда вы сами все поймете!

Услышав слово «дом», Виктория и Джеймс переглянулись, а вот Лоран владел собой гораздо лучше.

— Звучит заманчиво, спасибо за гостеприимство, — благодарно улыбнулся он. — Мы ведь ушли на охоту из Онтарио и не помню, когда мылись в последний раз. — Он восхищенно смотрел на чисто выбритого Карлайла и его бравых сыновей.

— Пожалуйста, не обижайтесь, но мы очень про-
...ас не охотиться в этом районе. Видите ли, лиш-
...ие нам ни к чему, — вкрадчиво прогово-
...ен.

— Конечно-конечно! — понимающе закивал Лоран. — Мы и не думали покушаться на ваши владения. К тому же мы сытно поужинали в Сиэтле! — засмеялся канадец, а у меня по спине побежали мурашки.

— Приглашаю вас взглянуть на наш дом! А Эммет и Элис помогут Эдварду с Беллой пригнать джип, — совершенно спокойно проговорил доктор Каллен.

Едва Карлайл договорил, как одновременно случились три вещи: ветер раздул мои волосы, Эдвард неожиданно напрягся, а Джеймс повернулся ко мне. Его тонкие ноздри дрожали от возбуждения.

Минутное оцепенение сковало всех присутствующих, а канадец, шагнув ко мне, вдруг опустился на четвереньки. Эдвард обнажил зубы и припал к земле, приготовившись обороняться. Утробное рычание сорвалось с его губ. Настоящий рев хищника, в жизни не слышала ничего страшнее!.. Безумный страх переплавил мои мозги в моцареллу.

— А *это* у нас кто? — искренне изумился Лоран. Эдвард и Джеймс так и застыли, готовые в любой момент броситься друг на друга.

— Она с нами. — Карлайл обращался скорее к Джеймсу, чем к Лорану, который, судя по всему, чувствовал мой запах не так сильно, как его спутник. Однако дикий огонек зажегся и в его глазах.

— Вы принесли закуску? — поинтересовался канадец, делая шаг в мою сторону.

Блеснув крепкими белыми зубами, Эдвард зарычал еще громче. Лоран тут же отступил.

— Я же сказал, что она с нами, — четко проговаривая каждое слово, напомнил Карлайл.

— Но она человек! — недоуменно воскликнул канадец.

— Вот именно, — вмешался Эмметт, поигрывая мускулами. Старший брат Эдварда в упор смотрел на Джеймса.

Медленно, очень медленно, гость поднялся на ноги. Блеклые глаза по-прежнему с вожделением смотрели на меня, а ноздри трепетали.

Эдвард не шевелился — он бросится на любого, кто попробует меня обидеть.

— Похоже, нам еще многое нужно узнать друг о друге, — примирительно проговорил Лоран.

— Совершенно верно, — холодно согласился Карлайл.

— Мы по-прежнему рады принять ваше приглашение. — Темные глаза метались от меня к Карлайлу. — Девушку мы не тронем, обещаю, и не станем охотиться на вашей территории.

Джеймс раздраженно посмотрел на предводителя и переглянулся с Викторией, которую очень испугали сыновья доктора Каллена.

— Я покажу вам дорогу, — спокойно сказал Карлайл. — Кэри, Розали, Эсми?

Каллены и Хейлы дружно загородили меня от незваных гостей, не спуская настороженных глаз с Джеймса.

— Пойдем, Белла, — тихо позвал Эдвард.

Но я словно к месту приросла, не решалась даже пошевелиться. Ему пришлось как следует меня встряхнуть. Элис и Эмметт шагали за нами, словно тени, скрывая от посторонних глаз. Парализованная страхом, я как во сне шла за Эдвардом и боялась посмотреть, увел ли Карлайл кровожадных канадцев!

Эдвард нетерпеливо тащил меня к опушке и, едва мы вошли в лес, закинул на спину и бросился бежать. Я крепко схватила его за шею, заметив, что Эмметт и Элис несутся следом. Словно призраки, Каллены мчались по вечернему лесу. Уткнувшись лицом в мягкую кожаную куртку, я не решалась закрыть глаза. Радостное возбуждение, обычно исходившее от Эдварда волнами, сегодня отсутствовало, сменившись холодной яростью, еще быстрее гнавшей его через лес. Брат с сестрой с трудом за ним поспевали, хотя и бежали налегке.

До джипа мы добрались в рекордно короткое время. Даже не сбавив шага, Эдвард швырнул меня на заднее сиденье.

— Пристегни ее! — бросил он Эмметту, который влетел в машину следом.

Элис уже сидела впереди, рядом с младшим братом. Мощный мотор взревел, джип развернулся и покатил по извивающейся дороге.

Эдвард что-то бормотал. Больше всего его неразборчивые слова походили на поток грязных ругательств.

Обратная дорога почему-то показалась более ухабистой и тряской, а в вечернем сумраке и очень страшной. Элис с Эмметтом, не отрываясь, смотрели в окна.

Наконец мы выехали на автостраду, и, хотя Эдвард тут же прибавил скорость, я смогла оглядеться. Судя по всему, мы ехали на юг, в противоположном от Форкса направлении.

— Куда мы едем? — обеспокоенно спросила я.

Каллены молчали, никто даже не посмотрел на меня.

— Черт побери, Эдвард! Куда ты меня везешь?

— Подальше от поля и как можно скорее, — не отрывая глаз от дороги, проговорил он. Спидометр показывал сто двадцать километров в час.

— Поворачивай назад! Ты должен отвезти меня домой! — Я попыталась отстегнуть ремень безопасности.

— Эмметт! — негромко позвал брата Каллен.

Медвежьи лапы тут же вцепились в меня мертвой хваткой.

— Эдвард, пожалуйста! Ты не можешь так со мной поступить!

— Белла, успокойся, прошу тебя!

— И не подумаю! Если не отвезешь меня домой, Чарли поднимет на ноги полицию и ФБР! Они придут за твоими родителями! Вам всем придется уехать или долго прятаться...

— Возьми себя в руки, Белла, — холодно проговорил Эдвард. — Мы попадали в ситуации и посложнее!

— Ты не имеешь права разрушать мою жизнь! — в бессильной злобе тряслась я.

— Эдвард, останови машину, — тихо попросила Элис.

Мрачно взглянув на сестру, он погнал еще быстрее.

— Слушай, ты не должен так с ней поступать!

— Ты ничего не понимаешь! — раздраженно заорал Эдвард. Я никогда раньше не слышала, чтобы он срывался на крик. Стрелка спидометра подползла к ста пятидесяти километрам. — Это же охотник, Элис, ты что, не видишь?! Настоящий следопыт, ищейка, если тебе угодно!

Я почувствовала, как окаменел сидящий рядом Эмметт.

— Эдвард, остановись, — спокойно повторила девушка, однако в ее голосе зазвучала сила, которой я прежде не замечала.

Сто семьдесят километров в час!

— Остановись!

— Элис, ну хоть ты послушай! Я ведь прочитал его мысли. Он самая лучшая ищейка на свете, я даже не предполагал, что такие еще живут среди нас! Ему нужна она, Элис, именно она! Сегодня он начинает охоту.

— Он не знает, где...

Эдвард не дал сестре договорить.

— Думаешь, ему трудно найти ее по запаху? План у него созрел даже раньше, чем Лоран согласился пойти к нам домой!

Только тут до меня дошло, что ситуация гораздо страшнее, чем мне сначала показалось.

— Чарли! — закричала я. — Вы не можете оставить его там! Джеймс растерзает папу! — Я снова попыталась вырваться из объятий Эмметта и отстегнуть ремень.

— Она права, — отозвалась Элис.

Джип поехал чуть медленнее.

— Давайте просто обсудим все варианты, — миролюбиво предложила девушка.

Эдвард резко сбросил скорость, и джип со скрипом остановился у обочины шоссе. Все произошло так быстро, что я больно ударилась головой о стенку салона.

— Нет у нас никаких вариантов! — раздраженно заявил Эдвард.

— Я не брошу Чарли! — заорала я.

— Заткнись, Белла!

— Нужно отвезти ее домой, — вмешался Эмметт.

— Нет! — Эдвард был непреклонен.

— Слушай, с нами ему не справиться! Мы и близко его к ней не подпустим!

— Ищейка будет ждать.

— Я тоже! — злорадствовал Эмметт.

— Ты ведь не читал его мыслей, поэтому и не понимаешь! От задуманного Джеймс не откажется, так что нам придется его убить.

— Неплохая идея, — радостно встрепенулся Эмметт.

— Еще та женщина, Виктория, она ему поможет. А если дойдет до драки, то и Лоран станет нашим врагом.

— Но нас-то больше!

— Есть и другой вариант, — спокойно предложила Элис.

Казалось, разъяренный взгляд Эдварда сразит сестру наповал.

— Другого варианта нет! — заревел он.

Мы с Эмметтом смотрели на него в немом изумлении, а вот Элис оказалась покрепче. Целую минуту брат и сестра буравили друг друга взглядами, но тут вмешалась я.

— Можно мне кое-что предложить?

— Нет! — рявкнул Эдвард, чем окончательно разозлил Элис.

— Только послушайте! — взмолилась я. — Вы отвезете меня домой...

— Даже думать не смей! — закричал Эдвард, но у меня хватило сил продолжать.

— Вы отвезете меня домой, а я скажу Чарли, что уезжаю в Финикс, и соберу вещи. Тем временем ищейка проберется в Форкс. Немного его подразнив, вы увезете меня из города. Джеймс бросится в погоню и оставит Чарли в покое. Папа не станет звонить в ФБР, а вы сможете спрятать меня где угодно.

Каллены раскрыли рты от удивления.

— Слушай, а она соображает! — удивился Эммет, очевидно, считавший меня круглой дурой.

— Неплохо, однако оставлять ее отца без защиты слишком рискованно, — веско сказала Элис.

Последнее слово за Эдвардом.

— Дразнить ищейку опасно, — неуверенно проговорил он.

— Слушай, с нами ему не справиться, — заявил Эмметт.

Элис задумалась.

— Знаете, я не вижу, чтобы Джеймс бросился в атаку... Нет, он будет караулить, пока мы не перестанем ее опекать.

— Но скоро поймет, что этого не случится.

— Я требую, чтобы меня отвезли домой! — вмешалась я.

Эдвард потер виски и крепко зажмурился.

— Ну, пожалуйста, — робко попросила я.

Он сгорбился и закрыл лицо руками.

— Дома ты не останешься, вне зависимости от того, появится ищейка или нет. Скажешь Чарли, что сыта Форксом по горло и хочешь уехать. Что угодно, только бы он поверил! Соберешь небольшую сумку и сядешь в пикап. Естественно, отец попытается тебя отговорить, но ты не слушай и не болтай лишнего.

На все про все у тебя пятнадцать минут. Ясно? Пятнадцать минут с того момента, как переступишь через порог.

Эдвард тут же завел мотор и, резко развернувшись, погнал машину в Форкс.

— Эмметт! — взмолилась я, многозначительно глядя на свои запястья.

— Да, конечно, прости, — ответил он и тут же меня отпустил.

Несколько минут в салоне слышался только рев мотора.

— Вот как мы будем действовать, — нарушил молчание Эдвард. — Если ищейки у дома нет, я провожу Беллу до двери. У нее пятнадцать минут! — Он посмотрел на меня в зеркало заднего обзора. — Эмметт, ты будешь стеречь подъездную аллею и двор; Элис, на тебе пикап. Я вместе с Беллой войду в дом. Когда мы выйдем, вы оба можете ехать домой и рассказать обо всем Карлайлу.

— Ну уж нет! — возразил Эмметт. — Я поеду с тобой!

— Подумай, Эмметт, я ведь не знаю, как долго буду отсутствовать.

— Пока ты окончательно не определишься с планом, я тебя не оставлю.

Эдвард вздохнул.

— Ищейка уже на охоте, — мрачно объявил он. — Поехали скорее!

— Мы доберемся к дому раньше, чем он, — уверенно сказала Элис.

Эдвард согласно кивнул. Что бы ни случилось между ним и сестрой, больше он в ней не сомневался.

— А что делать с джипом? — внезапно спросила девушка.

— Отгонишь его домой, — жестко проговорил Эдвард.

— Нет, не думаю, — спокойно ответила Элис.

Младший брат снова начал ругаться.

— Все вы в мой пикап не влезете, — чуть слышно заметила я.

Эдвард меня не слышал.

— Думаю, мне лучше поехать одной, — сказала я еще тише.

А вот это от него не укрылось!

— Ради бога, Белла, давай хоть раз поступим по-моему! — процедил Эдвард сквозь зубы.

— Слушай, Чарли ведь не идиот! — возмутилась я. — Я ни с того, ни с сего уезжаю в Финикс, а ты исчезаешь из города... разве не подозрительно?

— Ерунда!

— А как насчет ищейки? Он же видел, как ты бросился меня защищать. Если останешься в городе, Джеймс подумает, что я тоже неподалеку.

— Эдвард, прислушайся, — настойчиво проговорил Эмметт. — Думаю, она права!

— Совершенно права, — уточнила Элис.

— Я не смогу так поступить! — отрезал Эдвард.

— Эмметту тоже лучше остаться, — заявила я. — Думаю, Джеймс успел его оценить.

— Что? — удивленно переспросил Каллен-старший.

— Ты же хочешь сломать ему челюсть? — поддела брата Элис.

— Думаете, я отпущу ее одну? — изумленно воскликнул Эдвард.

— Конечно, нет, — усмехнулась Элис. — С ней отправимся мы с Кэри.

— Я не могу так поступить, — повторил Эдвард, хотя не так убежденно. Похоже, мои доводы действуют!

Я постаралась, чтобы мой голос звучал как можно убедительнее.

— Задержись в Форксе всего на неделю. — Увидев в зеркале его лицо, я тут же поправилась: — Ну хоть на несколько дней. Чарли поймет, что ты меня не выкрал, а Джеймс останется ни с чем. Когда страсти улягутся, ты ко мне приедешь, а Элис с Кэри смогут вернуться домой.

Эдвард задумался.

— Где мы встретимся?

— В Финиксе, где же еще?

— Нет, Джеймс сразу все поймет! — возразил Эдвард.

— Разве мы не можем его обмануть? Пусть узнает, что ты умеешь читать мысли, и поверит, что поездка в Финикс придумана специально для него. Тогда он начнет сомневаться в том, что сможет подсмотреть и подслушать.

— Ну ты даешь! — восхищенно присвистнул Эммет.

— А что, если ему удастся во всем разобраться?

— В Финиксе семь миллионов жителей, — с готовностью сообщила я.

— Он, хоть и канадец, но телефонным справочником воспользоваться сумеет, — неуверенно возразил Эдвард.

— Я не поеду к маме!

— Что? — гневно переспросил Каллен.

— Я уже большая девочка и в состоянии о себе позаботиться!

— Эдвард, мы с Кэри будем рядом, — напомнила Элис.

— А чем вы займетесь в Финиксе? — едко спросил у сестры Каллен.

— Запремся в гостиничном номере и будем смотреть телевизор.

— Слушай, а мне это нравится! — воскликнул Эмметт, наверняка представив, как он загонит Джеймса в угол и проломит череп.

— Замолчи, Эмметт!

— Слушай, если мы попробуем поставить этого иностранца на место, пока Белла в городе, то потасовки не избежать. Она может пострадать, да и ты тоже! А вот когда твоя подружка уедет... — Эмметт мечтательно улыбнулся, и я поняла, что не ошиблась в догадках.

Мы добрались до Форкса, и джип поехал медленнее. Несмотря на мои храбрые разговоры, я чувствовала, как трясутся поджилки. Я думала о маме и Чарли, изо всех сил сражаясь с отчаянием.

— Белла, — тихо начал Эдвард, а Элис с Эмметтом, как по команде, уставились в окно, — умоляю, будь осторожна и береги себя. Если с тобой что-то случится... Надеюсь, ты понимаешь?

— Да, — прошептала я.

Каллен повернулся к сестре.

— Думаешь, Кэри справится?

— Эдвард, будь к нему справедлив! В последнее время он ведет себя безупречно!

— А ты сама?

Изящная, похожая на лесную нимфу, Элис обнажила острые верхние зубы и зарычала так, что я в ужасе вжалась в кожаное сиденье.

Эдвард улыбнулся.

— Только никакой самодеятельности! — неожиданно добавил он.

Глава девятнадцатая

ПРОЩАНИЕ

В окнах первого этажа горел свет — Чарли еще не лег. Что же такое придумать, чтобы он отпустил меня в Аризону? Да, сцены, скорее всего, не избежать!

Эдвард остановился на подъездной аллее, подальше от моего пикапа. Все трое моментально напряглись, прислушиваясь к каждому шороху, вглядываясь в каждую тень, принюхиваясь к каждому дуновению ветерка. Мотор заглох, а Каллены продолжали слушать.

— Его здесь нет, — глухо объявил Эдвард.

Эмметт помог мне отстегнуть ремень.

— Не беспокойся, Белла! Мы быстро все уладим, — бодро прогудел он, намекая на расправу над ищейкой.

Я взглянула на Эмметта, и в глазах закипели слезы. Странно, мы ведь едва знакомы, а мне уже не хочется с ним прощаться. А ведь это прощание далеко не последнее!.. Слезы предательски закапали на сиденье джипа.

— Элис, Эмметт, по местам! — скомандовал Эдвард, и брат с сестрой тут же исчезли в темноте. Каллен открыл дверцу и притянул меня к себе. Какие сильные и надежные у него руки! Он быстро повел меня к дому, то и дело буравя темноту взглядом.

— Пятнадцать минут! — тихо напомнил Эдвард.

— Хорошо! — захлюпала я носом, и слезы не заставили себя ждать.

Остановившись у крыльца, я взяла его лицо в ладони и заглянула в глаза.

— Я тебя люблю. И буду любить, что бы ни случилось.

— Белла, с тобой ничего не случится! — пообещал он.

— Только не забывай о нашем плане, ладно? Позаботься о Чарли! Он сильно обидится на меня за то, что я сейчас сделаю, и я очень надеюсь заслужить прощение.

— Заходи в дом, Белла, мы теряем время! — настойчиво проговорил Эдвард.

— Еще кое-что! — горячо зашептала я. — Сегодня больше меня не слушай!

Каллен уже взялся за ручку, так что мне пришлось встать на цыпочки, чтобы поцеловать его холодные губы. Очевидно опасаясь продолжения, Каллен тут же открыл дверь.

— Уходи, Эдвард! — заголосила я, залетая в дом и громко хлопая дверью перед его вытянувшимся от удивления лицом.

— Белла? — Бедный Чарли ждал в гостиной и тут же бросился ко мне.

— Оставь меня в покое! — прокричала я, взлетела по лестнице в свою комнату и закрыла дверь. Достав из-под кровати дорожную сумку, я выдернула из-под матраса старый носок, где хранились мои сбережения.

Чарли колотил в дверь.

— Белла, ты в порядке? Что происходит? — не на шутку перепугался папа.

— Я возвращаюсь к маме!

— Он тебя обидел? — В голосе отца послышалась угроза.

— Нет! — завизжала я, схватив туалетные принадлежности. Как удачно, что в доме одна ванная и несессер собран! Повернувшись к туалетному столику, я увидела Эдварда, который молча передал мне целую охапку футболок.

— Каллен тебя бросил? — спросил ничего не понимающий Чарли.

— Нет! — закричала я, продолжая набивать сумку. Эдвард подал мне нижнее белье, и места больше не осталось. Ну и гардероб будет у меня в Финиксе!

— Что же случилось, Белла? — допытывался Чарли, барабаня в дверь.

— Это я его бросила! — заявила я, дергая молнию, но Эдвард вовремя выхватил сумку, аккуратно закрыл и повесил мне на плечо.

— Я жду в пикапе, спускайся! — прошептал он, подталкивая меня к двери.

Распахнув дверь, я грубо оттолкнула Чарли и потащила неподъемную сумку по лестнице.

— Ну, пожалуйста, поговори со мной! — умолял несчастный папа. — Тебе же нравился этот парень!

Я обернулась лишь у кухни, ненавидя себя за боль, которую причиняю отцу.

— Да, я люблю его, в этом вся проблема! Больше так продолжаться не может! Не нужны мне такие отношения! Думаешь, я мечтаю застрять в этой глуши до конца своих дней? Нет, уезжаю сию же секунду! — Не в силах смотреть на исказившееся от боли лицо Чарли, я бросилась к двери.

— Беллз, ты не можешь уехать прямо сейчас, на ночь глядя!

— Если устану, посплю в пикапе.

— Потерпи хоть неделю! — чуть не рыдал Чарли, перепуганный моим поведением. — Рене как раз вернется в Финикс!

Признаюсь, такого развития событий я не ожидала.

— Что?

Обрадованный тем, что я его слушаю, Чарли принялся объяснять.

— Пока тебя не было, звонила мама. Во Флориде что-то не заладилось, и если Филу не предложат продлить контракт, они вернутся в Финикс. Кажется, в местной команде не хватает питчера.

Я покачала головой, коря себя за слабость. С каждой секундой папа подвергается все большей опасности!

— У меня есть ключ, — пробормотала я, хватаясь за ручку двери.

Но Чарли был слишком близко, бледный, он умоляюще протягивал ко мне руки... Времени на споры больше нет, придется сделать еще больнее.

— Пусти меня, Чарли! — заорала я, распахивая входную дверь. — Ничего не вышло, ясно? Ненавижу твой Форкс!

Я выбежала на темный двор и, отметив, что джип исчез, быстро зашагала к пикапу. К счастью, мои последние слова добили бедного Чарли, и он бессильно наблюдал за мной с порога. Что бы случилось, попытайся он меня остановить? Швырнув сумку в кузов, я открыла дверцу. Ключ уже был в замке зажигания.

— Завтра позвоню! — прокричала я Чарли. Как же мне хотелось все ему объяснить, причем прямо сейчас, но я прекрасно понимала, что этого не произойдет никогда. Оглушительно взревел мотор, и пикап покатил по подъездной дорожке.

Эдвард осторожно коснулся моей руки.

— Остановись! — попросил он, когда дом Чарли исчез из вида.

— Сама поведу! — упрямилась я, вытирая слезы.

Он обхватил меня за талию и приподнял — на секунду пикап остался без управления. Однако не успела я испугаться, как за рулем уже сидел Каллен.

— Ты же не найдешь наш дом, — пояснил он. — А теперь пристегнись.

Я безропотно послушалась и, пока возилась с ремнем безопасности, заметила, что за нами едет какая-то машина с ярко горящими фарами.

— Элис на джипе! — успокоил Эдвард и взял меня за руку.

— А где ищейка? — спросила я, стараясь не думать о бледном, испуганном лице Чарли.

— Он подслушал самый конец твоего представления, — мрачно отозвался Каллен.

— Папа в безопасности? — испуганно спросила я.

— Джеймс последовал за нами и сейчас бежит за пикапом.

— Разве мы не можем загнать его до изнеможения?

— Нет, — сказал Эдвард, но скорость все же прибавил.

Внезапно мой план перестал казаться гениальным.

Я наблюдала за ярким светом фар в зеркале заднего обзора, и вдруг за окном мелькнула тень.

С губ сорвался леденящий душу крик, однако Каллен тут же зажал мне рот.

— Это Эмметт!

Эдвард убрал ладонь ото рта и нежно меня обнял.

— Все будет в порядке, — успокаивал он. — Ничего не бойся!

Пикап летел по спящему городу по направлению к северному шоссе.

— Я и не представлял, что тебе так надоело в Форксе, — пытался отвлечь меня Эдвард. — Ты вроде уже привыкла... А я-то думал, что делаю твою жизнь интересней и разнообразней. Выходит, льстил себе.

— Чарли не заслужил такого отношения, — мрачно проговорила я, словно не слыша его. — Примерно то же самое говорила мама, когда бросила его и уехала из Форкса. Странно, я не сумела придумать ничего другого! А если бы он попытался меня остановить? Настоящий удар ниже пояса... Бедный Чарли!

— Не беспокойся, он тебя простит, — улыбнулся Эдвард. — Ты же в подростковом возрасте, отсюда немотивированная агрессия и внезапные смены настроения!

Хотелось окинуть его уничтожающим взглядом, но ничего не вышло. Эдвард был слишком проницателен и тут же заметил в моих глазах страх.

— Белла, все будет в порядке!

— Как же я выдержу без тебя? — шептала я.

— Ну, это же всего на несколько дней! — утешал он, обнимая меня еще крепче. — И ты сама так хотела!

— Конечно, ведь лучшего варианта не нашлось! — Его улыбка тут же померкла. — Почему так случилось? — со слезами на глазах вопрошала я. — Что он от меня хочет?

Эдвард мрачно смотрел на дорогу.

— Это я виноват! Зачем только повел тебя на игру! — с болью в голосе воскликнул он.

— Дело не в этом, — махнула я рукой. — Хорошо, я была на том поле, но ведь Виктория и Лоран не особо мной заинтересовались. Вокруг столько людей, почему Джеймсу нужна именно я?

Эдвард ответил не сразу.

— Кажется, мне удалось разобраться в его мыслях, — тихо начал он. — Трудно было избежать того, что случилось, и отчасти виновата ты. Все началось с твоего восхитительного запаха, а я стал тебя защищать и окончательно все испортил. Джеймс привык добиваться цели. Охотник до мозга костей, он не мыслит свою жизнь без риска. Так что мы, бросив вызов, только подогрели его аппетит! Столько сильных противников, такая вкусная жертва... Легко представляю его состояние, наверное, слюни текут! — с отвращением проговорил Эдвард. — На секунду в кабине воцарилась тишина. — Но если бы не мое присутствие, он бы убил тебя на месте, — чуть слышно добавил он.

— Я думала, мой запах нравится только тебе... — нерешительно сказала я.

— Для меня нет ничего прекраснее тебя и всего, что с тобой связано. Однако Джеймс не только охотник, но и мужчина, и не смог остаться равнодушным. Если бы он чувствовал то же, что и я, смертельная схватка состоялась бы прямо на бейсбольном поле!

Меня передернуло.

— Наверное, мне все равно придется его убить, — пробормотал Эдвард. — Карлайлу это не понравится.

Судя по скрипу шин, мы переехали мост, хотя реки я не увидела. Значит, дом Калленов уже близко. Тут я и решила задать вопрос, который давно вертелся на языке.

— А как можно убить вампира?

Эдвард искоса на меня посмотрел.

— Единственный верный способ — разорвать на куски и сжечь, — глухо ответил он.

— А его спутники тоже будут драться?

— Виктория точно, насчет Лорана не знаю. Они ведь не друзья, а просто спутники. Ему не понравилось то, что случилось на поляне...

— Но Джеймс и Виктория попытаются тебя убить? — испуганно спросила я.

— Белла, пожалуйста, не забивай себе голову! Главное — береги себя и постарайся не делать глупостей!

— Он все еще нас преследует?

— Да, хотя в доме нападать не решится, по крайней мере, сегодня, — заверил Каллен, сворачивая с шоссе на невидимую в темноте дорожку.

Вот наконец и дом! В окнах приветливо горел свет, и среди густого мрачного леса особняк Калленов казался последним островком цивилизации. Не успел пикап остановиться, как Эмметт открыл дверцу и, не расстегивая ремня безопасности, вытащил меня из кабины. Через секунду мы стояли в холле первого этажа вместе с Эдвардом и Элис.

Нас уже ждали: в сборе вся семья, а рядом с Карлайлом стоял Лоран.

Увидев канадца, Эмметт глухо зарычал. Я испуганно прижалась к Эдварду.

— Джеймс нас преследует! — сообщил младший из братьев, гневно глядя на Лорана.

— Этого я и боялся, — тихо пробормотал канадец.

Походкой танцовщицы Элис подошла к Кэри и что-то зашептала ему на ухо. Через секунду они поднялись в свою комнату — наверняка обсуждать предстоящий отъезд в Финикс. Проводив их взглядом, Розали встала рядом с Эмметтом. В ее красивых миндалевидных глазах отражались страх за семью и... злость на меня.

— Что Джеймс теперь предпримет? — ледяным тоном осведомился Карлайл.

— Простите, — мрачно молвил Лоран, — я так испугался, когда ваш сын бросился защищать эту девушку! Джеймс «завелся» с пол-оборота!

— Можете его остановить?

— Никто и ничто не остановит Джеймса, — покачал головой Лоран.

— А мы остановим! — пообещал Эмметт, бросая на канадца испепеляющий взгляд.

— Сила тут не поможет! — вздохнул Лоран. — Джеймс очень хитрый и абсолютно бесстрашный! Триста лет живу на свете, а второго такого не встречал! Именно потому я вступил в его отряд...

Его отряд! Значит, сцена на опушке леса — чистой воды фарс.

Качая головой, Лоран окинул меня оценивающим взглядом.

— Неужели она того стоит? — тихо спросил он у Карлайла.

Дикое рычание Эдварда сотрясло холл. Канадец испуганно прижался к стене.

— Боюсь, вам придется сделать выбор! — очень серьезно проговорил доктор Каллен.

Лоран понимающе кивнул и восхищенно оглядел холл.

— Вы молодец, доктор Каллен, вот только не знаю, подойдет ли такая жизнь мне... Не желаю никому из вас ничего плохого, но злить Джеймса опасно! Думаю отправиться на Аляску и повидать семью, что живет в Денали... — Лоран запнулся. — Осторожнее с Джеймсом! Не стоит его недооценивать! У него волчьи инстинкты, однако он слишком умен, чтобы полагаться только на них. Среди людей Джеймс как рыба в воде! Даже научился применять на охоте их технику! Голыми руками его не возьмешь... Мне очень жаль, что так получилось. Простите... — низко опустил голову канадец.

— Идите с миром! — вместо прощания сказал Карлайл.

В последний раз окинув взглядом уютный холл, Лоран ушел.

— Где он? — тут же спросил доктор Каллен у Эдварда.

Эсми не стала терять времени: нажала на какую-то кнопку, и прозрачную стену закрыли тяжелые металлические ставни. Я чуть не разинула рот от удивления.

— У реки, милях в трех от нас. Ждет женщину.

— Какой у тебя план?

— Пока мы с Эмметтом отвлекаем ищейку, Кэри и Элис увозят Беллу на юг.

— А потом?

— Как только они уедут, мы сами начнем охоту! — зловеще объявил Эдвард.

— Что же, он не оставил нам выбора, — мрачно кивнул Карлайл.

Эдвард повернулся к Розали.

— Проводи Беллу наверх и поменяйся с ней одеждой!

— С какой стати? Да кто она мне? От нее одни проблемы и неприятности!

В голосе было столько яда, что я поежилась!

— Роуз... — пробормотал Эмметт, положив ей руку на плечо, но девица тут же вырвалась.

В этой ситуации больше всего меня беспокоило, как воспримет это Эдвард. Он ведь такой вспыльчивый! Однако он вел себя на удивление спокойно: притворился, что вообще не слышал последних слов Розали.

— Эсми, могу я на тебя рассчитывать? — спросил он.

— Конечно, — спокойно кивнула женщина и, схватив меня за руку, потащила вверх по лестнице.

— Зачем это? — отважилась спросить я, лишь оказавшись в одной из темных комнат второго этажа.

— Поможет сбить с толку ищейку. Конечно, он быстро во всем разберется, но мы выиграем время! — объяснила Эсми, скинув с себя одежду.

— Наверное, размер не подойдет... — мямлила я, но миссис Каллен уже стащила с меня рубашку. Джинсы я сняла сама. Решив не смущать меня юбками, женщина дала мне фланелевую рубашку и слаксы. Ну, рубашка еще куда ни шло, а вот слаксы слишком длинные... Не успела я пожаловаться, как Эсми уже ловко завернула штанины и повела обратно на лестницу. Интересно, когда она успела одеться?

Элис с небольшой кожаной сумкой ждала в холле. Схватив за руки, словно тряпичную куклу, они потащили меня вниз.

За время нашего недолгого отсутствия мужчины приготовились к отъезду. Эмметт держал в руках тяжелый рюкзак. Карлайл передал жене какой-то маленький предмет, а затем вручил то же самое Элис — маленький сотовый телефон серебристого цвета.

— Белла, Эсми и Розали возьмут твой пикап, — сказал Карлайл. Я с тревогой посмотрела на Розали — она так и пылала гневом.

— Элис, Кэри, возьмите «мерседес». На юге солидность не помешает.

Парень с девушкой согласно кивнули.

— Мы сядем в джип. — Оказывается, доктор Каллен решил отправиться с Эдвардом!

Догадавшись, что они собираются на охоту, я перепугалась.

— Элис, — позвал дочь Карлайл, — они проглотят наживку?

Все взгляды обратились к девушке, которая закрыла глаза и замерла, будто каменная статуя.

— Джеймс пойдет за вами, а Виктория — за машиной, так что мы сможем ускользнуть, — уверенно проговорила она.

— Тогда поехали! — скомандовал Карлайл и шагнул к двери.

Эдвард не пошел за отцом. На глазах всей семьи он притянул меня к себе и жадно поцеловал в губы. На один чудесный миг я забыла обо всех проблемах... Но вот он отстранился и вслед за доктором Калленом вышел из дома.

Итак, я осталась одна с его родственниками, мне хотелось забиться куда-нибудь в уголок и спрятать от них свое заплаканное лицо.

Через секунду зазвонил сотовый Эсми, и она тут же ответила.

— Пора.

Розали пошла к двери, а миссис Каллен остановилась и потрепала меня по щеке.

— Береги себя, — прошептала она и исчезла.

Взревел мотор моего пикапа, а потом — тишина. Кэри и Элис напряженно ждали.

Мне показалось, что девушка поднесла телефон к уху даже раньше, чем он зазвонил.

— Эдвард говорит, что Виктория движется по следу Эсми. Пойду к машине! — объявила Элис и убежала в ночь.

Мы с Кэри молча смотрели друг на друга. Интересно, о чем он думает?

— Белла, ты ошибаешься, — тихо проговорил он.

— Что? — удивленно переспросила я.

— Я знаю, что тебя мучает. Так вот, ты этого стоишь! — твердо сказал он.

— Не уверена, — пролепетала я. — Если с одним из вас что-нибудь случится, я себе не прощу!

— Ты ошибаешься, — повторил Кэри и улыбнулся.

Входная дверь даже не скрипнула — так бесшумно вошла Элис.

— Можно? — вежливо спросила она, собираясь взять меня на руки.

— Ты первая, кому понадобилось разрешение, — я невольно улыбнулась.

Тонкие руки оказались неожиданно сильными, и девушка вынесла меня из дома.

Кэри вышел следом за подругой, не потрудившись выключить свет.

Глава двадцатая
ДОЛГОЕ ОЖИДАНИЕ

Проснувшись, я не поняла, где нахожусь. После всего, что случилось, голова наотрез отказывалась работать. Я огляделась.

Так, столь безликая комната может быть только в мотеле, а прикрученные к столу лампы и шторы в тон покрывалам лишь подтверждали правильность моего предположения.

Как же я сюда попала?

Я прекрасно помнила черный «мерседес» с затемненными стеклами. Мотор работал совершенно бесшумно, хотя мы превысили дозволенную скорость как минимум в два раза!

Еще я помнила Элис, сидевшую со мной на заднем сиденье. Устав от долгой поездки, я положила голову ей на плечо. Девушка не сказала ни слова. Кажется, я плакала, и тонкая рубашка Элис промокла.

Кэри вел машину ровно, но заснуть мне не удалось. Я так и сидела, пока в Калифорнии не наступило утро. В небе ни облачка, от яркого солнечного света заболели заплаканные глаза. Закрыть их я не решалась, боясь призраков вчерашнего дня. Бледное расстроенное лицо Чарли, ядовитые слова Розали, обжигающий взгляд охотника, прощальный поцелуй Эдварда... Нет, я не готова пережить все это снова!

На закате петляющее в горах шоссе привело нас в Солнечную долину. Здравствуй, Аризона! У меня даже сил не хватило удивиться, какое расстояние мы покрыли за один день. Вот и Финикс — пальмы, ароматный креозот, шумные автострады, ярко-зеленые поля для гольфа. Над городом тонкая пелена смога, а вокруг скалы, недостаточно высокие для того, чтобы называться горами.

Пальмы, растущие вдоль шоссе, почти не отбрасывали тени. Где тут спрятаться? Опускающееся за скалы солнце ярко освещало полотно автострады. Я же дома, почему мне не стало легче и спокойнее?

— Где аэропорт, Белла? — негромко спросил Кэри.

Я невольно вздрогнула. Это были первые слова за целый день в пути.

— Шоссе номер десять. Сейчас оно будет справа.

Сорок восемь часов без сна, естественно, мозги работали очень вяло.

— Мы куда-то полетим? — поинтересовалась я у Элис.

— Нет, но лучше держаться неподалеку.

Вот и кольцевая дорога в международный аэропорт... На этом воспоминания обрывались, значит, тогда я и провалилась в забытье.

Лишь сейчас, отдохнув, я смогла частично восстановить ход событий. Вот я, спотыкаясь, выхожу из машины, Элис обнимает меня за талию и куда-то ведет...

А как я попала в этот номер? Не помню...

Электронные часы на прикроватном столике показывали три часа, не уточняя, дня или ночи. Окна плотно зашторены, правда кто-то догадался включить ночник.

С трудом поднявшись с кровати, я выглянула в окно. Темно, значит, три часа утра. Передо мной пустынный участок шоссе, а чуть дальше — ангар международного аэропорта. Так, теперь я, по крайней мере, точно знаю, где нахожусь.

На мне фланелевая рубашка и слаксы Эсми, значит, Элис не стала меня раздевать. Быстро оглядевшись, я увидела свою дорожную сумку и очень обрадовалась. Однако чистую одежду выбрать не удалось — в дверь постучали. Я испуганно прижалась к стене.

— Можно войти? — спросил звонкий голосок Элис.

— Конечно! — с облегчением вздохнула я.

Да, это действительно она, как обычно бодрая и элегантная.

— Ты ведь так устала, может, еще поспишь? — заботливо спросила девушка.

Я отрицательно покачала головой.

Не сказав ни слова, Элис бросилась к окну и задернула шторы.

— В окно не выглядывать, никуда не выходить!

— Хорошо, — хрипло согласилась я.

— Хочешь пить? — спросила она.

— Нет, а ты?

— Все в порядке, — хитро улыбнулась девушка. — Я заказала завтрак, он в соседнем номере. Эдвард предупредил, что тебе еда нужна чаще, чем нам.

— Он звонил? — забеспокоилась я.

— Нет, — тихо ответила Элис, и я помрачнела, — это было еще до отъезда.

Крепко взяв за руку, она повела меня к себе. Еще один безликий номер, только двухместный. Шторы из той же материи, что и покрывала, гравюры с претензией на абстракционизм, телевизор, небольшое бюро, журнальный столик и кресла, в одном из которых сидел Кэри, делая вид, что смотрит новости.

Устроившись на полу у низкого журнального столика, на котором стоял завтрак, я начала есть, не чувствуя вкуса пищи.

Присев на краешек кресла, Элис с преувеличенным вниманием уставилась в телевизор.

Медленно поглощая гостиничный завтрак, я успела заметить, что Элис с Кэри тайком переглядываются. Что-то они притихли, да и с каких пор их интересует реклама? Я решительно отодвинула поднос и тут же поймала на себе заинтересованный взгляд девушки.

— Что случилось, Элис?

— Ничего, — тут же ответила она. Карие глаза казались такими невинными, честными, но почему-то я им не верила.

— Чем сейчас займемся?

— Будем ждать звонка Карлайла.

— Разве он уже не должен был позвонить?

Глаза Элис метнулись к лежащему на черной кожаной сумке сотовому, и я поняла, что ответ положительный.

— Что это может означать? — испуганно допытывалась я. — Почему он не звонит?

— Только то, что пока ему нечего нам сообщить, — не очень уверенно ответила девушка, и мне стало трудно дышать.

Кэри обнял подругу за плечи.

— Белла, — подозрительно спокойным голосом начал Хейл, — тебе не о чем беспокоиться. Все будет в порядке.

— Конечно, — неожиданно вырвалось у меня.

— Тогда чего ты боишься? — удивленно спросил он. Значит, Кэри знает, что я чувствую.

— Разве ты не слышал, что сказал Лоран? — шепотом спросила я. — Голыми руками Джеймса не возьмешь! А что если все пошло не так? Если что-то случится с Карлайлом, Эмметтом или Эдвардом... — мой голос сорвался. — Если Виктория причинит зло Эсми, разве я смогу с этим жить? Ни одному из вас не стоило рисковать...

— Белла, замолчи! — перебил меня Хейл. — Ты совершенно не о том беспокоишься! Никому из нас опасность не угрожает. Право же, не стоит создавать проблем там, где их нет! Знаешь, наша семья очень сильная, и единственное, чего мы боимся — потерять тебя.

— Но зачем вам... — снова начала я.

На этот раз меня остановила Элис, легонько потрепав по щеке.

— Эдвард был один почти сто лет, а теперь нашел тебя. Мы же видим, как сильно он изменился! Если с тобой что-то случится, разве я смогу смотреть ему в глаза?

От слов Элис я немного успокоилась, хотя в присутствии Кэри, памятуя о его способностях, нельзя доверять собственным чувствам.

День тянулся бесконечно долго. Позвонив администратору, Элис попросила, чтобы наши комнаты пока не убирали. Итак, мы сидели с зашторенными окнами и включенным телевизором, который никто не смотрел. Каждые четыре часа приносили еду. Мне чудилось, что с каждой минутой серебристый телефон становится все больше.

Мои ангелы-хранители справлялись с тягостной неопределенностью гораздо лучше меня. В то время как я нервно мерила шагами номер, они сидели не шелохнувшись, словно каменные статуи. Только глаза пристально следили за каждым моим шагом.

Чтобы как-то отвлечься от невеселых мыслей, я старалась запомнить, как выглядит номер, а потом закрывала глаза и проверяла результат. Покрывала на кроватях и шторы полосатые: терракотовый, персиковый, кремовый, золотой и опять терракотовый. Ковер на полу золотисто-коричневый с крупным ромбовидным рисунком. Стены цвета экрю, как в большинстве мотелей.

Затем я стала рассматривать гравюры, пытаясь отыскать в них какие-то фигуры. Точно так же в детстве я любила разглядывать облака. Я нашла руку, девушку, расчесывающую волосы, потягивающуюся кошку, но, увидев среди беспорядочных линий внимательный глаз, тут же прекратила это занятие.

К вечеру я окончательно обезумела от безделья и ушла в спальню, надеясь, что в темноте смогу спокойно предаться мрачным мыслям, которые в гостиной разгонял бдительный Кэри.

Однако от Элис так просто не избавиться. Якобы устав от шума телевизора, девушка скользнула за мной. Интересно, какие инструкции оставил ей Эдвард? Я бросилась на кровать, а Элис бесшумно опустилась рядом. Сначала мне казалось, что я смогу уснуть, но тут напомнила о себе паника, которая в присутствии Хейла совершенно не ощущалась. Поняв, что быстро заснуть не удастся, я свернулась калачиком и попыталась расслабиться.

— Элис...

— Да, Белла?

— Как ты думаешь, что они делают?

— Карлайл собирался заманить ищейку как можно дальше на север, подпустить поближе и устроить засаду. Эсми с Розали должны были увести на запад Викторию. Если женщина поймет, что ее провели, они тут же вернутся в Форкс сторожить твоего отца. Так что раз папа не выходит на связь, значит, все идет по плану, а Джеймс близко и может подслушать.

— А Эсми?

— Наверное, она в Форксе. Эсми не станет звонить, если Виктория рядом. Думаю, они просто осторожничают.

— По-твоему, с ними все в порядке?

— Белла, ну сколько можно говорить, что никакая опасность нам не угрожает?

— А ты бы сказала мне правду? — задумчиво спросила я.

— Да, я всегда говорю тебе правду, — серьезно ответила Элис.

Интересно, как далеко она сможет зайти?

— Скажи... а как стать вампиром? — Вопрос созрел довольно давно, и лучшего времени его задать не было.

Моя дотошность застала Элис врасплох.

— Эдвард запрещает тебе рассказывать, — сказала девушка, но почему-то мне показалось, что она не совсем согласна с братом.

— Это несправедливо! — возмутилась я. — Уверена, что имею право знать...

— Мне тоже так кажется...

Я ждала.

— Он оторвет мне голову, — тяжело вздохнула Элис.

— Его это не касается! Он ни о чем не узнает! Прошу тебя, как подругу, расскажи! — Как ни странно, мы действительно подружились, а Элис наверняка знала об этом заранее.

Карие глаза внимательно меня изучали, вероятно, определяя оптимальную степень откровенности.

— Расскажу все, что помню, — наконец, решилась она. — Учти, это было давно, и с тех пор я ни в чем подобном не участвовала. Поэтому к тому, что услышишь, отнесись критически, это просто теория!

Я согласно кивнула.

— Как настоящие хищники, мы обладаем солидным арсеналом оружия: сила, скорость, быстрая реакция, не говоря уже о дополнительных качествах, которыми наделены лишь некоторые, например Эдвард, я и Кэри. Добавь к этому еще и физическую красоту! Мы совсем как плотоядные цветы, которые соблазняют, а потом губят.

Я притихла, вспоминая, как Эдвард вел себя на лесной поляне. Да, Элис права.

— Есть еще одно совершенно ненужное оружие — мы ядовитые. — Девушка сверкнула белоснежными зубами. — Яд не убивает, а только парализует, причем медленно. Достаточно одного укуса; попав в организм, яд причиняет жертве такую боль, что она не в состоянии сопротивляться. Хотя, как я уже говорила, жертве и так некуда деться. Впрочем, своими преимуществами пользуются далеко не все. Карлайл, например, считает это позором и демонстрацией слабости.

— Итак, яд начинает действовать... — напомнила я.

— Обычно перерождение занимает несколько дней, в зависимости от того, сколько яда попало в кровь, и в какое место укусили. Пока сердце работает, яд распространяется по организму, производя необратимые изменения. В конце концов сердце останавливается, и превращение закончено. Все это время жертва будет мечтать о смерти!

Я задрожала.

— Ощущения не из приятных...

— Эдвард рассказывал, что ему было больно... В тот день я ничего не поняла, — пробормотала я.

— Ну, мы же как акулы... Однажды попробовав кровь, готовы на все, чтобы снова ощутить ее солоноватый вкус. Устоять невозможно. Так что когда ты кого-то кусаешь, то одновременно даришь страшную боль и получаешь колоссальное наслаждение.

— Интересно, почему ты ничего не помнишь? — полюбопытствовала я.

— Не знаю. Для всех остальных перерождение оказалось самым ужасным испытанием в прошлой жизни. А я вообще не помню себя человеком.

Мы молчали, погрузившись в собственные мысли, а потом Элис неожиданно вскочила на ноги.

— Что-то изменилось, — горячо зашептала она, и я поняла, что девушка обращается не ко мне.

Они с Кэри чуть не столкнулись в дверях. Судя по всему, Хейл слышал наш разговор и последнее восклицание Элис. Обняв девушку за плечи, он помог ей сесть на кровать.

— Что ты видишь? — спросил парень, заглядывая в карие глаза Элис, которые смотрели куда-то вдаль.

С огромным трудом я разобрала ее быстрый возбужденный шепот.

— Комнату, очень просторную, с деревянным полом, а на всех стенах зеркала. По периметру деревянный поручень золотистого цвета.

— Где эта комната?

— Не знаю. Что-то мешает разглядеть все лучше.

— Когда случится то, что ты видишь?

— Скоро. Ищейка окажется в зеркальной комнате сегодня или завтра. Он чего-то ждет, а сейчас сидит в темноте.

— Что он делает?

— Смотрит телевизор... нет, это кассета в видеомагнитофоне. В комнате темно, он специально не включает свет.

— Можешь описать эту комнату?

— Нет, слишком темно.

— А зеркальную? Что ты в ней видишь?

— На всех стенах зеркала, длинный золотистый поручень. Черный стол со стереоустановкой и телевизором. Видеомагнитофон тоже есть, но в зеркальной комнате ищейка его не включает. Он просто ждет. — Темные глаза Элис метнулись к лицу Кэри.

Судя по спокойному тону, парень частенько расспрашивает подругу о ее ощущениях.

— Больше ничего не видишь?

Элис покачала головой.

— Что это значит? — не выдержала я.

Целую минуту оба молчали, пока, наконец, мне не ответил Кэри.

— То, что планы ищейки изменились, и он окажется сначала в темной, а потом в зеркальной комнате.

— А где эти комнаты, мы не знаем?

— Нет.

— Зато знаем, что в горах на севере Вашингтона, где сидит в засаде Карлайл, его не будет. Джеймсу удастся их обвести, — мрачно сказала девушка.

— Может, стоит позвонить Карлайлу? — предложила я.

Элис и Кэри нерешительно переглянулись.

В тот самый момент зазвонил телефон.

Элис схватила его раньше, чем я успела пошевелиться. Девушка прижала трубку к уху, но ответила не сразу.

— Карлайл! — Ни удивления, ни облегчения в ее голосе я не услышала.

— Да, — после паузы ответила Элис, взглянув на меня, и опять надолго замолчала. — Я знаю, где он, — через некоторое время сообщила она и подробно описала свое видение. — Что бы ни заставило его сесть на самолет, он направляется в эти комнаты!

Девушка целую минуту слушала отца, а потом позвала меня.

— Белла, тебя!

Я буквально вырвала у нее трубку.

— Алло?

— Привет, — послышался голос Эдварда.

— Боже, я так волновалась!

— Белла, — устало проговорил он, — я же просил беспокоиться только о себе.

Как здорово слышать его голос! С каждой секундой мрачное облако отчаяния становилось все светлее и, наконец, отступило.

— Где вы сейчас?

— В Ванкувере. К сожалению, мы его упустили. Джеймс очень осторожен и старается держаться на приличном расстоянии, чтобы я не смог прочитать его мысли. Здесь его нет, судя по всему, он улетел на самолете. Думаю, он возвращается в Форкс, чтобы начать все сначала.

Краем уха я слышала, как Элис что-то быстро рассказывает Кэри.

— Знаю, твоя сестра видела, что ищейке удалось скрыться.

— Главное, не беспокойся. Джеймс и понятия не имеет, где мы тебя спрятали. Слушайся Элис и Кэри, а мы постараемся его отыскать.

— Со мной все будет в порядке. Эсми приглядывает за папой?

— Да, Виктория уже побывала в городе и пробралась к дому, но Чарли был на работе. Не беспокойся, она его не тронет, тем более что Эсми и Розали не спускают с нее глаз.

— Чего она хочет?

— Наверное, пытается найти след. Ночью она обшарила весь город: по словам Розали, побывала в аэропорту, в школе, на всех автострадах... Виктории нужна какая-то зацепка, но ее нет и быть не может.

— Уверен, что с Чарли все в порядке?

— Конечно. Эсми следит за ним двадцать четыре часа в сутки, а скоро к ней присоединимся и мы. Если ищейка в Форксе, мы его отыщем.

— Я так соскучилась!

— Знаю, Белла, можешь мне поверить. Кажется, часть моей души уехала в Аризону вместе с тобой.

— Так приезжай и забери!

— Потерпи немного, сначала мне нужно кое с кем разобраться, — жестко проговорил Эдвард.

— Я тебя люблю.

— А ты поверишь, что я тоже тебя люблю, хотя и причинил столько боли?

— Конечно, поверю, — искренне сказала я, раздосадованная, что Эдвард продолжает считать себя виноватым в моих бедах.

— Скоро приеду!

— Буду ждать!

— Пожалуйста, береги себя, — прошептал он, и связь оборвалась.

Решив отдать телефон Элис, я обратила внимание, что она вместе с Кэри сидит за столом и что-то рисует в блокноте. Я подошла поближе и заглянула девушке через плечо.

Длинная прямоугольная комната с паркетным полом. На стенах, от потолка до самого пола, зеркала, а по периметру, на уровне пояса, длинный поручень. Элис сказала, что он золотой...

— Это же балетный класс! — неожиданно узнала я.

Элис и Кэри удивленно подняли головы.

— Ты знаешь эту комнату? — Голос Хейла звучал спокойно, но мне показалось, что он волнуется.

Карандаш Элис запорхал по странице, и через секунду я увидела запасный выход, стереоустановку и телевизор на низеньком столике в правом углу.

— Когда мне было лет восемь или девять, я ходила в балетный класс. Выглядел он примерно так же. Вот здесь, — я показала на квадраты в одной из стен, — располагались раздевалки, только телевизора не было, а стерео стояло тут, — я показала на левый угол. — В холле, где ждали родители, имелось специальное окно, и когда они на нас смотрели, то видели класс именно в таком ракурсе.

Элис онемела от изумления.

— Ты уверена, что это твой балетный класс?

— Нет, вовсе нет, тем более что большинство таких классов и студий выглядит одинаково: поручни, зеркала... — Я осторожно провела пальцем по рисунку. — Просто обстановка кажется знакомой.

— Есть ли причина, по которой тебе бы захотелось снова туда пойти?

— Не знаю, вряд ли... С тех пор прошло почти десять лет. К тому же танцевала я ужасно, а на концертах всегда стояла в заднем ряду, — призналась я.

— Значит, ты не представляешь, какое отношение может иметь к тебе этот класс? — настойчиво спросила девушка.

— Если честно, то нет. Я даже не уверена, что это та же самая студия...

— А где находилась та, в которую ты ходила? — как бы между прочим поинтересовался Кэри.

— Совсем рядом с маминым домом, так что меня не нужно было провожать, — ответила я и перехватила взволнованный взгляд Элис.

— Значит, это здесь, в Финиксе? — по-прежнему спокойно спросил Хейл.

— Да, — прошептала я, — на пересечении Сорок восьмой и Кактусовой улиц.

Мы молча смотрели на рисунок.

— Элис, а можно воспользоваться сотовым?

— Конечно, — заверила девушка, — звони, кстати у него вашингтонский номер.

— Тогда я позвоню маме.

— Разве она не во Флориде?

— Верно, но скоро возвращается, и я не хочу, чтобы она зашла в дом, когда... — Я не смогла договорить, представив, как дикая рыжеволосая женщина рыщет возле дома Чарли и переписывает данные из моего школьного файла.

— Куда же ты хочешь звонить?

— Домой, во Флориде у них нет постоянного номера, однако мама периодически звонит в Финикс и с помощью кода прослушивает сообщения на автоответчике.

— Кэри, что ты об этом думаешь? — спросила девушка.

— Наверное, ничего страшного не случится, если, конечно, не говорить, где мы находимся.

Я тут же схватила телефон и набрала знакомый номер. После четвертого гудка веселый голос мамы предложил оставить сообщение.

— Мама! — зачастила я, услышав звуковой сигнал. — Мне нужно кое-что тебе рассказать, очень важное. Как только прослушаешь мое сообщение, перезвони на этот номер. — Расторопная Элис уже написала номер на листе блокнота, и я дважды повторила его маме. — Пожалуйста, не предпринимай ничего, прежде чем не поговоришь со мной! Все нормально, просто мне нужно кое-что тебе рассказать. Перезвони как можно скорее, ладно? Очень тебя люблю! Пока!

Крепко зажмурившись, я стала молиться, чтобы мама не вернулась домой раньше, чем прослушает сообщение.

Устроившись на диванчике, я взяла с подноса дыню и приготовилась к очередной бессонной ночи. Очень хотелось позвонить Чарли, но я не знала, вернулся ли он с работы. От нечего делать я стала смотреть новости, надеясь, что покажут какой-нибудь сюжет о Флориде. К счастью, ни о чем таком, что заставило бы маму и Фила вернуться раньше, я не услышала: ни забастовок, ни ураганов, ни атак террористов.

Наверное, с бессмертием приходит и бесконечное терпение. Двадцать четыре часа безделья в номере мотеля никак не отразились на Элис или Кэри. Сидя перед экраном телевизора, девушка нарисовала темную комнату, в которой меня якобы стерег канадский вампир. Покончив с рисованием, она принялась рассматривать светлые оштукатуренные стены. Хейл тоже был спокойней мамонта и в отличие от меня не мерил комнату шагами, не смотрел в щелочку между шторами и не заламывал руки.

Так и не дождавшись маминого звонка, я уснула прямо на диване. Разбудило меня лишь легкое прикосновение холодных рук — Элис несла меня на кровать. Едва моя голова коснулась подушки, я заснула снова.

Глава двадцать первая

ТЕЛЕФОННЫЙ ЗВОНОК

Я опять проснулась в несусветную рань. Похоже, прежний режим дня разрушен безвозвратно, равно как и моя прежняя жизнь. Я нежилась в постели, прислушиваясь к негромким голосам Элис и Кэри, доносящимся из соседней комнаты. Странно, с каждым днем я слышу их все отчетливее. Неужели слух улучшается? Заставив себя подняться, я, пошатываясь, вышла в гостиную.

Часы на телевизоре показывали два часа ночи. Элис и Кэри сидели на диванчике. Девушка снова рисовала, а парень заинтересованно смотрел ей через плечо. Они настолько увлеклись, что, казалось, не заметили моего появления.

Я подошла посмотреть.

— Она что-то еще увидела? — тихо спросила я у Кэри.

— Да, ищейка вернулся в темную комнату с видеомагнитофоном, но на этот раз зажег свет.

Итак, на листе блокнота была квадратная комната с темными балками низкого потолка. Стены обшиты панелями, на полу ковер с длинным ворсом. На южной стене большое окно, на западной — ведущая в гостиную арка. С одной стороны арки — камин, рассчитанный сразу на две комнаты. В этом ракурсе телевизор и видеомагнитофон оказались в юго-западном углу, рядом с древним складным диваном и круглым журнальным столиком.

— Телефон здесь, — прошептала я, показывая на столик.

Две пары карих глаз окинули меня удивленным взглядом.

— Это дом моей матери.

Элис тут же сорвалась с дивана, схватила телефон и стала звонить, а я безучастно смотрела на мамину гостиную. Как ни странно, Кэри не поднялся за подругой, а придвинулся поближе ко мне и легонько погладил по плечу. От его прикосновения мне стало гораздо спокойнее, паника слегка улеглась.

Элис говорила так быстро, что ее слова слились в монотонный гул.

— Белла! — тихо позвала девушка. Я покорно подняла глаза. — Эдвард собирается за тобой приехать. Они с Карлайлом тебя на некоторое время спрячут.

— Эдвард приезжает? — Эти два слова, как спасательный жилет, помогали не утонуть в море отчаяния.

— Да, он вылетает из Сиэтла первым самолетом. Мы встретимся в аэропорту, и он тебя увезет.

— А мама? Элис, он ведь приехал за моей мамой! — Несмотря на присутствие Кэри, я была готова впасть в истерику.

— Мы с Кэри останемся в Финиксе и позаботимся о ней.

— Элис, мне его не одолеть. Вы же не можете вечно охранять всех моих близких. Разве не видишь, что он делает? Он и не думает за мной следить! Ему удобнее найти кого-то из моих родственников и мучить! Элис, я не могу...

— Мы поймаем его, Белла! — заверила меня девушка.

— А что, если он причинит боль тебе? Как мне потом с этим жить? Думаешь, Джеймс не поднимет руку на тебя или Эсми?

Девушка многозначительно посмотрела на Кэри. Через секунду я почувствовала ужасную вялость и апатию. Глаза закрывались, голова отказывалась работать. Из последних сил борясь с сонливостью, я сделала шаг назад, стряхивая с себя руку Хейла.

— Не желаю спать! — заявила я и демонстративно вышла из комнаты.

Хлопнув дверью, я спряталась в своем номере. Не намерена никого видеть и ни с кем разговаривать!

Деликатная Элис на этот раз за мной не последовала, и целых три часа я провалялась на кровати, бездумно уставившись в стену. Нужно что-то делать, как-то выбираться из этого кошмара. Ничего путного я не придумала. Вернее, был один вариант, но сколько людей пострадает, прежде чем я своего добьюсь?

Хорошо хоть Эдвард скоро будет со мной. Возможно, увидев его лицо, я сразу найду решение.

Услышав, что за стеной звонит телефон, я вернулась в комнату к Элис, весьма пристыженная своим поведением. Надеюсь, они не обиделись и понимают, как сильно я им благодарна.

Элис что-то быстро говорила, и я очень удивилась, заметив, что Кэри нет в комнате. Часы на телевизоре показывали половину шестого.

— Карлайл с Эдвардом садятся на самолет, — объявила Элис. — Рейс прибывает в Финикс в девять сорок пять.

Значит, еще несколько часов, и я увижу Эдварда!

— А где Кэри?

— Пошел к администратору расплачиваться.

— Вы переезжаете?

— Да, перебираемся поближе к дому твоей матери.

От такого заявления в животе образовался комок, но не успела я испугаться, как зазвонил телефон. Кажется, этого звонка Элис не ожидала.

— Алло? — проговорила девушка. — Нет, сейчас позову. — Она передала мне трубку. — Твоя мама, — чуть слышно прошептала Элис.

— Алло?

— Белла? Белла? — Именно таким голосом Рене окликала меня в детстве, когда я играла на дороге или убегала от нее в магазине. Гремучая смесь паники и испуга.

Что же, чего-то подобного и следовало ожидать, хотя, оставляя сообщение, я старалась, чтобы мой голос звучал спокойно и твердо.

— Не волнуйся, мама, — мягко проговорила я, отворачиваясь от Элис. Врать, глядя в глаза сестре Эдварда, гораздо тяжелее. — У меня все в порядке. Просто дай мне минутку, и я все объясню.

Странно, что мама не перебивает, это совершенно не в ее духе!

— Мама?

— Говорить ты будешь, только когда я скажу, — неожиданно ответил незнакомый голос. Очень приятный тенор, такие можно часто услышать в рекламе дорогих автомобилей.

— Слушай, я не хочу причинять боль твоей маме, так что, пожалуйста, делай, что я скажу. — Мужчина помолчал, явно наслаждаясь моим оцепенением. — Умница! А теперь повторяй за мной и постарайся, чтобы прозвучало естественно. Пожалуйста, скажи: «Нет, мама, не нужно никуда ехать».

— Нет, мама, не нужно никуда ехать, — чуть слышно повторила я.

— Не годится! — радостно сообщил тенор. — Почему бы тебе не пройти в спальню, где нам никто не помешает? Ты ведь не хочешь, чтобы твоя мать пострадала? А по дороге как раз успеешь сказать: «Мама, пожалуйста, послушай!» Давай, говори!

— Мама, пожалуйста, послушай! — взмолилась я, обращаясь совсем не к ней. Чувствуя спиной испуганный взгляд Элис, я захлопнула дверь. Еще немного, и страх превратит меня в зомби.

— Теперь ты одна? Просто отвечай: да или нет.

— Да.

— Но, уверен, твои спутники слышат наш разговор.

— Да.

— Ну и ладно, — ничуть не расстроился мужчина. — А теперь скажи: «Мама, поверь мне!»

— Мама, поверь мне!

— Все получилось лучше, чем я ожидал. Даже ждать не пришлось: твоя мама приехала раньше срока. Здорово, правда? Зачем нам с тобой лишние тревоги и переживания?

Я молчала, не зная, что сказать.

— А теперь, детка, слушай внимательно. Твои друзья мне порядком надоели. Сможешь от них сбежать? Отвечай: да или нет.

— Нет.

— Жаль, очень жаль! А я надеялся, что ты натура творческая. Неужели не попытаешься ради своей мамы? Отвечай.

Нужно что-то придумать! Мы же собираемся в аэропорт! А там несколько терминалов и всегда много народа.

— Да.

— Так-то лучше, — обрадовался мужчина. — Уверен, скрыться будет нелегко, но если я почувствую, что ты ведешь с собой «хвост», твоей маме будет очень плохо, — радостно пообещал он. — Наверное, ты уже достаточно про нас знаешь, чтобы понять, как быстро я разберусь в ситуации, а потом с твоей мамашей. Все ясно? Отвечай.

— Да, — пролепетала я.

— Молодчина, Белла! Поступим так: ты отправишься в дом своей мамы и у телефонного аппарата увидишь записку с номером. Мы созвонимся, и я объясню, что делать дальше. — Я уже догадывалась, куда меня позовет незнакомец и чем все кончится, но разве от этого легче? Придется сделать так, как он говорит. — Поняла?

— Да.

— Пожалуйста, постарайся сбежать до обеда. Не хотелось бы ждать целый день, — вежливо попросил мужчина.

— Фил? — нервно позвала я.

— Ах, Белла, я же просил говорить только после моего разрешения.

Я закусила губу.

— Сейчас очень важно, чтобы твои друзья ничего не заподозрили. Скажешь им, что звонила твоя мать. Она хотела приехать раньше, но тебе удалось ее отговорить. А теперь повторяй: «Спасибо, мама!»

— Спасибо, мама! — По щекам заструились слезы.

— «Я люблю тебя, скоро увидимся!» — ну, повторяй.

— Я люблю тебя, скоро увидимся, — кое-как выдавила я.

— До свидания, Белла, я тоже надеюсь на скорую встречу, — попрощался обладатель приятного тенора.

Трубка словно прилипла к уху. Парализованная страхом, я сидела на кровати, не решаясь даже опустить руку с телефоном.

Я понимала, необходимо что-то придумать, но слышала лишь испуганный голос мамы. Целую минуту я просто смотрела в пустоту, пытаясь прийти в себя.

Постепенно я обрела способность мыслить, а в голове зародился план. Собственно, никакого плана не было, равно как и выбора, только пойти в зеркальную комнату и умереть. И даже это не гарантировало, что я увижу маму живой. Оставалось надеяться, что, одержав столь убедительную победу над Калленами, Джеймс подобреет и пощадит мою мать.

Ужасное положение: мне ведь нечего ему предложить, именно ищейка, а не я, диктует условия. И все же придется попробовать...

Нужно взять себя в руки. Решение принято, и действовать следует безотлагательно. Как же мне сбежать от Элис и Кэри? Они ведь не спускают с меня глаз!

Хорошо, что Хейл не слышал разговора. Как бы мне удалось скрыть от него всепоглощающий страх, что бы я сказала?.. Впрочем, рассуждать некогда, тем более что друг Элис вернется с минуты на минуту!

Сейчас нужно продумать свои действия в аэропорту.

Элис ждет в соседней комнате и наверняка волнуется. Пока Кэри не пришел, необходимо кое-что сделать.

Итак, смирись с тем, что Эдварда ты больше не увидишь и в зеркальную комнату пойдешь, даже не взглянув на прощание в его колдовские глаза. Он столько для тебя сделал, а убежать придется, не попрощавшись... Я решительно подавила черную тоску и вошла в гостиную.

Вместо мертвенного страха на моем лице отражалась апатия, и Элис заволновалась. У меня только один сценарий, и на импровизацию я не способна. Нужно рассказывать самой, не дожидаясь ее расспросов.

— Мама волнуется и хочет вернуться в Финикс. По-моему, я убедила ее не торопиться, — безжизненным голосом проговорила я.

— Белла, с ней все будет в порядке. Не волнуйся!

Пришлось отвернуться, чтобы Элис не заметила отчаяния, плескавшегося в моих глазах. Заметив на журнальном столике блокнот и конверты с адресом мотеля, я решилась.

— Элис, — позвала я, стараясь, чтобы голос звучал бодро, — хочу написать маме письмо. Сможешь передать? Просто оставь дома на видном месте, ладно?

— Конечно, — осторожно ответила девушка, что-то заподозрившая. Ну почему я не умею держать чувства под контролем?

Итак, я снова скрылась в спальне и, склонившись над прикроватным столиком, стала писать.

«*Эдвард!*

Прости меня! У него моя мама, и мне нужно ее спасти. Хотя бы попробовать...

Пожалуйста, не злись на Элис и Кэри. Если мне удастся от них сбежать, это будет чудо! Поблагодари их за все, что они для меня сделали. Особенно Элис...

Прошу, не пытайся меня найти! Ищейка только этого и ждет, а я не хочу, чтобы от моей сумасбродной затеи кто-нибудь пострадал.

Очень тебя люблю,
Белла».

Аккуратно сложив листочек, я запечатала его в конверт. Рано или поздно письмо найдет своего адресата. Надеюсь, Эдвард хоть раз в жизни меня послушает...

А теперь нужно отбросить чувства и хорошенько обдумать план побега.

Глава двадцать вторая

ИГРА В ПРЯТКИ

Поразительно, но со страхом и отчаянием удалось справиться в рекордно короткие сроки. Время будто остановилось. Мой план готов, а Кэри до сих пор не вернулся. Нужно пойти к Элис. Страшно находиться с ней в одной комнате, она ведь может обо всем догадаться, однако прятаться от нее еще опаснее, причем по той же причине.

Наверное, в таком состоянии я должна была полностью утратить способность удивляться, но, увидев, что сестра Эдварда обнимает письменный стол, так и застыла от изумления.

— Элис? — позвала я, почему-то думая о маме. Неужели уже поздно?

Она молча подняла голову. Большие карие глаза испуганно смотрели вдаль.

Я бросилась к ней и хотела взять за руку...

— Элис! — загремел Кэри и, обогнав меня, подлетел к подруге, пытаясь оторвать ее от стола. Хлопнула входная дверь — парень перепугался и распахнул ее настежь.

— Что случилось? — допытывался Кэри.

Словно испуганная маленькая девочка, Элис уткнулась лицом в его грудь.

— Белла! — прошептала она.

— Я здесь.

Девушка повернулась в мою сторону, но глаза по-прежнему смотрели куда-то вдаль. Тут я и поняла, что она не обращается ко мне, а отвечает на вопрос Кэри.

— Что ты видела? — с притворным равнодушием спросила я.

Поймав пристальный взгляд Хейла, я невинно улыбнулась. В полном замешательстве глаза парня метались между мной и Элис. Ну, нетрудно понять, что увидела девушка.

Я вдруг стала совершенно спокойна. Очень даже кстати, сейчас импульсивность мне ни к чему.

Элис тоже пришла в себя.

— Ничего особенного, — спокойно и уверенно ответила она. — Та же комната с видеомагнитофоном. Хочешь позавтракать?

— Поем в аэропорту, — спокойно ответила я и пошла в душ.

Словно позаимствовав интуицию Кэри, я почувствовала сильное, хотя и умело скрытое желание Элис остаться наедине с парнем, чтобы обо всем ему рассказать.

Я быстро собиралась, стараясь ничего не забыть. Положительный настрой, который создал Хейл, помогал принимать нужные решения. Порывшись в сумке, я нашла носок с деньгами и пересыпала их в карман.

Не терпелось попасть в аэропорт, и на мое счастье в семь утра мы выехали из мотеля. На этот раз сзади сидела я одна. Сестра Эдварда устроилась рядом с Кэри, то и дело бросая на меня настороженные взгляды.

— Элис? — равнодушно спросила я.

— Что?

— Как у тебя это получается? Я имею в виду твой талант... — Я демонстративно смотрела в окно и растягивала слова, изображая ужасную скуку. — Эдвард говорил, что твои видения субъективны, и будущее может измениться.

Назвать имя того, кого, по всей вероятности, я никогда больше не увижу, оказалось сложнее, чем я думала. Наверное, Кэри это почувствовал, потому что на меня нахлынуло подозрительное спокойствие.

— Да, иногда будущее меняется... — к моей радости пробормотала девушка. — Что-то, например погода, более определенно, а вот с людьми гораздо сложнее. Их будущее предсказуемо, только если они верны определенной модели поведения. Иногда самый незначительный поступок или решение изменяют всю жизнь, а подчас даже не одну.

Я кивнула, задумавшись над ее словами.

— То есть ты не могла увидеть Джеймса в Финиксе, пока он сам не решил сюда приехать?

— Правильно, — настороженно согласилась Элис.

Значит, меня в зеркальной комнате она тоже увидела лишь после того, как я решила встретиться с Джеймсом. О том, что еще она могла узнать, я старалась не думать, ведь рядом Кэри, с точностью радара улавливающий перемены в настроении. После видения Элис они наверняка удвоят бдительность. Да, сбежать мне будет непросто.

Вот и аэропорт. Повезло — самолет Эдварда приземлялся в терминале номер четыре, самом большом в аэропорту. Хотя, наверное, там приземляется большинство самолетов, так что дело, скорее всего, не в везении, а в удачном стечении обстоятельств. Так или иначе, чем больше терминал, тем больше шансов сбежать, а на третьем этаже есть место, на которое я очень рассчитывала.

Мы припарковались в огромном гараже четвертого этажа. Я, как бывшая жительница Финикса, провела их к лифту, на котором мы спустились на третий этаж, где располагался зал прилета. Элис и Кэри задержались у табло с расписанием вылетов, обсуждая возможные варианты: Нью-Йорк, Атланта, Чикаго. Мне так и не удалось побывать в этих городах... Я поспешно подавила панику и испуганно посмотрела на Хейла.

Выжидая подходящий момент для побега, я нетерпеливо переступала с носка на пятку. Вот мы присели в кресла у металлоискателей, и Элис с Кэри сделали вид, что наблюдают за туристами, хотя на самом деле следили за мной. Стоило пошевелиться, и я ловила настороженный взгляд. Что же делать? Может, подняться и убежать? Интересно, постесняются ли они схватить меня за руку на глазах у всех пассажиров? Или просто бросятся следом?

Вытащив из кармана конверт, я положила его на сумочку Элис.

— Письмо маме, — напомнила я.

Девушка кивнула, засовывая конверт во внешнее отделение. Надеюсь, оно скоро дойдет до адресата.

С каждой минутой Эдвард все ближе, а я его не увижу... Удивительно, прошло всего два дня, а я так сильно соскучилась. Я поймала себя на том, что пытаюсь перестроить план, чтобы увидеть его, а потом сбежать. Нет, это невозможно, зачем себя обманывать!

Несколько раз Элис приглашала меня позавтракать.

— Попозже, — улыбалась я, — чуть позже.

Я смотрела на табло прилетов, где мелькали номера рейсов и названия городов. До прибытия Эдварда осталось совсем немного... Сорок минут, тридцать... Тут цифры изменились — самолет прибывал на десять минут раньше. Все, пора действовать.

— Пойду позавтракаю.

— Я с тобой! — тут же вскочила девушка.

— Можно мне пойти с Кэри? А то что-то... — Я не договорила, мои испуганные глаза были красноречивее любых слов.

Парень с готовностью поднялся. Заглянув в глаза Элис, я увидела смущение и, к своему огромному облегчению, ни малейших признаков подозрительности. Скорее всего, свое новое видение она объясняет вероломством ищейки, а с моей стороны удара не ожидает.

Кэри приобнял меня за плечи, словно я была его девушкой. Внимательно изучив меню первого кафе, я покачала головой и сделала вид, что ищу какое-то определенное место. А вот и то, что нужно — естественно, не кафе, а дамский туалет!

— Подожди меня, — попросила я Кэри. — Я быстро.

— Хорошо, — кивнул парень.

Туалет находился в центре зала, поэтому имел два входа. Абсурд, но однажды я чуть не заблудилась!

Едва за мной закрылась дверь, я бросилась бежать.

От второго входа было совсем недалеко до лифта; Кэри у кафе заметить меня не должен. Однако оглядываться я не рискнула. Если он что-то заподозрил, то мне остается лишь бежать.

Я мчалась к лифту со всех ног, не обращая внимания на удивленные взгляды туристов. В одной из кабин уже закрывались двери, но, к неудовольствию пассажиров, я просунула ладонь и успела войти, хотя места там и без меня не хватало. Набравшись наглости, я растолкала чужие чемоданы и нажала на кнопку первого этажа.

Как только мы спустились, я поработала локтями и ухитрилась выйти первой. И снова бегом, бегом к выходу. Я даже не оглянулась, чтобы проверить, ищет ли меня Кэри. Если он идет на запах, то дорога́ каждая секунда. Я так спешила, что чуть не врезалась в автоматические двери, которые открылись слишком медленно.

Как назло на стоянке не оказалось ни одного такси!

Времени ждать не было; Элис с Кэри или уже поняли, что я сбежала, или вот-вот поймут и разыщут в мгновение ока.

И тут я увидела фирменный автобус, обслуживающий отель «Хайатт».

— Подождите! — закричала я, увидев, что водитель закрывает двери.

— Мы едем в «Хайатт», — сообщил водитель, уверенный, что я ошиблась.

— Все правильно! — задыхаясь, прохрипела я. — Именно туда мне и нужно!

Водитель с сомнением на меня посмотрел, а потом равнодушно покачал головой.

Большинство сидений были свободны, и я, расположившись подальше от немногочисленных пассажиров, стала смотреть на удаляющийся терминал. Воображение тут же нарисовало Эдварда, растерянно стоящего у дороги, где обрывался мой след. Нет, не буду плакать. Еще слишком много дел!

Мне по-прежнему везло. Перед гостиницей «Хайатт» пожилые туристы выгружали из такси последний чемодан. Вылетев из автобуса, я бросилась на заднее сиденье машины. Усталые туристы и водитель разинули рты от удивления.

— Восточная Блумфилд-стрит, и, пожалуйста, побыстрее, — скомандовала я.

— Это же Скоттсдейл! — заныл водитель.

Я сунула ему три купюры по двадцать долларов.

— Надеюсь, этого достаточно?

— Конечно, детка, без вопросов.

Откинувшись на спинку сиденья, я сложила руки на коленях. За окном шумел знакомый с детства город. Как же я не замечала, что он насквозь фальшивый? Все слишком яркое, вычурное, шумное, как в голливудском фильме, — совсем как добродушное лицо друга, который замышляет предательство.

Я изо всех сил старалась держать себя в руках. Нельзя нервничать, — только не сейчас, когда план почти осуществлен! Волноваться и беспокоиться незачем, я сама приняла решение и сделала выбор.

Закрыв глаза, я стала думать об Эдварде.

Как жаль, что не получилось встретиться в аэропорту! Я бы встала на цыпочки, лишь бы скорее увидеть его лицо, а он бы ловко пробрался сквозь толпу и прижал меня к себе! Какие сильные и надежные у него руки!

Интересно, куда бы он меня повез? Наверное, на север, где он сможет в любое время выходить на улицу. Или в какой-нибудь тихий калифорнийский городок у моря. Мы бы лежали на пляже, а его тело сверкало бы, как бриллиант. Я бы согласилась даже на мотель... Вместе с ним я готова ждать сколько угодно! Мы бы разговаривали, разговаривали, разговаривали... Ради него я бы забыла сон и еду.

Любимое лицо казалось реальнее городского пейзажа, а голос звучал громче, чем шум мотора. Я так увлеклась, что потеряла счет времени.

— Эй, какой дом?

Грубоватый вопрос водителя разбил пестрый калейдоскоп моих фантазий, оставив лишь апатию и страх.

— Сорок восемь двадцать один, — хрипло ответила я, и водитель глянул на меня в зеркало заднего обзора, наверное, хотел убедиться, что я не рыдаю.

— Тогда приехали! — Таксист спешил от меня избавиться и надеялся оставить сдачу себе.

— Спасибо! — прошептала я. Не бояться! Дома ведь никого нет, маму удерживают в другом месте, она ждет и надеется.

Подбежав к двери, я достала из-под карниза ключ. В прихожей было прохладно и темно. Включив на кухне свет, я кинулась к телефону. У аппарата лежал маленький листочек с десятизначным номером, написанным мелким аккуратным почерком. Пальцы нервно запорхали по кнопкам, но я ошиблась, так что пришлось набирать снова. На этот раз я не спешила и нажимала на кнопки очень осторожно. Всего один гудок, и на другом конце взяли трубку.

— Здравствуй, Белла! — приветствовал приятный тенор. — Ну и скорость! Ты молодец!

— С мамой все в порядке?

— Все отлично, не беспокойся, Белла, ссориться нам незачем. Если ты, конечно, не притащила хвост! — Настроение у Джеймса было отличное.

— Я одна, — тихо сказала я. Как и всю жизнь, до встречи с Эдвардом.

— Помнишь балетную студию, в которую ты когда-то ходила?

— Конечно, это совсем рядом, за углом.

— Тогда до скорой встречи. — Ищейка повесил трубку.

Я бросилась вон из дома под палящее солнце. Почему-то мне казалось, что асфальт похож на влажный песок. Я несколько раз спотыкалась и падала, однако сейчас не время жалеть себя; приходилось подниматься и бежать дальше. Вот я у перекрестка, почти у цели. Дышать стало тяжело, по лицу струился пот. Яркое солнце обжигало кожу и слепило глаза.

На стоянке у балетной студии не было ни одной машины, а окна закрыты, несмотря на жару. Больше бежать я не могла — дыхание сбилось окончательно. Лишь всепоглощающий страх за маму заставлял хоть как-то передвигать ноги.

На двери красовалась записка: балетная студия закрыта на каникулы. Я осторожно повернула ручку и, переведя дух, шмыгнула за дверь.

В коридоре было темно и прохладно от работающих кондиционеров. Пластиковые кресла штабелями сложены у стены, толстый ковер пахнет шампунем. Голубоватый свет горит только в восточном зале, окна закрыты ставнями.

Мне стало так страшно, что я не могла сделать ни шагу. Тут и раздались мамины крики.

— Белла? Белла? — испуганно звала Рене.

Забыв о собственных переживаниях, я побежала на голос.

— Белла, как ты меня напугала! Пожалуйста, никогда так не делай! — кричала мама из просторного зала с высокими потолками.

Я растерянно оглядывалась по сторонам, пытаясь определить, откуда конкретно доносится голос. Услышав смех, я резко повернулась.

Мама смеялась с экрана телевизора и обнимала меня за плечи. Когда мне было двенадцать лет, на День благодарения мы поехали к бабушке в Калифорнию. Каждый день мама водила меня на пляж, а однажды я забралась на волнорез и точно упала бы в океан, если бы мама не схватила меня за плечи.

Внезапно экран потемнел.

Я медленно обернулась: у запасного выхода с пультом в руках стоял ищейка. Как же я сразу его не заметила? Целую минуту мы смотрели друг на друга, а потом он улыбнулся.

Джеймс медленно подошел к телевизору и положил пульт на место. Я не сводила с него глаз.

— Прости, Белла, наверное, твою маму сюда лучше не впутывать? — добродушно спросил он.

Только тогда я все поняла: мама в порядке, они с Филом по-прежнему во Флориде. Мое сообщение она еще не прослушала и, надеюсь, никогда не увидит страшных глаз цвета бургунди и неестественно бледного лица.

— Да, пожалуй, — с облегчением вздохнула я.

— Значит, ты не злишься, что я тебя обманул?

— Конечно, нет, — храбро ответила я. Чего мне бояться? Скоро все закончится, Чарли и мама будут в безопасности. Внезапно мне стало легко и свободно, хотя здравый смысл подсказывал, что эйфория — обратная сторона истерики.

— Странно, по-моему, ты правда не злишься. — Темные глаза оглядывали меня с неподдельным интересом. Они стали почти черными, благородный цвет бургунди темнел с каждой секундой. — Следует воздать вам должное, люди не перестают меня удивлять. Похоже, у некоторых из вас начисто отсутствует эгоизм.

Сложив руки на груди, Джеймс стоял совсем рядом, причем держался вполне миролюбиво. В лице и осанке — ничего угрожающего. Обманчивая заурядность, усыпляющая бдительность. Да, кожа слишком бледная, глаза странного оттенка, но, пообщавшись с семьей Эдварда, я перестала считать это необычным. Даже одежда самая простая: темная рубашка с длинными рукавами и джинсы.

— Наверное, хочешь сказать, что твой бойфренд обязательно отомстит? — спокойно спросил Джеймс.

— Вряд ли. По крайней мере, я просила его этого не делать.

— И что он ответил?

— Не знаю. — Общаться с этим благовоспитанным вампиром одно удовольствие. — Я написала ему письмо.

— Последнее письмо... как романтично! Думаешь, он оценит?

— Надеюсь.

— Хммм, надежды у нас разные. Знаешь, я слегка разочарован. Мне казалось, что все будет намного труднее, а тут даже особо стараться не пришлось.

Я промолчала.

— Когда Виктории не удалось добраться до твоего отца, я решил действовать иначе. Гоняться за тобой по всей стране совсем не хотелось, — да и зачем, если ты сама можешь прийти туда, куда я захочу? Поговорив со своей спутницей, я решил навестить твою маму, тем более что ты кричала, что уезжаешь домой. Сначала я тебе не поверил, а потом задумался. Как правило, люди легко предсказуемы и любят все привычное и знакомое. Отправиться именно туда, где тебя никто не ждет, — не ждет, потому что уж подозрительно громко ты об этом кричала, — что может быть оригинальнее?

Конечно, полной уверенности не было, только подозрение. Хотя во всем, что касается охоты, интуиция редко меня подводит. Твое сообщение я прослушал, но ведь ты могла звонить откуда угодно, хоть из Антарктиды. А игра стоила свеч, только если ты где-то поблизости.

Потом Виктория сообщила, что твой дружок вылетел в Финикс. Естественно, без ее помощи мне пришлось бы туго, разрываться между двумя городами — задача не из легких. Итак, все указывало на то, что ты вернулась в Аризону. Я был готов, просмотрел ваши трогательные семейные хроники и отобрал то, что нужно. Ну, а блефовать я всегда умел!

Знаешь, все слишком просто, даже немного скучно. Я-то думал, твой дружок — как бишь его, Эдвард? — способен на большее.

Я не ответила. Еще немного, и ищейке надоест злорадствовать. Похоже, такое развитие событий ему не очень-то нравится: он предвкушал долгую битву с достойным соперником, а все сложилось иначе...

— Не возражаешь, если я оставлю Эдварду небольшое послание?

Жестом фокусника он показал на крошечную цифровую камеру, стоящую на стереоустановке. Судя по миганию маленькой красной лампочки, съемка уже началась. Я в ужасе смотрела, как Джеймс осторожно поворачивает камеру, чтобы я попала в кадр.

— Извини, но, получив мой подарок, Эдвард точно захочет отомстить. Он должен увидеть процесс во всех подробностях. Охота затевалась исключительно ради него. Ты же заурядный человек, просто попала в неудачное место в неудачное время. И уж точно связалась с дурной компанией.

Вампир шагнул ко мне, добродушно улыбаясь.

— Прежде чем мы приступим к делу, небольшое лирическое отступление.

От страха меня замутило. Почему-то я представляла, что все будет происходить совсем иначе.

— Я ведь неспроста начал охоту — боялся, что твой Эдвард быстро все поймет. Это случилось давно, несколько веков назад, когда в первый и единственный раз я упустил свою жертву. Видишь ли, один из моих друзей, совсем старик, так полюбил девушку, что решился на поступок, который твоему Каллену явно не по зубам. Так вот, узнав, что я положил на девчонку глаз, вампир выкрал ее из психбольницы, где работал, и сделал для меня недосягаемой. Бедняжка даже не почувствовала боли! Она ведь с детства жила в дурдоме, куда ее сдали родители! Несколькими веками раньше ее сожгли бы на костре, а в 1920 году гуманные врачи лечили шокотерапией! Так что мой дружок подарил ей жизнь — сделал вампиршей, молодой, сильной, красивой! Мне же досталась выжившая из ума старуха, — горестно вздохнул Джеймс.

— Элис! — испуганно воскликнула я.

— Да, твоя маленькая подружка! Я так удивился, увидев ее на поляне! Калленам нечего обижаться! Я забрал тебя, зато им досталась та, которая по праву была моей. Единственная неудача, вот что воплощает для меня эта девушка! Элис может собой гордиться!

А как здорово она пахла, гораздо лучше, чем ты! Ммм, жаль, что не удалось попробовать на вкус... Да, она пахла гораздо лучше, чем ты! Пожалуйста, не обижайся, у тебя тоже аромат что надо, такой нежный, цветочный...

Джеймс шагнул ко мне и понюхал мои волосы. Бежать, нужно бежать, а я не могла даже пошевельнуться.

— Пожалуй, следует приступать! А потом я позвоню Калленам и сообщу, где найти тебя и мой подарок.

Боже, только бы меня не стошнило. Джеймс не станет меня жалеть и обязательно сделает больно! Это реальный шанс отомстить Элис, и он ни за что его не упустит. Колени задрожали, и я поняла, что в любую секунду могу упасть.

Немного отступив, Джеймс принялся ходить вокруг меня кругами, словно любуясь древней статуей.

Затем он резко присел и стал похож на готового к броску волка. Приятная улыбка быстро превратилась в оскал.

На ватных ногах я бросилась к запасному выходу, прекрасно сознавая, что шансов на спасение нет.

Джеймс нагнал меня в мгновение ока. Не знаю, бежал ли он на двух ногах или на четырех конечностях, но скорость была дьявольская. Страшный удар сотряс мою грудь, и я полетела назад, пробив головой зеркало. Послышался звон битого стекла, на ковер полетели осколки.

От страха я даже боли не почувствовала, только дышать не могла.

Джеймс не спеша подошел ко мне.

— Здорово получилось! — радостно воскликнул он, рассматривая осколки. — Отличные декорации для моего первого фильма. Именно поэтому я выбрал танцкласс.

Я его не слушала и, встав на четвереньки, поползла к двери.

На этот раз Джеймс нагнал меня еще быстрее и изо всех сил наступил на правую ногу. Что-то хрустнуло, а потом стало так больно, что я закричала. Я извивалась на полу, а ищейка улыбался.

— Ну, может, все-таки передумаешь? — поинтересовался он и будто нехотя пнул сломанную ногу. Балетную студию огласил дикий крик, и я не сразу поняла, что слышу себя.

— Попросишь Эдварда отомстить? — подсказал ищейка.

— Нет! — хрипела я. — Эдвард, пожалуйста!

Сильная рука снова швырнула меня на зеркальную стену.

Сквозь жуткую боль я почувствовала, как острое стекло впивается в голову, а по волосам течет что-то густое и теплое. Кофточка быстро промокла, на пол стали падать тяжелые капли.

Борясь с дурнотой, я увидела то, что вселило в меня искру надежды. В черных глазах ищейки горела дикая звериная жажда. Кровь, окрасившая белую кофточку в малиновый цвет, растекалась по полу и сводила Джеймса с ума. Не знаю, что он первоначально запланировал, но ждать больше не мог.

Пусть все случится быстрее! Голова становилась тяжелой, глаза закрывались.

Словно через толщу воды я услышала рычание Джеймса. Его лица я больше не видела, только быстро приближающийся темный силуэт. Собрав последние силы, я закрыла руками лицо и провалилась в забытье.

Глава двадцать третья

АНГЕЛ

Теряя сознание, я видела сон.

Я тонула в темном колодце и слышала звук прекрасный и ужасный одновременно. Звериное рычание, в котором звучала неукрощенная ярость.

Резкая боль, полоснувшая руку, чуть не вернула меня в сознание, но открыть глаза не было сил.

А потом я поняла, что умерла, потому что через толщу воды услышала, как ангел зовет меня на небеса.

— Нет, Белла, нет! — упрашивал ангел.

Кроме дивного голоса измученное сознание улавливало еще какой-то шум, сначала отказываясь его идентифицировать. Жуткий вой, треск, рычание... а потом все разом оборвалось.

Нет, страшная какофония мне ни к чему, буду слушать ангела.

— Белла, пожалуйста!

— Да, — хотела ответить я, однако губы не слушались.

— Карлайл! — отчаянно позвал ангел, а потом зарыдал. — Ну, пожалуйста, Белла, прошу тебя!

Разве ангелы плачут? Что-то здесь не так! Очень хотелось утешить несчастное создание, сказать, что со мной все в порядке, вот только пробиться бы через черную толщу воды...

Тут я почувствовала боль, проникающую ко мне сквозь тьму. Болела голова, ребра, нога. Я закричала, вырываясь из бездны.

— Белла! — взмолился ангел.

— Она потеряла много крови, но рана на голове неглубокая, — проговорил спокойный голос. — Осторожнее с правой ногой, — сломана.

С губ ангела сорвался вой.

В боку закололо.

— Кажется, ребра тоже повреждены.

Внезапно на первое место вышла обжигающая боль в руке. Неужели кто-то хочет меня поджарить?

— Эдвард... — позвала я. Язык распух и отказывался слушаться.

— Белла, все будет в порядке! Ты меня слышишь? Я люблю тебя, Белла!

— Эдвард! — снова попробовала позвать я.

Меня услышали!

— Да, я здесь!

— Больно! — хныкала я.

— Знаю, Белла, знаю! — успокаивал Каллен, а потом взволнованно спросил: — Неужели нельзя ничего сделать?

— Элис, где мой чемоданчик? — произнес спокойный голос.

— Элис? — простонала я.

— С ней все в порядке, это она подсказала, где тебя найти.

— Рука болит!

— Знаю, Белла, Карлайл тебе поможет.

— Горит, моя рука горит! — закричала я и, вырвавшись из темноты, разлепила веки. Лица Эдварда я почему-то не увидела, что-то темное и горячее застилало глаза. Ну почему они не потушат мою руку?!

— Белла! — испуганно позвал Карлайл.

— Огонь, погасите огонь! — вопила я.

— Карлайл, ее рука!

— Он ее укусил. — Голос уже не был спокойным, в нем звучал неподдельный ужас.

Похоже, от страха у Эдварда перехватило дыхание.

— Ты должен это сделать! — где-то рядом проговорила Элис, и я почувствовала, как прохладные пальцы коснулись моих глаз.

— Нет! — заревел Каллен.

— Элис! — простонала я.

— Ее еще можно спасти, — произнес спокойный голос.

— Как? — умоляюще спросил Эдвард.

— Попробуй отсосать яд из ранки, — посоветовал Карлайл.

Прислушивалась я с огромным трудом, и с каждой минутой голова болела все сильнее, будто в нее тыкали раскаленной кочергой.

— А это поможет? — напряженно спросила Элис.

— Не знаю, — сказал Карлайл. — Надо спешить.

— Карлайл, я... — колебался Эдвард, — я не знаю, смогу ли... — В бархатном голосе звенели боль и тревога.

— Именно ты должен принять решение. Здесь я помочь тебе не в силах. Если собираешься отсасывать яд, нужно остановить кровотечение.

Обжигающая боль заставляла меня корчиться, а от этого нога болела еще сильнее.

— Эдвард! — закричала я, понимая, что глаза закрываются. А вдруг я больше не увижу его лица! Ну что мне сделать, чтобы не падать в этот колодец?!

— Элис, нужно чем-то перевязать ее ногу! — скомандовал Карлайл. — Эдвард, действуй немедленно, иначе будет поздно!

Лицо, которое я так любила, исказилось от боли, в чудесных глазах сомнение сменилось горячей решимостью. Прохладные пальцы обхватили пылающую руку, а губы прижались к ранке.

Сначала мне стало еще больнее. Я билась и кричала, но Эдвард не позволял вырваться. Что-то тяжелое надавило на мои ноги, а голову в железных тисках сжимал Карлайл.

Я перестала биться, однако рука онемела и будто примерзла к полу.

Обжигающая боль, державшая меня на поверхности сознания, утихла, и я испугалась, что снова провалюсь в темноту.

— Эдвард! — позвала я, не услышав своего голоса.

— Он здесь, Белла!

— Не бросай меня, останься!

— Никуда я не денусь.

Я с облегчением вздохнула. Пламя в руке потухло, боль улеглась, и мне захотелось спать.

— Все в порядке? — откуда-то издалека спросил доктор Каллен.

— По-моему, да, — спокойно ответил Эдвард. — В ранке был яд, а сейчас кровь чистая.

— Белла? — позвал Карлайл.

— Ммм?

— Больше не жжет?

— Кажется, нет, — вздохнула я. — Спасибо, Эдвард.

— Я тебя люблю, — отозвался он.

— Знаю, — обессиленно выдохнула я и услышала его смех — самый любимый звук на свете.

— Белла? — снова позвал Карлайл.

— Что? — сонно переспросила я.

— Где твоя мама?

— Во Флориде. Джеймс меня обманул, он смотрел наши старые кассеты.

Кстати, о кассетах!

— Элис! — Я попыталась разлепить глаза. — На той кассете... Джеймс знает, кем ты была в прошлой жизни!

— Пора ее переносить, — заявил Карлайл.

— Нет, я хочу спать!

— Спи, милая, я сам тебя понесу, — заворковал Эдвард.

Вот он поднял меня на руки, и я почувствовала, что боль утихла.

— Спи, Белла! — баюкая, приговаривал он, и я уснула.

Глава двадцать четвертая

ТУПИК

Открыв глаза, я увидела голубоватый свет. Я лежала в незнакомой белой комнате с яркими лампами и вертикальными жалюзи на окнах. Кто догадался меня положить на кровать с перилами? Подушки маленькие и очень неудобные, и откуда-то доносится противный писк. Руки опутали прозрачные трубки, в носу — непонятная защелка.

Я попыталась вырваться.

— Нет, осторожно! — остановили меня холодные пальцы.

— Эдвард! — Повернув голову, я увидела его необыкновенное лицо совсем близко от своего. — Прости меня!

— Шшш, — зашипел он. — Все в порядке!

— Что случилось? — Как ни странно, я почти ничего не помнила, будто мой мозг отказывался восстанавливать недавние события.

— Я чуть тебя не погубил, — с обжигающей болью в голосе пробормотал он.

— Какая же я дура, поверила Джеймсу! Он сказал, что у него моя мама!

— Он всех нас обманул.

— Нужно позвонить маме и Чарли, — заявила я, борясь со слабостью.

— Элис уже позвонила. Рене здесь, я имею в виду в больнице. Отошла пообедать.

— Мама здесь? — Я попыталась сесть, но в глазах тут же потемнело, и Эдвард заставил меня лечь.

— Она скоро вернется. Тебе нужно отдыхать.

— Что ты ей сказал? — запаниковала я. Нужно срочно придумать объяснение! Не говорить же Рене, что на меня напали вампиры! — Что она знает?

— Ты поскользнулась на лестнице, пролетела два пролета и упала на битое стекло, — зачастил Эдвард. — По-моему, такое вполне могло бы случиться! — Он с трудом подавил улыбку.

Глубоко вздохнув, я отважилась взглянуть на огромную глыбу, в которую превратилась правая нога.

— Все очень плохо?

— Ну, сломаны правая нога и четыре ребра, плюс трещины в черепной коробке, синяки по всему телу и значительная кровопотеря. Тебе сделали несколько переливаний крови! Мне все это не понравилось, ведь чужая кровь на некоторое время испортила твой запах, — насмешливо заявил Эдвард.

— Да, для тебя это стало тяжелым испытанием!

— Конечно, мне же нравится именно твой запах!

— Как тебе удалось? — тихо спросила я, и Эдвард тут же понял, о чем речь.

— Сам не знаю. — Он отвернулся от моих любопытных глаз и тихонько пожал забинтованную руку.

Я с нетерпением ждала объяснения. Эдвард вздохнул и уставился в пол.

— Остановиться было невозможно. Невозможно, понимаешь? Но я выстоял. — Наконец, он поднял на меня больные глаза и криво улыбнулся. — Выходит, я тебя люблю!

— Ну и как я на вкус?

— Даже лучше, чем на запах!

— Бедный Эдвард, — пожалела я.

— Ты не за это должна извиняться, — покачал он головой.

— А за что?

— За то, что я чуть тебя не потерял.

— Прости, — тихо сказала я.

— Я все понимаю, — кивнул Эдвард. — Но почему ты не дождалась меня?

— Ты бы меня никуда не пустил.

— Конечно, нет. Ни за что.

Меня снова начали мучить неприятные воспоминания. Я поморщилась и задрожала.

— Белла, в чем дело?

— Что случилось с Джеймсом?

— Отодрав от тебя, я отдал его Эмметту и Кэри. — В голосе Эдварда слышалось сожаление.

— Почему-то я их не видела, — смущенно сказала я.

— Пришлось удалить в другую комнату. В классе было слишком много крови...

— А ты остался.

— Да, остался.

— А Элис и Карлайл? — удивленно переспросила я.

— Они тоже тебя любят, ты же знаешь.

На задворках сознания замелькали образы, и я что-то вспомнила.

— Элис видела кассету?

— Да. — В его голосе горела лютая ненависть.

Я попыталась протянуть здоровую руку, но что-то меня остановило. Капельница!

— Ой! — взвизгнула я.

— Что такое? — обеспокоенно спросил Эдвард, и его лицо немного смягчилось, хотя глаза смотрели по-прежнему мрачно.

— Иголка, — жалобно пояснила я и поспешно перевела взгляд на выложенный кафелем потолок. Сломанные ребра болели, так что дышать было трудно.

— Надо же, иголки боится! — пробормотал Эдвард, обращаясь к самому себе. — Не жуткого вампира, который превратит ее жизнь в ад, а капельницы!

Я закатила глаза. Да, без самобичевания никуда! Самое время сменить тему.

— А почему ты здесь?

Эдвард обиженно насупил брови. Такого вопроса он совсем не ожидал!

— Мне уйти?

— Нет! — испуганно возразила я. — Только как объяснить твое присутствие маме? Нужно что-то придумать, пока она не вернулась.

— Ах, это! — воскликнул он. — Я прибыл в Финикс с благородной целью образумить тебя и уговорить вернуться в Форкс. — Эдвард говорил так серьезно и искренне, что я почти поверила. — Ты согласилась со мной встретиться и поехала в мотель, где остановились мы с Карлайлом и Элис... Но, поднимаясь в наш номер, ты поскользнулась, и... остальное тебе известно. Вдаваться в детали совершенно необязательно, тем более что в таком состоянии небольшие провалы в памяти совершенно естественны.

Я на секунду задумалась.

— В твоей истории не все гладко. Например, разве в мотеле есть разбитые окна?

— Конечно, есть, — уверенно ответил он. — Элис постаралась! Если хочешь, можешь подать на мотель в суд!

Я закатила глаза. Хорошо хоть от этого не больно.

— Тебе не о чем беспокоиться, — заявил Эдвард, осторожно гладя меня по щеке. — Главное, выздоравливай!

Несмотря на боль и действие медикаментов, мое тело моментально откликнулось на прикосновение. Прибор, выводивший на монитор данные о пульсе, запищал еще чаще. Наверное, о моих чувствах к Эдварду услышала вся больница.

— Черт побери эти приборы! — раздосадованно бормотала я.

Он усмехнулся и задумчиво на меня посмотрел.

— Хммм, интересно... — пробормотал Эдвард и стал медленно наклоняться к моим губам.

Приборчик запищал еще громче и чаще, а когда наши губы встретились, писк прекратился. Эдвард тут же отпрянул и испуганно взглянул на монитор, где снова проползла кривая моего пульса.

— Похоже, надо быть еще осторожнее, чем обычно, — нахмурился он.

Забыв о боли и шлангах капельницы, я подняла руки и обняла его за шею. Не отпущу никогда!

Но Эдвард поджал губы и осторожно положил мои покрытые синяками и ссадинами руки на кровать.

— Идет твоя мама! — хитро улыбнулся он.

— Пожалуйста, не уходи, — поддавшись безотчетному страху, воскликнула я. А вдруг я больше его не увижу?

Заглянув в мои глаза, Эдвард увидел в них панику и довольно кивнул.

— Никуда я не уйду, — пообещал он и улыбнулся. — Лучше немного посплю.

Пересев в бирюзовое кресло из искусственной кожи, Эдвард закрыл глаза и перестал шевелиться.

— Не забывай дышать, — усмехнулась я.

Эдвард тут же сделал глубокий вдох, хотя глаза не открыл.

В коридоре послышались мамины шаги. Она с кем-то разговаривала, скорее всего, с одной из медсестер и, судя по голосу, была расстроена.

Осторожно приоткрыв дверь, Рене заглянула в комнату.

— Мама! — позвала я, стараясь, чтобы голос звучал уверенно.

Взглянув на якобы заснувшего Эдварда, мама на цыпочках подошла к моей кровати.

— Он что, ни на шаг от тебя не отходит? — раздосадованно спросила она.

— Мама, я так рада тебя видеть!

Рене обняла меня за плечи, и я увидела, что она плачет.

— Белла, какой кошмар!

— Прости меня, мама! Со мной все будет в порядке, я поправлюсь.

— Как здорово, что ты открыла глаза! — Мама присела на краешек кровати.

— Как долго я была без сознания? — Внезапно я поняла, что не знаю, какой сегодня день.

— Сегодня пятница, милая, ты несколько дней пролежала в коме.

— Пятница? — испуганно переспросила я и попыталась вспомнить, когда Джеймс... Нет, не могу об этом думать, не желаю!

— Врачи несколько дней кололи тебе обезболивающее... Конечно, столько переломов!

— Знаю, — отозвалась я. Голова до сих пор как в тумане!

— Тебе повезло, что доктор Каллен оказался рядом. Такой приятный человек... Такой молодой! Он больше похож на голливудского актера, чем на доктора.

— Ты видела Карлайла?

— Да, и Элис тоже. Очень славная девушка!

— Очень! — искренне согласилась я.

— А ты не говорила, что завела таких хороших друзей! — Рене взглянула на Эдварда, с закрытыми глазами полулежавшего в кресле.

Я усмехнулась, но тут же застонала от боли.

— Плохо? — забеспокоилась Рене и повернулась ко мне. Эдвард на секунду приоткрыл глаза.

— Все в порядке, — прошептала я, обращаясь к обоим. — Просто нужно поменьше двигаться.

Эдвард снова «заснул». Воспользовавшись тем, что Рене отвлеклась, я поспешила сменить тему, чтобы разговор не коснулся моего непредсказуемого побега из Форкса.

— Где Фил? — быстро спросила я.

— Во Флориде! Белла, ты не поверишь, у нас такие новости!

— Филу предложили контракт?

— Да! Как ты догадалась? С командой «Красные дьяволы»!

—Здорово! — восторженно воскликнула я, совершенно не подозревая, что за команда эти «Красные дьяволы».

— Уверена, в Тампе тебе понравится гораздо больше, чем в Милуоки! — захлебывалась в восторгах Рене. — В Висконсине мне было не по себе от снега и сырости, а теперь Тампа! Море солнца, и не так влажно. Мы присмотрели чудесный домик: желтоватый с белой отделкой, а крылечко как в старых французских фильмах. Перед домом огромный дуб, до океана всего несколько минут. У тебя будет отдельная ванная...

— Мама, подожди! — перебила я. Эдвард лежал с закрытыми глазами, однако его лицо было слишком напряженным для спящего. — О чем ты говоришь? Ни в какую Флориду я не поеду, останусь в Форксе.

— Тебе не обязательно возвращаться в Форкс, глупышка! Фил теперь будет в разъездах гораздо реже. Мы с ним решили, что нам только полезно пожить втроем.

— Мама, — снова начала я, призвав на помощь все свое красноречие, — мне нравится в Форксе. К школе я уже привыкла, у меня есть друзья... — Рене подозрительно взглянула на Эдварда, и я поспешно перевела разговор в более безопасное русло. — Я нужна Чарли. Он ведь совсем один и не умеет готовить.

— Хочешь остаться в Форксе? — не верила своим ушам мама. Ее настороженные глаза метнулись к Эдварду. — Почему?

— Мама, ты что, не слышала? Из-за школы и Чарли. — Я пожала плечами — и тут же взвизгнула от боли.

Рене всплеснула руками и, вероятно, хотела потрепать меня по щеке, но не решилась. Единственным незабинтованным местом на лице был лоб, его-то она и погладила.

— Белла, детка, ты ведь ненавидишь Форкс!

— Там не так уж и плохо.

Мама нахмурилась, ее взгляд метался от меня к Эдварду.

— Все из-за этого мальчика? — прошептала она.

Я уже открыла рот, чтобы соврать, однако Рене смотрела на меня слишком внимательно и наверняка заметила бы подвох.

— Ну, отчасти из-за него, — признала я. Надеюсь, мама довольна, а подробности ей ни к чему. — Ты с Эдвардом уже поговорила?

— Да, — неуверенно ответила Рене. — И нам с тобой есть что обсудить.

Так! Вот это уже интересно!

— Что такое?

— Кажется, парень в тебя влюблен! — негромко заявила она, будто в этом было что-то постыдное.

— По-моему, тоже, — будто по секрету призналась я.

— А ты как к нему относишься? — Мама и не старалась скрыть свое любопытство.

Тяжело вздохнув, я отвела глаза. Как бы близки мы ни были с мамой, откровенничать не хотелось.

— Он сводит меня с ума! — Наверное, именно так говорят семнадцатилетние девушки о своих парнях.

— Кем он хочет стать, когда вырастет? — поинтересовалась Рене.

Я с трудом подавила улыбку.

— Эдвард так умен, что сможет поступить в любой колледж! А больше всего он любит музыку.

— Он музыкант? — с неподдельным ужасом переспросила мама.

— Не бойся, все не так страшно! Он играет на рояле и сам сочиняет этюды.

— Правда? — изумленно переспросила Рене.

— Да, видела бы ты его рояль!

— Все это здорово, и он такой красавчик! Но, Белла, ты еще слишком молода... — не смогла договорить мама. Если не ошибаюсь, в последний раз она давила на меня родительским авторитетом, когда мне было лет восемь. С тех пор мы стали подружками и общались на равных.

— Знаю, мама. Не беспокойся, это всего лишь роман!

— Тогда все в порядке, — обрадовалась она.

Рене вздохнула и украдкой взглянула на большие круглые часы на стене.

— Тебе пора?

Она закусила губу.

— Фил должен скоро позвонить... Я же не знала, что ты придешь в себя.

— Все в порядке, мама. — Я постаралась скрыть облегчение. — Обо мне есть кому позаботиться.

— Скоро вернусь! — пообещала она и гордо добавила: — Знаешь, я ведь здесь ночевала!

— Мама, ну зачем?! Можешь спокойно спать дома, я все равно не замечу разницы! — От большого количества болеутоляющих мне было трудно говорить. Я чувствовала себя усталой и измотанной, хотя проспала несколько суток подряд.

— Мне было страшно, — нехотя призналась Рене. — В нашем районе совершено преступление, я боюсь оставаться одна.

— Что случилось?

— Кто-то ворвался в балетную студию и спалил ее дотла! А перед обгоревшим зданием бросили угнанную машину. Милая, помнишь свой танцкласс? Именно там все и случилось...

— Помню, — ответила я, задрожав.

— Если хочешь, я останусь с тобой! — великодушно предложила мама.

— Нет, лучше иди, отдохни. Со мной ведь Эдвард!

Именно поэтому она хотела остаться.

— Вечером вернусь, — угрожающе заявила Рене, взглянув на Эдварда.

— Я люблю тебя, мама.

— Я тоже люблю тебя, Белла! Пожалуйста, впредь смотри под ноги, а то я чуть с ума не сошла от беспокойства.

Эдвард ухмыльнулся, продолжая симулировать сон.

Через секунду в палату вошла медсестра и поправила капельницу. Мама поцеловала меня в лоб, погладила забинтованную руку и вышла.

Медсестра измерила пульс и давление.

— Белла, тебя что-то беспокоит? Пульс слишком высокий!

— Да нет, все в порядке, — улыбнулась я.

— Пойду скажу старшей медсестре, что ты проснулась. Она придет через минуту!

Не успела дверь закрыться, как Эдвард уже сидел у моей кровати.

— Это ты украл машину?

— Отличная тачка, очень быстрая! — отозвался он. Причем без малейших сожалений.

— Как выспался? — поддела я.

Мой вопрос Эдвард пропустил мимо ушей.

— Интересно...

— Что именно?

— Даже удивительно. — Его тигриные глаза сузились. — Флорида, солнце, тепло, мама рядом... Я думал, именно об этом ты и мечтаешь!

Интересно, к чему это он?

— Во Флориде тебе придется сидеть целыми днями взаперти...

Каллен ухмыльнулся, а потом внезапно помрачнел.

— Белла, я бы остался в Форксе или любом другом городе, лишь бы не причинять тебе неприятности.

Сначала я ничего не поняла и тупо смотрела на его прекрасное лицо. Однако постепенно слова одно за другим сложились в страшный узор. Я едва слышала участившийся писк прибора, стало невозможно дышать, и страшно заболели ребра.

Эдвард подавленно молчал, наверняка понимая, что меня мучает боль, не имеющая никакого отношения к переломам.

В этот момент в палату вошла старшая медсестра. Эдвард замер у монитора, делая вид, что следит за кривой пульса.

— Думаю, обезболивающие тебе не помешают, — проговорила женщина, приготовив новую порцию лекарства.

— Нет, пожалуйста! — заволновалась я. — Давайте попробуем без них!

Пока не объяснюсь с Эдвардом о сне не может быть и речи.

— Деточка, не стоит геройствовать. Лишние нагрузки твоему организму ни к чему.

Я упрямо покачала головой, и медсестра нахмурилась.

— Ладно, — вздохнула она. — Если передумаешь, нажми на кнопку вызова.

Строго посмотрев на Эдварда, женщина вышла из палаты.

Прохладные ладони коснулись моего лица, словно пытаясь укротить бешеный пульс.

— Шшш, Белла, успокойся.

— Не бросай меня, — обреченно взмолилась я.

— Не брошу, — пообещал он. — А теперь постарайся расслабиться, не то я позову сестру и скажу, что ты буйствуешь.

Увы, пульс не восстанавливался.

— Белла, я никуда не уезжаю! — В его голосе зазвучала паника. — Останусь с тобой, пока ты не выздоровеешь!

— Поклянись! — шепотом потребовала я, пытаясь контролировать дыхание. Сердце так колотилось, что ребра вибрировали.

Заключив мое лицо в ладони, Эдвард заглянул в глаза.

— Клянусь, — серьезно проговорил он.

Он впился в меня взглядом, и постепенно дыхание пришло в норму, тело расслабилось, прибор запищал в нормальном ритме. Сегодня волшебные глаза были темными, ближе к черному, чем к золотому.

— Уже лучше?

— Да, — осторожно ответила я.

Эдвард покачал головой и пробормотал что-то неразборчивое. Кажется, я расслышала слово «гиперчувствительность».

— Зачем ты так сказал? — спросила я, стараясь, чтобы голос звучал ровно. — Устал меня спасать? Хочешь, чтобы я уехала?

— Нет, что ты, не хочу! Белла, опомнись! Как я могу тебя не спасать, если все твои проблемы из-за меня? Ты и в больницу попала по моей милости!

— Да, именно так, — нахмурилась я. — Я жива только благодаря тебе.

— Жива! — чуть слышно усмехнулся Каллен. — Если забыть про гипс, бинты и искореженное тело...

— Я имела в виду более ранние события. Хочешь, напомню? Если бы не ты, я давно бы покоилась на форкском кладбище!

Эдвард поморщился, в его глазах появилось затравленное выражение.

— А знаешь, когда я сильнее всего испугался? — шепотом спросил он, будто не слыша моих слов. — Не когда увидел тебя на полу среди битого стекла... Не когда решил, что уже поздно. Даже не когда услышал, как ты кричишь от боли... Все эти воспоминания я унесу с собой в вечность. Страшнее всего мне было, когда я понял, что не могу остановиться... что убью тебя сам.

— Но ведь ты сдержался.

— С огромным трудом.

Я знала, что волноваться нельзя. Но как реагировать, если Эдвард убеждает себя, что от меня нужно держаться подальше?

— Обещай мне!

— Что?

— Сам знаешь что! — разозлилась я. Похоже, он уже все решил!

Услышав в моем голосе металл, Эдвард нахмурился.

— У меня может не хватить сил держаться от тебя подальше, а ты будешь гнуть свое... даже ценой собственной жизни, — резко добавил он.

— Ну ладно... — протянула я. Обещания Эдвард так и не дал... Паника и страх в любой момент грозили вырваться из-под контроля. — Как ты это сделал, я знаю, теперь хочу понять почему.

— Что почему?

— Почему ты так поступил? Почему не дал яду подействовать? Сейчас бы я уже была одной из вас...

Его глаза стали совсем темными, выдавая ярость и изумление. Значит, Элис слишком занята собственными переживаниями или в присутствии брата старается быть особенно осторожной. Тонкие ноздри трепетали, рот превратился в жесткую полоску.

Отвечать он не собирался.

— У меня никогда раньше не было парня, но почему-то кажется, что в любых взаимоотношениях должно быть равенство... Мужчине не следует постоянно доминировать! Мы с тобой можем в равной мере направлять и защищать друг друга.

Эдвард задумчиво скрестил руки на груди. Судя по выражению лица, ему удалось совладать с яростью. По крайней мере, он злился не на меня. Надеюсь, мне удастся предупредить Элис...

— Ты тоже меня спасла, — тихо промолвил он.

— Мне же не хочется постоянно быть жертвой. Девушкам тоже нравится спасать мир!

— Ты не понимаешь, о чем просишь, — уныло проговорил Эдвард, внимательно разглядывая мою наволочку.

— Еще как понимаю.

— Нет, даже не спорь! Я стал другим девяносто лет назад и до сих пор не знаю, как к этому относиться.

— Неужели ты жалеешь, что Карлайл тебя спас?

— Конечно, нет! — после некоторой паузы ответил Эдвард. — Я же умирал, никакого будущего не было.

— Ты — смысл моей жизни. Если не будет тебя, то жить мне незачем, — призналась я и тут же почувствовала облегчение. Пусть лучше знает правду.

Эдвард молчал. Значит, он настроен весьма и весьма решительно.

— Я не могу так поступить, Белла. Не могу и не хочу.

— Почему не хочешь? — истерически закричала я, хотя обещала себе быть спокойной. — Не говори, что это трудно! После того, что случилось, я готова ко всему!

Эдвард окинул меня гневным взглядом.

— Даже к боли? — саркастически усмехнулся он.

Против собственной воли я побледнела. Наверное, этот ужас будет преследовать меня до самой смерти: огонь, растекающийся по венам.

— Ничего, — надменно заявила я, — как-нибудь справлюсь.

— Оказывается, храбрость может дойти до абсурда!

— Дело не в этом, — настаивала я. — Потерпеть три дня для меня не проблема.

Эдвард недовольно поморщился, сообразив, что о процессе перерождения я осведомлена гораздо лучше, чем ему хотелось бы. С трудом подавив раздражение, он задумчиво посмотрел мне в глаза.

— А как же Чарли и Рене?

Вопрос застал меня врасплох.

— Естественно, всех правил я не знаю, но, если понадобится, я готова оставить родителей. В любом случае, через год мне пришлось бы уехать в колледж, и мы встречались бы только на каникулах. Чарли с Рене понимают, что я взрослая и вот-вот начну самостоятельную жизнь. Они справятся. — Я храбрилась, как могла, про себя решив, что время от времени буду навещать отца. — Я взрослая и сама распоряжаюсь собственной жизнью.

Эдварду мой ответ не понравился.

— Вот именно, — вспылил он, — а со мной ты ничем распоряжаться не сможешь!

— Если не терпится увидеть меня на смертном одре, то поспешу тебя обрадовать: я только что там была и, возможно, не в последний раз!

— Ты поправишься, — пообещал Эдвард.

Чтобы успокоиться, я глубоко вдохнула, не обращая внимания на резкую боль в подреберье. Мы молча буравили друг друга взглядами. Похоже, он не собирается идти на компромисс.

— Хочу кое в чем признаться... Я умираю. Об этом стало известно задолго до моего приезда в Форкс.

Эдвард явно ждал продолжения, а на его лице поочередно отражались недоверие, смущение и... ужас. Он открыл рот, но произнести так ничего и не решился.

— Болезнь неизлечима, — ответила на немой вопрос я.

Потемневшие глаза изучали мое лицо, отчаянно стараясь найти хоть что-то, указывающее на то, что я лгу или неудачно шучу.

— А Чарли знает?

— Конечно. Просто мы стараемся об этом не думать...

Рот Эдварда снова безвольно приоткрылся, но он тут же взял себя в руки. Его лицо превратилось в маску.

— И что это за болезнь?

Я наблюдала за ним с благоговейным страхом. Если сказать, что это рак, он не остановится, пока не найдет лекарство. И найдет наверняка.

— Она называется... смертность, — наконец ответила я.

— Ах! — разъяренно воскликнул Эдвард и выскочил из кресла с такой силой, что моя кровать заходила ходуном. Он гневно мерил комнату шагами и старался на меня не смотреть. Из его горла доносилось утробное рычание; похоже, сейчас с ним лучше не разговаривать.

— Успокойся, — все-таки выдавила я.

Мертвенно-бледное лицо повернулось ко мне.

— Если еще раз попробуешь... — угрожающе начал он.

— Но это правда! Я умираю, а прежде состарюсь!

— Белла, — уже спокойнее начал Эдвард, усаживаясь в кресло. Длинные тонкие пальцы прижались к вискам. — Белла, все именно так и должно произойти. Так и случилось бы, если бы не я, а мое вмешательство противоестественно!

Я презрительно фыркнула.

— Глупость какая-то. Все равно что если человек, выигравший в лотерею, скажет: «Противоестественно! Такие деньги мне не нужны!»

— Жизнь — не призовые деньги!

— Конечно, она намного дороже.

Эдвард закатил глаза и поджал губы.

— Белла, тут и спорить не о чем! Я не намерен обрекать тебя на такое существование.

— Ты ошибаешься, если думаешь, что я сдамся. В конце концов, ты не единственный вампир на свете.

Его глаза потемнели еще сильнее.

— Элис не посмеет!

В тот момент вид у Эдварда был просто свирепый.

Неужели на свете найдется существо, способное противиться его воле?

— У Элис было видение? — догадалась я. — Вот почему она боялась, что ты расстроишься! Она знает, что однажды я стану такой, как вы.

— Сестренка ошибается. Она видела тебя погибшей, а ты выжила!

— Ну, ставить против Элис я не решусь!

В палате повисла мертвая тишина, которую нарушали только писк приборов, звук падающих капель и тиканье часов. Наконец его лицо смягчилось.

— Итак, на чем мы остановились?

— Кажется, это называется тупик, — усмехнулся Эдвард.

— Черт побери! — пробормотала я.

— Как ты себя чувствуешь? — поинтересовался он, разглядывая кнопку вызова медсестры.

— Все в порядке, — соврала я.

— Не верю.

— Спать мне больше не хочется.

— Тебе нужен отдых, а не глупые споры.

— Тогда сдавайся, — коварно предложила я.

— Хорошая попытка! — Эдвард потянулся к кнопке.

—Не смей!

Но он меня не слышал.

— Да? — проскрипел громкоговоритель на стене.

— Можно попросить болеутоляющие? — мягко произнес Эдвард, не обращая внимания на мое разъяренное лицо.

— Я пришлю сестру, — недовольно проговорил голос.

— Ничего принимать не буду, — пообещала я.

Эдвард взглянул на гибкий шланг у кровати.

— Не думаю, что тебя попросят что-то проглотить.

Пульс снова подскочил. Заметив в моих глазах страх, Эдвард разочарованно вздохнул.

— Белла, тебе больно! Чтобы поправиться, необходим покой. Зачем создавать лишние проблемы? Вторую капельницу вряд ли поставят.

— Я не капельниц боюсь, — пробормотала я. — Страшно закрыть глаза.

Он осторожно коснулся моего лица.

— Я никуда не уезжаю. Ничего не бойся; пока мое присутствие тебе не в тягость, я буду с тобой.

Собравшись с силами, я заставила себя улыбнуться.

— Знаешь, тебе ведь долго придется ждать.

— Ну, зачем так пессимистично! Это всего лишь роман!

Я покачала головой, и она тут же заболела.

— Удивительно, что Рене мне поверила, но тебя-то не проведешь!

— Быть человеком — в этом есть свои преимущества, — заявил Эдвард. — Жизнь редко бывает однообразной.

— Не задерживай дыхание! — насмешливо сказала я.

Он все еще смеялся, когда вошла размахивающая шприцем медсестра.

— Молодой человек, вы позволите? — церемонно проговорила она.

Эдвард поднялся и отошел в противоположный конец палаты, где застыл, сложив руки на груди.

— Ну, все, милая, — улыбнулась сестра, впрыскивая лекарство, — тебе станет лучше.

— Спасибо, — апатично сказала я. Лекарство подействовало довольно быстро, и я тут же почувствовала сонливость.

— Вот, уже легче! — радовалась медсестра, наблюдая, как закрываются мои глаза.

Прохладные ладони коснулись моего лица... Значит, мы остались вдвоем.

— Не уходи... — сквозь сон пробормотала я.

— Не уйду, — пообещал он. Какой приятный у него голос! Лучше всякой колыбельной. — Я же обещал, что никуда не денусь, пока мое присутствие тебе не в тягость... Пока это тебе полезно...

Я попыталась покачать головой, но она казалась чугунной.

— Это не одно и то же, — пробормотала я.

— Белла, — засмеялся Эдвард, — когда проснешься, сможешь продолжить спор с новыми силами.

— Ладно... — выдохнула я.

Его губы коснулись моего уха.

— Я тебя люблю.

— Я тоже.

— Знаю-знаю, — засмеялся Эдвард.

Я повернула голову и многозначительно на него посмотрела. Он тут же понял, чего я хочу, и осторожно прильнул к моим губам.

— Спасибо, — прошелестела я.

— Не за что.

Я потихоньку уплывала в другие края. Сил бороться со ступором не было. Только бы успеть сказать самое важное.

— Эдвард?

— Что?

— Я ставлю на Элис...

И тут меня накрыла ночь.

Эпилог

СОБЫТИЕ

Эдвард помог мне сесть в машину, старательно расправил волны шелка и шифона и собрал бутоны, выпавшие из уложенных парикмахером кудрей. Затем, не обращая внимания на мое недовольство, приподнял подол и проверил, в порядке ли гипс.

Убедившись, что все хорошо, он устроился на водительском сиденье, завел мотор и повез меня прочь от дома.

— И когда ты мне расскажешь, что происходит? — ворчливо спросила я.

— Странно, что ты еще не догадалась, — улыбнулся он, и уже в который раз у меня перехватило дыхание. Интересно, я когда-нибудь перестану удивляться его красоте? Возможно, никогда, если он будет продолжать потчевать меня сюрпризами в духе сегодняшнего.

— Я говорила, что ты прекрасно выглядишь?

— Ага, — вновь усмехнулся Эдвард. Черный смокинг, выгодно оттенявший бледную кожу, сидел на нем бесподобно.

Находясь рядом с таким божеством, я постоянно нервничала: то из-за платья, то из-за туфель, вернее туфли, потому что правая нога была по-прежнему в гипсе. Да и на тоненьком каблучке далеко не ускачешь!

— Если Элис или Эсми будут одеты иначе, к вам в гости я больше не приеду! — тихонько ворчала я. А вдруг мое платье окажется не к месту?

Сюрпризы я ненавидела, и Эдварду это прекрасно известно.

Невеселые мысли прервал телефонный звонок. Достав из внутреннего кармана сотовый, Эдвард посмотрел на определитель номера и только потом ответил:

— Привет, Чарли!

— Чарли? — запаниковала я.

Естественно, события, произошедшие две недели назад, не прошли даром. Так, я стала сильнее беспокоиться за своих близких. Мы словно поменялись ролями с Рене: не получив от нее сообщения, я тотчас же звонила во Флориду. Судя по ее восторженному голосу, дела в Тампе шли неплохо.

Каждый день, провожая на работу Чарли, я переживала, как бы чего не случилось.

Однако настороженность Эдварда имела совсем иное объяснение. После моего возвращения в Форкс с Чарли стало гораздо сложнее... Теперь он буквально боготворил Карлайла и как-то с опаской относился к Эдварду, искренне считая, что если бы не он, я бы никогда не убежала из дома посреди ночи. Эдвард и не думал его переубеждать, и у нас появились фиксированные часы свиданий, проверки, звонки — словом, почти комендантский час.

Оторвавшись от телефона, он мельком на меня взглянул. Его лицо было спокойно, и мои страхи улеглись. Считая себя ответственным за случившееся, Эдвард с трепетом относился к моим переживаниям.

Однако тут было что-то другое: тигриные глаза недоверчиво расширились, и, прежде чем я успела перепугаться, губы скривились в ухмылке.

— Вы шутите! — захохотал он.

— Что такое? — уже заинтригованно переспросила я.

— Может, передадите ему трубку? — с тайным злорадством предложил Эдвард.

— Привет, Тайлер, это Эдвард Каллен, — начал он вполне дружелюбно. Интересно, в голосе действительно скрывалась угроза, или мне показалось? И только тут меня осенило. Взглянув на элегантное платье цвета электрик, я мысленно поблагодарила Элис.

— Прости, но, очевидно, произошла ошибка. Белла сегодня занята. — С каждым словом голос Эдварда звучал все более зловеще. — А если честно, то она теперь занята каждый вечер и недоступна для всех, кроме меня. Так что не обижайся. Прости, что испортил тебе настроение, — радостно добавил он и, ухмыльнувшись, отключился.

Я побагровела от злости, в глазах закипели слезы.

— Неужели переборщил? — удивленно спросил Эдвард. — Прости, наверное, не стоило так распаляться.

Но я его не слышала.

— Ты везешь меня на выпускной! — заорала я.

Очевидно, такой реакции он не ожидал. Его губы сжались в тонкую полоску, глаза сузились.

— Белла, не веди себя как маленькая!

Я посмотрела в окно: мы были на полпути к школе.

— Зачем ты так со мной?

— Слушай, если честно, куда, по-твоему, мы собирались?

Конечно, все совершенно очевидно. Прояви я элементарную внимательность, наверняка бы заметила яркие плакаты, развешанные по всей школе. Но так сыграть на моей безалаберности... Будто он меня не знает!

Какая же я дура! Дважды дура! Во-первых, забыла про выпускной, а во-вторых, о чем только не успела подумать за сегодняшний день, пока Элис с Эсми пытались превратить меня в королеву красоты.

Я-то думала, грядет какое-то важное событие! Выпускной... о нем я и не вспомнила!

Значит, надеялась напрасно! Как обидно...

По щекам потекли злые слезы, но я вовремя вспомнила, что на ресницах, впервые за всю жизнь, тушь. Пришлось срочно промокать глаза салфеткой. К счастью, никаких черных разводов не появилось. Значит, тушь водостойкая... До чего же Элис догадливая!

— Белла, это смешно! Ну что ты плачешь? — раздраженно спросил Эдвард.

— Потому что я ненормальная!

— Белла! — В золотистых глазах было столько тепла, что слезы тотчас высохли.

— Что? — чуть слышно спросила я.

— Рассмеши меня!

От его взгляда мое недовольство таяло, словно дымка на майском солнце. Как можно злиться в таком состоянии? Пришлось сдаться.

— Ну, ладно. — Я поджала губы, чувствуя, что на гневный взгляд уже не способна. — Постараюсь быть аккуратнее. Но знаешь что? Со мной уже два месяца не случалось неприятностей. Самое время сломать вторую ногу! Ты только взгляни на эту туфлю! Настоящий капкан для хромоногих Золушек! — Я с готовностью продемонстрировала изящную лодочку на шпильке.

— Хмм, — промычал Каллен, рассматривая мою ногу, — напомни, чтобы я поблагодарил Элис за отличный вкус!

— Элис будет на выпускном? — радостно встрепенулась я.

— Да, вместе с Кэри, а Эмметт придет с Розали.

Я еще больше расстроилась. Отношения с Розали так и не наладились, хотя с ее будущим мужем мы были на короткой ноге. Эмметту нравилось мое чувство юмора, а вот для Розали я будто не существовала.

— Чарли все понял? — обеспокоенно спросила я.

— Конечно! — усмехнулся Каллен. — Зато Тайлер очень удивился!

Я заскрипела зубами от злости. Откуда у Тайлера такая наивность? В школе, вдали от пристальных глаз Чарли, мы с Эдвардом были неразлучны, за исключением редких солнечных дней, когда он прятался дома.

Мы уже подъехали к школе, красный кабриолет Розали ярким пятном выделялся на парковке. По небу плыли высокие облака, сквозь них на западе проглядывало солнце.

Эдвард вышел из машины и, открыв дверцу с моей стороны, галантно протянул руку.

Я даже не шевельнулась, тайно злорадствуя. На стоянке толпились разодетые в пух и прах одноклассники, в присутствии которых он вряд ли решится волоком вытащить меня из машины!

Эдвард тяжело вздохнул.

— Когда тебя пытаются убить, ты кусаешься и царапаешься, как бешеная кошка, а когда на повестке дня танцы... — Он покачал головой.

Я поморщилась. Танцы...

— Белла, я никому не позволю причинить тебе боль, даже тебе самой не позволю, обещаю!

От таких слов мне стало легко и приятно, и, наверное, это отразилось на моем лице.

— Вот видишь, — мягко сказал Эдвард, — все не так уж и плохо! — Наклонившись, он обнял меня за талию. Я наконец взяла его за руку, позволяя вынести себя из машины.

В Финиксе выпускные проводятся в гранд-отелях. Здесь все было гораздо скромнее — танцы в спортзале и фуршет в столовой. Наверное, в городе нет ни одного подходящего клуба! Мы вошли в зал, и я захихикала: для особой торжественности стены украсили воздушными шарами и цветами из гофрированной бумаги.

— Похоже на декорации к фильму ужасов.

— Ну, — пробормотал Эдвард, предъявляя приглашения, — вампиры тоже в сборе.

Я взглянула на танцпол: в центре грациозно кружили две пары, а остальные топтались по периметру, не решаясь конкурировать с таким великолепием. Эмметт и Кэри в безупречного покроя смокингах, Элис в черном шелковом платье с геометрическими вырезами, обнажающими белоснежную кожу. А Розали... Розали превзошла саму себя! Ярко-алое платье с глубоким декольте плотно облегало стройные бедра и пышными фестонами струилось к полу. На ее фоне все остальные девушки, включая меня, казались нескладными дурнушками.

— Хочешь, я тихонько запру дверь, а вы расправитесь с беспечными горожанами? — заговорщицки зашептала я.

— А сама ты на чьей стороне? — уточнил Эдвард.

— Я-то? Конечно, с вампирами!

Он нехотя улыбнулся.

— Что угодно, только бы не танцевать!

— Что угодно! — подтвердила я.

Ослепительно улыбнувшись своему отражению в зеркале, Эдвард потащил меня к танцполу. Я испуганно вцепилась в его руку.

— Впереди целый вечер! — предупредил он.

Вот мы уже в центре площадки рядом с его родственниками, лихо отплясывающими под быструю музыку. Я с благоговением наблюдала за изящными па Элис и Розали.

— Эдвард, я правда не умею танцевать! — хрипло пролепетала я, чувствуя, как страх ледяными клещами сжимает сердце.

— Не бойся, глупышка! — весело ответил Эдвард. — Я умею! — Он быстро оторвал меня от пола и поставил на свои ноги.

Через секунду мы уже кружились в танце ненамного хуже, чем Эмметт с Розали.

— Чувствую себя пятилетней девчонкой! — засмеялась я после нескольких минут такого вальсирования.

— На пять ты не выглядишь, — проговорил Эдвард, притянув меня к себе.

Поймав вопросительный взгляд Элис, я улыбнулась. Настроение стремительно улучшалось.

— Слушай, а танцевать действительно здорово! — призналась я своему спутнику.

Эдвард меня не слушал, он гневно смотрел на входную дверь. Тигриные глаза метали молнии.

— Что случилось? — встревожилась я. От танцев закружилась голова, и я не сразу поняла, что его разозлило. Оказывается, к нам шел Джейкоб Блэк в белой рубашке с галстуком — темные волосы блестят от геля, туфли начищены.

Когда прошел первый шок, я невольно пожалела Джейка. Среди разодетых выпускников он явно чувствовал себя лишним. Совсем как воробушек в стае павлинов.

Эдвард глухо зарычал.

— Держи себя в руках! — зашипела я.

— Мальчик хочет с тобой поболтать, — процедил он.

Джейкоб с несчастным видом подошел к нам.

— Привет, Белла, хорошо, что я тебя нашел! — проговорил Блэк. Кажется, он от души надеялся, что, не встретив меня, сможет пойти домой.

— Привет, Джейк! — улыбнулась я. — Что случилось?

— Уступишь один танец? — робко попросил Блэк, поднимая глаза на Эдварда. К своему огромному удивлению, я заметила, что парни почти одного роста. Со дня нашей последней встречи Джейк вырос сантиметров на пять!

Лицо Эдварда было похоже на маску. Ничего не ответив, он аккуратно опустил меня на пол и отошел в сторону.

— Спасибо! — искренне поблагодарил Джейк.

Вот Блэк обнял меня за талию, а я подняла руки и положила ему на плечи.

— Джейк, ты так вырос...

— Да, сейчас во мне сто восемьдесят пять сантиметров, — самодовольно проговорил он. — А в прошлом месяце мне исполнилось пятнадцать.

— С прошедшим! Прости, что не поздравила во-время.

Благодаря моей «костяной» ноге мы не могли танцевать по-настоящему и просто раскачивались из стороны в сторону. Похоже, Джейка это не огорчало: из-за ростового скачка у парня нарушилась координация, и танцевал он немногим лучше меня.

— Так что у тебя стряслось? — как можно равнодушнее спросила я, рассчитывая на то, что Эдвард подслушивает.

— Представляешь, папа заплатил двадцать долларов, чтобы я пришел к вам на выпускной! — пристыженно сказал Блэк.

— Да, верится с трудом! — пробормотала я. — Ну что ж, надеюсь, ты прекрасно проведешь время! Кого-нибудь себе нашел? — съязвила я, разглядывая стайку девушек в ярких платьях.

— Угу, — пробормотал Джейк, — но у нее есть парень...

Заглянув в черные глаза, я все поняла, и нам обоим стало неловко.

— Кстати, ты хорошо выглядишь, — галантно заметил Блэк.

— Спасибо! Так зачем отец тебя прислал? — поинтересовалась я, прекрасно зная ответ.

Парень смущенно отвел глаза — вопрос ему не понравился.

— Он велел поговорить с тобой в безопасном месте, а в школе, по его мнению, вполне безопасно. По-моему, мой старик сходит с ума.

Я заставила себя засмеяться.

Джейкобу, по-моему, хотелось провалиться сквозь землю.

— А еще папа обещал достать блок цилиндров, если я кое-что тебе скажу, — Блэк робко улыбнулся.

— Тогда выкладывай! По крайней мере, твоя мечта исполнится, — усмехнулась я. Хорошо, что Джейк не воспринимает отцовские слова всерьез! При таком настрое общаться с ним намного легче.

Застывший у стены Эдвард не сводил с меня глаз; красивое мужественное лицо превратилось в маску. Невысокая девушка в розовом платье смотрела на него с нескрываемым интересом, но мой избранник ничего вокруг не замечал.

Джейк внимательно разглядывал свои ботинки.

— Только не злись, ладно?

— Джейкоб, мне не за что на тебя злиться! На Билли я тоже не сержусь. Просто скажи, что должен!

— Белла, это страшная глупость, но отец хочет, чтобы ты рассталась со своим парнем. Он велел тебя попросить.

— Билли так суеверен?

— Да, когда в Финиксе с тобой случилась беда, папа чуть с ума не сошел. Он не поверил, что... — не решился договорить Блэк.

Мои глаза сузились.

— Я поскользнулась на лестнице, — процедила я.

— Знаю, — быстро ответил Джейк.

— А Билли думает, что в этом как-то замешан Эдвард?

Несмотря на собственное обещание, я разозлилась.

Блэк упорно смотрел в пол. Мы даже перестали реагировать на музыку, просто стояли, обнявшись в центре танцпола.

— Послушай, Джейк, знаю, что Билли мне не верит, но хотя бы ты попробуй! — Наверное, мои слова прозвучали убежденно и искренне, потому что Блэк робко заглянул мне в глаза. — Эдвард действительно спас мне жизнь. Если бы не он и доктор Каллен, я сегодня здесь не танцевала бы.

— Конечно, — поспешно кивнул парень, и мне показалось, что он поверил. Может, ему удастся повлиять на Билли?

— Прости, что так вышло, я же вижу, каково тебе, — смягчилась я. — Зато получишь свой блок цилиндров, верно?

— Угу, — расстроенно пробормотал он.

— Билли что-то еще просил передать?

— К черту подарки! — взорвался Джейкоб. — Устроюсь на работу и накоплю!

— Нет уж, выкладывай! — потребовала я.

— Это так глупо...

— Мне все равно, рассказывай, не тяни.

— Ну ладно... Боже, какая чушь! — поморщился парень. — Папа велел сказать, вернее, предупредить, что мы будем за тобой наблюдать! Белла, я не собираюсь участвовать в этом «мы», — заверил Джейк, явно опасаясь моей реакции.

Я рассмеялась. Все это уж слишком походило на гангстерскую сагу.

— Бедный Джейк!

— Кажется, я отделался легким испугом, — облегченно вздохнул парень, и его темные глаза скользнули по моей груди. — Так что мне передать отцу? Чтобы занимался своими делами? — с надеждой спросил Блэк.

— Нет, — вздохнула я, — скажи спасибо. Он ведь хочет, как лучше!

Песня закончилась, и я разомкнула объятия. А вот руки Блэка задержались на моей талии.

— Может, еще потанцуем? — спросил он, опустив голову. — Или принести тебе что-нибудь?

— Спасибо, Джейкоб, — вмешался выросший как из-под земли Эдвард. — Я сам о ней позабочусь.

Блэк вздрогнул и изумленно на него уставился.

— Я и не заметил, как ты подошел... Ладно, Белла, до встречи. — Парень отступил и нерешительно помахал рукой.

— До скорого! — улыбнулась я.

— Прости меня, — прошелестел Джейк, поворачиваясь к двери.

Поставили новую мелодию, и руки Эдварда по-хозяйски обвились вокруг моей талии. Для вальса музыка была слишком быстрой, но это не особо его волновало. Я с наслаждением прижала голову к мускулистой груди.

— Успокоился? — поддразнила я.

— Не совсем, — коротко ответил Эдвард.

— Не злись на Билли. Он ведь близкий друг Чарли и действует из лучших побуждений.

— Я злюсь не на Билли. Меня бесит его сынок.

Не веря собственным ушам, я заглянула ему в глаза.

— За что?

— Во-первых, из-за него я нарушил обещание.

Наверное, вид у меня был такой удивленный, что Эдвард улыбнулся.

— Я же обещал никуда не отходить, чтобы никто не посмел тебя обидеть!

— Ах да!.. Ладно, я тебя прощаю!

— Спасибо, но это еще не все.

Я терпеливо ждала продолжения.

— Он сказал, что ты хорошо выглядишь! — нахмурился Эдвард. — А ты выглядишь не хорошо, а замечательно!

— Ну, ты не объективен, — засмеялась я.

— Именно объективен, ведь у меня отличное зрение!

Мы снова закружились в вальсе, на его ногах мне было вполне комфортно.

— Может, объяснишь, ради чего все это затевалось? — попросила я.

Эдвард изумленно на меня посмотрел, но я сделала вид, что изучаю бумажные банты на стенах.

Небольшая заминка, и мы, по-прежнему вальсируя, стали незаметно продвигаться к черному ходу. Вот мы поравнялись с Майком и Джессикой. Джесс помахала рукой, и я улыбнулась. Анжела тоже была здесь, млея в объятиях невысокого Бена Чейни. Меня она даже не заметила, полностью растворившись в голубых глазах своего партнера. Вот Ли, Саманта, Коннер, вечно недовольная Лорен... я помнила имена всех одноклассников, в танце проплывающих мимо меня.

Вот мы уже в школьном дворе, освещенном последними лучами заходящего солнца.

Эдвард взял меня на руки и понес к скамеечке под раскидистым земляничным деревом. Через минуту мы уже сидели, прижавшись друг к другу, и смотрели на луну, пробирающуюся сквозь волнистые облака. В темноте его лицо казалось еще бледнее, губы упрямо сжаты, в глазах застыла неуверенность.

— Так в чем дело? — мягко напомнила я.

Эдвард не слушал, внимательно рассматривая луну.

— Снова сумерки... Каким бы хорошим ни был день, он всегда кончается.

— На свете есть вещи, над которыми время не властно, — чуть слышно пробормотала я, неожиданно испугавшись.

Эдвард вздохнул.

— Я привел тебя на выпускной, — наконец ответил он на мой вопрос, — потому что хочу, чтобы твоя жизнь шла естественным путем. Так, как у других людей, как случилось бы и со мной, не реши Карлайл меня спасти. Жаль, что я не умер...

От таких слов я содрогнулась, а потом раздраженно покачала головой.

— Естественно, разве пошла бы я на выпускной по своей собственной воле? Да если бы ты не был в три тысячи раз сильнее, чем я, ничего бы не вышло!

Эдвард улыбнулся, но его глаза остались холодными.

— Ты же сама сказала, что танцевать здорово!

— Это потому, что я танцевала с тобой.

Целую минуту мы молчали: Эдвард смотрел на луну, а я — на него.

— Ответишь на один вопрос? — с улыбкой поинтересовался он.

— Разве я хоть что-то от тебя утаила?

— Просто обещай, что ответишь.

— Хорошо, — согласилась я и тут же об этом пожалела.

— Ты ведь удивилась, когда поняла, что я везу тебя на выпускной...

— Это так.

— Значит, ты рассчитывала на что-то другое... Куда, по-твоему, я тебя приглашал?

Да, не стоит давать опрометчивых обещаний.

— Не хочу говорить...

— Ты обещала! — возразил Эдвард.

— Я помню.

— Так в чем же дело?

Он думает, я просто стесняюсь...

— Если скажу, ты расстроишься или разозлишься! — серьезно сказала я.

Эдвард насупился.

— Все-таки я должен знать. На что именно ты рассчитывала?

Я тяжело вздохнула. Так просто от него не отделаешься!

— Ну, мне думалось, это ради какого-то важного события. Чего-нибудь посерьезнее, чем банальный человеческий выпускной!

— Человеческий?! — переспросил Эдвард.

Да, именно это слово являлось ключевым.

Я смотрела на свое платье, будто видела его впервые.

— Ну, ладно, — наконец промолвила я, — мне показалось, что ты передумал. — Поднять голову я так и не решилась. — Ты сам спросил...

— Неужели тебе так хочется? — поинтересовался Эдвард.

Я кивнула, боясь заглянуть ему в глаза.

— Тогда готовься! — чуть слышно произнес он, будто обращаясь к самому себе. — Это будет конец, наступят сумерки твоей жизни, которая едва началась. Готова проститься со своим будущим?

— Никакой это не конец, а начало!

— Я того не стою.

Я засмеялась, и наши глаза встретились.

— Помнишь, ты говорил, что я себя недооцениваю? По-моему, ты страдаешь тем же самым недугом!

— Ну, я-то прекрасно знаю себе цену!

Боже, какой упрямый!

Вот он поджал губы, а в глазах застыл вопрос.

— Ты готова, прямо сейчас? — спросил Эдвард.

— Ммм, — промычала я. — Сейчас?

Сладко улыбнувшись, он прильнул губами к моему горлу.

— Прямо сейчас? — прошептал он, целуя меня в шею, там, где бьется пульс.

— Да, — тихо сказала я.

Если Эдвард надеется, что я блефую, то совершенно напрасно. Я приняла решение и отступать не собираюсь. Неважно, что мое тело окаменело, руки сжались в кулаки, а сердце вот-вот вырвется из груди...

Невесело засмеявшись, Эдвард отстранился. Похоже, он действительно разочарован.

— Неужели ты поверила, что я так легко сдамся?

— Ну, девушки любят мечтать.

— И об этом ты мечтаешь? — удивился он. — О том, чтобы стать монстром?

— Не совсем так, — нахмурилась я. Зачем меня пугать? Все равно не передумаю! — Больше всего мне хочется быть с тобой сегодня, завтра и всегда.

Прекрасное лицо смягчилось, в глазах появилась грусть.

— Белла, — тонкие пальцы очертили контур моих губ, — я никуда от тебя не денусь. Разве этого недостаточно?

— На сегодня достаточно, — улыбнулась я.

Не ожидая такого упрямства, он нахмурился, с губ сорвалось рычание.

Я робко коснулась его лица.

— Послушай, я люблю тебя больше всех на свете. Разве этого недостаточно?

— Да, — улыбнулся Эдвард. — Достаточно на сегодня и навсегда.

Холодные губы снова прильнули к моей шее.

ОГЛАВЛЕНИЕ

По вопросам оптовой покупки книг
издательства АСТ обращаться по адресу:
Звездный бульвар, дом 21, 7-й этаж
Тел. 615-43-38, 615-01-01, 615-55-13

107140, Москва, а/я 140, АСТ — «Книги по почте»

Литературно-художественное издание

Майер Стефани

СУМЕРКИ

Ведущий редактор *И.Л. Шишкова*
Редактор *О. Кутуев*
Художественные редакторы *О.Н. Адаскина, И.А. Сынкова*
Компьютерный дизайн переплета *Н.А. Хафизовой*
Технический редактор *Н.К. Белова*
Компьютерная верстка *Н.А. Сидорской*

Общероссийский классификатор продукции
ОК-005-93, том 2; 953000 — книги, брошюры

Санитарно-эпидемиологическое заключение
№ 77.99.60.953.Д.009937.09.08 от 15.09.2008 г.

ООО «Издательство АСТ»
141100, Россия, Московская обл.,
г. Щелково, ул. Заречная, 96

ООО Издательство «АСТ МОСКВА»
129085, г. Москва, Звездный б-р, 21, стр. 1

Наши электронные адреса: www.ast.ru
E-mail: astpub@aha.ru

Издано при участии ООО «Харвест».
ЛИ № 02330/0494377 от 16.03.2009.
Республика Беларусь, 220013, Минск, ул. Кульман, д. 1, корп. 3, эт. 4, к. 42.
E-mail редакции: harvest@anitex.by

Республиканское унитарное предприятие
«Издательство «Белорусский Дом печати».
ЛП № 02330/0494179 от 03.04.2009.
Пр. Независимости, 79, 220013, Минск.